François de La Rochefoucauld

RÉFLEXIONS OU SENTENCES ET MAXIMES MORALES

Edition : Culturea (culurea.fr), 34 Hérault
Contact : infos@culturea.fr
Impression : BOD, Norderstedt (Allemagne)
ISBN : 9791041838912
Date de publication : juillet 2023
Mise en page et maquettage : https://reedsy.com/
Cet ouvrage a été composé avec la police Bauer Bodoni

Réflexions morales

Nos vertus ne sont, le plus souvent, que de vices déguisés.

1

Ce que nous prenons pour des vertus n'est souvent qu'un assemblage de diverses actions et de divers intérêts, que la fortune ou notre industrie savent arranger; et ce n'est pas toujours par valeur et par chasteté que les hommes sont vaillants, et que les femmes sont chastes.

2

L'amour-propre est le plus grand de tous les flatteurs.

3

Quelque découverte que l'on ait faite dans le pays de l'amour-propre, il y reste encore bien des terres inconnues.

4

L'amour-propre est plus habile que le plus habile homme du monde.

5

La durée de nos passions ne dépend pas plus de nous que la durée de notre vie.

6

La passion fait souvent un fou du plus habile homme, et rend souvent les plus sots habiles.

7

Ces grandes et éclatantes actions qui éblouissent les yeux sont représentées par les politiques comme les effets des grands desseins, au lieu que ce sont d'ordinaire les effets de l'humeur et des passions. Ainsi la guerre d'Auguste et d'Antoine, qu'on rapporte à l'ambition qu'ils avaient de se rendre maîtres du monde, n'était peut-être qu'un effet de jalousie.

8

Les passions sont les seuls orateurs qui persuadent toujours. Elles sont comme un art de la nature dont les règles sont infaillibles; et l'homme le plus simple qui a de la passion persuade mieux que le plus éloquent qui n'en a point.

9

Les passions ont une injustice et un propre intérêt qui fait qu'il est dangereux de les suivre, et qu'on s'en doit défier lors même qu'elles paraissent les plus raisonnables.

10

Il y a dans le cœur humain une génération perpétuelle de passions, en sorte que la ruine de l'une est presque toujours l'établissement d'une autre.

11

Les passions en engendrent souvent qui leur sont contraires. L'avarice produit quelquefois la prodigalité, et la prodigalité l'avarice; on est souvent ferme par faiblesse, et audacieux par timidité.

12

Quelque soin que l'on prenne de couvrir ses passions par des apparences de piété et d'honneur, elles paraissent toujours au travers de ces voiles.

13

Notre amour-propre souffre plus impatiemment la condamnation de nos goûts que de nos opinions.

14

Les hommes ne sont pas seulement sujets à perdre le souvenir des bienfaits et des injures; ils haïssent même ceux qui les ont obligés, et cessent de haïr ceux qui leur ont fait des outrages. L'application à récompenser le bien, et à se venger du mal, leur paraît une servitude à laquelle ils ont peine de se soumettre.

15

La clémence des princes n'est souvent qu'une politique pour gagner l'affection des peuples.

16

Cette clémence dont on fait une vertu se pratique tantôt par vanité, quelquefois par paresse, souvent par crainte, et presque toujours par tous les trois ensemble.

17

La modération des personnes heureuses vient du calme que la bonne fortune donne à leur humeur.

18

La modération est une crainte de tomber dans l'envie et dans le mépris que méritent ceux qui s'enivrent de leur bonheur; c'est une vaine ostentation de la force de notre esprit; et enfin la modération des hommes dans leur plus haute élévation est un désir de paraître plus grands que leur fortune.

19

Nous avons tous assez de force pour supporter les maux d'autrui.

20

La constance des sages n'est que l'art de renfermer leur agitation dans le cœur.

21

Ceux qu'on condamne au supplice affectent quelquefois une constance et un mépris de la mort qui n'est en effet que la crainte de l'envisager. De sorte qu'on peut dire que cette constance et ce mépris sont à leur esprit ce que le bandeau est à leurs yeux.

22

La philosophie triomphe aisément des maux passés et des maux à venir. Mais les maux présents triomphent d'elle.

23

Peu de gens connaissent la mort. On ne la souffre pas ordinairement par résolution, mais par stupidité et par coutume; et la plupart des hommes meurent parce qu'on ne peut s'empêcher de mourir.

24

Lorsque les grands hommes se laissent abattre par la longueur de leurs infortunes, ils font voir qu'ils ne les soutenaient que par la force de leur ambition, et non par celle de leur âme, et qu'à une grande vanité près les héros sont faits comme les autres hommes.

25

Il faut de plus grandes vertus pour soutenir la bonne fortune que la mauvaise.

26

Le soleil ni la mort ne se peuvent regarder fixement.

27

On fait souvent vanité des passions même les plus criminelles; mais l'envie est une passion timide et honteuse que l'on n'ose jamais avouer.

28

La jalousie est en quelque manière juste et raisonnable, puisqu'elle ne tend qu'à conserver un bien qui nous appartient, ou que nous croyons nous appartenir; au lieu que l'envie est une fureur qui ne peut souffrir le bien des autres.

29

Le mal que nous faisons ne nous attire pas tant de persécution et de haine que nos bonnes qualités.

30

Nous avons plus de force que de volonté; et c'est souvent pour nous excuser à nous-mêmes que nous nous imaginons que les choses sont impossibles.

31

Si nous n'avions point de défauts, nous ne prendrions pas tant de plaisir à en remarquer dans les autres.

32

La jalousie se nourrit dans les doutes, et elle devient fureur, ou elle finit, sitôt qu'on passe du doute à la certitude.

33

L'orgueil se dédommage toujours et ne perd rien lors même qu'il renonce à la vanité

34

Si nous n'avions point d'orgueil, nous ne nous plaindrions pas de celui des autres.

35

L'orgueil est égal dans tous les hommes, et il n'y a de différence qu'aux moyens et à la manière de le mettre au jour.

36

Il semble que la nature, qui a si sagement disposé les organes de notre corps pour nous rendre heureux; nous ait aussi donné l'orgueil pour nous épargner la douleur de connaître nos imperfections.

37

L'orgueil a plus de part que la bonté aux remontrances que nous faisons à ceux qui commettent des fautes; et nous ne les reprenons pas tant pour les en corriger que pour leur persuader que nous en sommes exempts.

38

Nous promettons selon nos espérances, et nous tenons selon nos craintes.

39

L'intérêt parle toutes sortes de langues, et joue toutes sortes de personnages, même celui de désintéressé.

40

L'intérêt, qui aveugle les uns, fait la lumière des autres.

41

Ceux qui s'appliquent trop aux petites choses deviennent ordinairement incapables des grandes.

42

Nous n'avons pas assez de force pour suivre toute notre raison.

43

L'homme croit souvent se conduire lorsqu'il est conduit; et pendant que par son esprit il tend à un but, son cœur l'entraîne insensiblement à un autre.

44

La force et la faiblesse de l'esprit sont mal nommées; elles ne sont en effet que la bonne ou la mauvaise disposition des organes du corps.

45

Le caprice de notre humeur est encore plus bizarre que celui de la fortune.

46

L'attachement ou l'indifférence que les philosophes avaient pour la vie n'était qu'un goût de leur amour-propre, dont on ne doit non plus disputer que du goût de la langue ou du choix des couleurs.

47

Notre humeur met le prix à tout ce qui nous vient de la fortune.

48

La félicité est dans le goût et non pas dans les choses; et c'est par avoir ce qu'on aime qu'on est heureux, et non par avoir ce que les autres trouvent aimable.

49

On n'est jamais si heureux ni si malheureux qu'on s'imagine.

50

Ceux qui croient avoir du mérite se font un honneur d'être malheureux, pour persuader aux autres et à eux-mêmes qu'ils sont dignes d'être en butte à la fortune.

51

Rien ne doit tant diminuer la satisfaction que nous avons de nous-mêmes, que de voir que nous désapprouvons dans un temps ce que nous approuvions dans un autre.

52

Quelque différence qui paraisse entre les fortunes, il y a néanmoins une certaine compensation de biens et de maux qui les rend égales.

53

Quelques grands avantages que la nature donne, ce n'est pas elle seule, mais la fortune avec elle qui fait les héros.

54

Le mépris des richesses était dans les philosophes un désir caché de venger leur mérite de l'injustice de la fortune par le mépris des mêmes biens dont elle les privait; c'était un secret pour se garantir de l'avilissement de la pauvreté; c'était un chemin détourné pour aller à la considération qu'ils ne pouvaient avoir par les richesses.

55

La haine pour les favoris n'est autre chose que l'amour de la faveur. Le dépit de ne la pas posséder se console et s'adoucit par le mépris que l'on témoigne de ceux qui la possèdent; et nous leur refusons nos hommages, ne pouvant pas leur ôter ce qui leur attire ceux de tout le monde.

56

Pour s'établir dans le monde, on fait tout ce que l'on peut pour y paraître établi.

57

Quoique les hommes se flattent de leurs grandes actions, elles ne sont pas souvent les effets d'un grand dessein, mais des effets du hasard.

58

Il semble que nos actions aient des étoiles heureuses ou malheureuses à qui elles doivent une grande partie de la louange et du blâme qu'on leur donne.

59

Il n'y a point d'accidents si malheureux dont les habiles gens ne tirent quelque avantage, ni de si heureux que les imprudents ne puissent tourner à leur préjudice.

60

La fortune tourne tout à l'avantage de ceux qu'elle favorise.

61

Le bonheur et le malheur des hommes ne dépend pas moins de leur humeur que de la fortune.

62

La sincérité est une ouverture de cœur. On la trouve en fort peu de gens; et celle que l'on voit d'ordinaire n'est qu'une fine dissimulation pour attirer la confiance des autres.

63

L'aversion du mensonge est souvent une imperceptible ambition de rendre nos témoignages considérables, et d'attirer à nos paroles un respect de religion.

64

La vérité ne fait pas tant de bien dans le monde que ses apparences y font de mal.

65

Il n'y a point d'éloges qu'on ne donne à la prudence. Cependant elle ne saurait nous assurer du moindre événement.

66

Un habile homme doit régler le rang de ses intérêts et les conduire chacun dans son ordre. Notre avidité le trouble souvent en nous faisant courir à tant de choses à la fois que, pour désirer trop les moins importantes, on manque les plus considérables.

67

La bonne grâce est au corps ce que le bon sens est à l'esprit.

68

Il est difficile de définir l'amour. Ce qu'on en peut dire est que dans l'âme c'est une passion de régner, dans les esprits c'est une sympathie, et dans le corps ce n'est qu'une envie cachée et délicate de posséder ce que l'on aime après beaucoup de mystères.

69

S'il y a un amour pur et exempt du mélange de nos autres passions, c'est celui qui est caché au fond du cœur, et que nous ignorons nous-mêmes.

70

Il n'y a point de déguisement qui puisse longtemps cacher l'amour où il est, ni le feindre où il n'est pas.

71

Il n'y a guère de gens qui ne soient honteux de s'être aimés quand ils ne s'aiment plus.

72

Si on juge de l'amour par la plupart de ses effets, il ressemble plus à la haine qu'à l'amitié.

73

On peut trouver des femmes qui n'ont jamais eu de galanterie; mais il est rare d'en trouver qui n'en aient jamais eu qu'une.

74

Il n'y a que d'une sorte d'amour, mais il y en a mille différentes copies.

75

L'amour aussi bien que le feu ne peut subsister sans un mouvement continuel; et il cesse de vivre dès qu'il cesse d'espérer ou de craindre.

76

Il est du véritable amour comme de l'apparition des esprits: tout le monde en parle, mais peu de gens en ont vu.

77

L'amour prête son nom à un nombre infini de commerces qu'on lui attribue, et où il n'a non plus de part que le Doge à ce qui se fait à Venise.

78

L'amour de la justice n'est en la plupart des hommes que la crainte de souffrir l'injustice.

79

Le silence est le parti le plus sûr de celui qui se défie de soi-même.

80

Ce qui nous rend si changeants dans nos amitiés, c'est qu'il est difficile de connaître les qualités de l'âme, et facile de connaître celles de l'esprit.

81

Nous ne pouvons rien aimer que par rapport à nous, et nous ne faisons que suivre notre goût et notre plaisir quand nous préférons nos amis à nous-mêmes; c'est néanmoins par cette préférence seule que l'amitié peut être vraie et parfaite.

82

La réconciliation avec nos ennemis n'est qu'un désir de rendre notre condition meilleure, une lassitude de la guerre, et une crainte de quelque mauvais événement.

83

Ce que les hommes ont nommé amitié n'est qu'une société, qu'un ménagement réciproque d'intérêts, et qu'un échange de bons offices; ce n'est enfin qu'un commerce où l'amour-propre se propose toujours quelque chose à gagner.

84

Il est plus honteux de se défier de ses amis que d'en être trompé.

85

Nous nous persuadons souvent d'aimer les gens plus puissants que nous; et néanmoins c'est l'intérêt seul qui produit notre amitié. Nous ne nous donnons pas à eux pour le bien que nous leur voulons faire, mais pour celui que nous en voulons recevoir.

86

Notre défiance justifie la tromperie d'autrui.

87

Les hommes ne vivraient pas longtemps en société s'ils n'étaient les dupes les uns des autres.

88

L'amour-propre nous augmente ou nous diminue les bonnes qualités de nos amis à proportion de la satisfaction que nous avons d'eux; et nous jugeons de leur mérite par la manière dont ils vivent avec nous.

89

Tout le monde se plaint de sa mémoire, et personne ne se plaint de son jugement.

90

Nous plaisons plus souvent dans le commerce de la vie par nos défauts que par nos bonnes qualités.

91

La plus grande ambition n'en a pas la moindre apparence lorsqu'elle se rencontre dans une impossibilité absolue d'arriver où elle aspire.

92

Détromper un homme préoccupé de son mérite est lui rendre un aussi mauvais office que celui que l'on rendit à ce fou d'Athènes, qui croyait que tous les vaisseaux qui arrivaient dans le port étaient à lui.

93

Les vieillards aiment à donner de bons préceptes, pour se consoler de n'être plus en état de donner de mauvais exemples.

94

Les grands noms abaissent, au lieu d'élever, ceux qui ne les savent pas soutenir.

95

La marque d'un mérite extraordinaire est de voir que ceux qui l'envient le plus sont contraints de le louer.

96

Tel homme est ingrat, qui est moins coupable de son ingratitude que celui qui lui a fait du bien.

97

On s'est trompé lorsqu'on a cru que l'esprit et le jugement étaient deux choses différentes. Le jugement n'est que la grandeur de la lumière de l'esprit; cette lumière pénètre le fond des choses; elle y remarque tout ce qu'il faut remarquer et aperçoit celles qui semblent imperceptibles. Ainsi il faut demeurer d'accord que c'est l'étendue de la lumière de l'esprit qui produit tous les effets qu'on attribue au jugement.

98

Chacun dit du bien de son cœur, et personne n'en ose dire de son esprit.

99

La politesse de l'esprit consiste à penser des choses honnêtes et délicates.

100

La galanterie de l'esprit est de dire des choses flatteuses d'une manière agréable.

101

Il arrive souvent que des choses se présentent plus achevées à notre esprit qu'il ne les pourrait faire avec beaucoup d'art.

102

L'esprit est toujours la dupe du cœur.

103

Tous ceux qui connaissent leur esprit ne connaissent pas leur cœur.

104

Les hommes et les affaires ont leur point de perspective. Il y en a qu'il faut voir de près pour en bien juger, et d'autres dont on ne juge jamais si bien que quand on en est éloigné.

105

Celui-là n'est pas raisonnable à qui le hasard fait trouver la raison, mais celui qui la connaît, qui la discerne, et qui la goûte.

106

Pour bien savoir les choses, il en faut savoir le détail; et comme il est presque infini, nos connaissances sont toujours superficielles et imparfaites.

107

C'est une espèce de coquetterie de faire remarquer qu'on n'en fait jamais.

108

L'esprit ne saurait jouer longtemps le personnage du cœur.

109

La jeunesse change ses goûts par l'ardeur du sang, et la vieillesse conserve les siens par l'accoutumance.

110

On ne donne rien si libéralement que ses conseils.

111

Plus on aime une maîtresse, et plus on est près de la haïr.

112

Les défauts de l'esprit augmentent en vieillissant comme ceux du visage.

113

Il y a de bons mariages, mais il n'y en a point de délicieux.

114

On ne se peut consoler d'être trompé par ses ennemis, et trahi par ses amis; et l'on est souvent satisfait de l'être par soi-même.

115

Il est aussi facile de se tromper soi-même sans s'en apercevoir qu'il est difficile de tromper les autres sans qu'ils s'en aperçoivent.

116

Rien n'est moins sincère que la manière de demander et de donner des conseils. Celui qui en demande paraît avoir une déférence respectueuse pour les sentiments de son ami, bien qu'il ne pense qu'à lui faire approuver les siens, et à le rendre garant de sa conduite. Et celui qui conseille paye la confiance qu'on lui témoigne d'un zèle ardent et désintéressé, quoiqu'il ne cherche le plus souvent dans les conseils qu'il donne que son propre intérêt ou sa gloire.

117

La plus subtile de toutes les finesses est de savoir bien feindre de tomber dans les pièges que l'on nous tend, et on n'est jamais si aisément trompé que quand on songe à tromper les autres.

118

L'intention de ne jamais tromper nous expose à être souvent trompés.

119

Nous sommes si accoutumés à nous déguiser aux autres qu'enfin nous nous déguisons à nous-mêmes.

120

L'on fait plus souvent des trahisons par faiblesse que par un dessein formé de trahir.

121

On fait souvent du bien pour pouvoir impunément faire du mal.

122

Si nous résistons à nos passions, c'est plus par leur faiblesse que par notre force.

123

On n'aurait guère de plaisir si on ne se flattait jamais.

124

Les plus habiles affectent toute leur vie de blâmer les finesses pour s'en servir en quelque grande occasion et pour quelque grand intérêt.

125

L'usage ordinaire de la finesse est la marque d'un petit esprit, et il arrive presque toujours que celui qui s'en sert pour se couvrir en un endroit, se découvre en un autre.

126

Les finesses et les trahisons ne viennent que de manque d'habileté.

127

Le vrai moyen d'être trompé, c'est de se croire plus fin que les autres.

128

La trop grande subtilité est une fausse délicatesse, et la véritable délicatesse est une solide subtilité.

129

Il suffit quelquefois d'être grossier pour n'être pas trompé par un habile homme.

130

La faiblesse est le seul défaut que l'on ne saurait corriger.

131

Le moindre défaut des femmes qui se sont abandonnées à faire l'amour, c'est de faire l'amour.

132

Il est plus aisé d'être sage pour les autres que de l'être pour soi-même.

133

Les seules bonnes copies sont celles qui nous font voir le ridicule des méchants originaux.

134

On n'est jamais si ridicule par les qualités que l'on a que par celles que l'on affecte d'avoir.

135

On est quelquefois aussi différent de soi-même que des autres.

136

Il y a des gens qui n'auraient jamais été amoureux s'ils n'avaient jamais entendu parler de l'amour.

137

On parle peu quand la vanité ne fait pas parler.

138

On aime mieux dire du mal de soi-même que de n'en point parler.

139

Une des choses qui fait que l'on trouve si peu de gens qui paraissent raisonnables et agréables dans la conversation, c'est qu'il n'y a presque personne qui ne pense plutôt à ce qu'il veut dire qu'à répondre précisément à ce qu'on lui dit. Les plus habiles et les plus complaisants se contentent de montrer seulement une mine attentive, au même temps que l'on voit dans leurs yeux et dans leur esprit un égarement pour ce qu'on leur dit, et une précipitation pour retourner à ce qu'ils veulent dire; au lieu de considérer que c'est un mauvais moyen de plaire aux autres ou de les persuader, que de chercher si fort à se plaire à soi-même, et que bien écouter et bien répondre est une des plus grandes perfections qu'on puisse avoir dans la conversation.

140

Un homme d'esprit serait souvent bien embarrassé sans la compagnie des sots.

141

Nous nous vantons souvent de ne nous point ennuyer; et nous sommes si glorieux que nous ne voulons pas nous trouver de mauvaise compagnie.

142

Comme c'est le caractère des grands esprits de faire entendre en peu de paroles beaucoup de choses, les petits esprits au contraire ont le don de beaucoup parler, et de ne rien dire.

143

C'est plutôt par l'estime de nos propres sentiments que nous exagérons les bonnes qualités des autres, que par l'estime de leur mérite; et nous voulons nous attirer des louanges, lorsqu'il semble que nous leur en donnons.

144

On n'aime point à louer, et on ne loue jamais personne sans intérêt. La louange est une flatterie habile, cachée, et délicate, qui satisfait différemment celui qui la donne, et celui qui la reçoit. L'un la prend comme une récompense de son mérite; l'autre la donne pour faire remarquer son équité et son discernement.

145

Nous choisissons souvent des louanges empoisonnées qui font voir par contrecoup en ceux que nous louons des défauts que nous n'osons découvrir d'une autre sorte.

146

On ne loue d'ordinaire que pour être loué.

147

Peu de gens sont assez sages pour préférer le blâme qui leur est utile à la louange qui les trahit.

148

Il y a des reproches qui louent, et des louanges qui médisent.

149

Le refus des louanges est un désir d'être loué deux fois.

150

Le désir de mériter les louanges qu'on nous donne fortifie notre vertu; et celles que l'on donne à l'esprit, à la valeur, et à la beauté contribuent à les augmenter.

151

Il est plus difficile de s'empêcher d'être gouverné que de gouverner les autres.

152

Si nous ne nous flattions point nous-mêmes, la flatterie des autres ne nous pourrait nuire.

153

La nature fait le mérite, et la fortune le met en œuvre.

154

La fortune nous corrige de plusieurs défauts que la raison ne saurait corriger.

155

Il y a des gens dégoûtants avec du mérite, et d'autres qui plaisent avec des défauts.

156

Il y a des gens dont tout le mérite consiste à dire et à faire des sottises utilement, et qui gâteraient tout s'ils changeaient de conduite.

157

La gloire des grands hommes se doit toujours mesurer aux moyens dont ils se sont servis pour l'acquérir.

158

La flatterie est une fausse monnaie qui n'a de cours que par notre vanité.

159

Ce n'est pas assez d'avoir de grandes qualités; il en faut avoir l'économie.

160

Quelque éclatante que soit une action, elle ne doit pas passer pour grande lorsqu'elle n'est pas l'effet d'un grand dessein.

161

Il doit y avoir une certaine proportion entre les actions et les desseins si on en veut tirer tous les effets qu'elles peuvent produire.

162

L'art de savoir bien mettre en œuvre de médiocres qualités dérobe l'estime et donne souvent plus de réputation que le véritable mérite.

163

Il y a une infinité de conduites qui paraissent ridicules, et dont les raisons cachées sont très sages et très solides.

164

Il est plus facile de paraître digne des emplois qu'on n'a pas que de ceux que l'on exerce.

165

Notre mérite nous attire l'estime des honnêtes gens, et notre étoile celle du public.

166

Le monde récompense plus souvent les apparences du mérite que le mérite même.

167

L'avarice est plus opposée à l'économie que la libéralité.

168

L'espérance, toute trompeuse qu'elle est, sert au moins à nous mener à la fin de la vie par un chemin agréable.

169

Pendant que la paresse et la timidité nous retiennent dans notre devoir, notre vertu en a souvent tout l'honneur.

170

Il est difficile de juger si un procédé net, sincère et honnête est un effet de probité ou d'habileté.

171

Les vertus se perdent dans l'intérêt, comme les fleuves se perdent dans la mer.

172

Si on examine bien les divers effets de l'ennui, on trouvera qu'il fait manquer à plus de devoirs que l'intérêt.

173

Il y a diverses sortes de curiosité: l'une d'intérêt, qui nous porte à désirer d'apprendre ce qui nous peut être utile, et l'autre d'orgueil, qui vient du désir de savoir ce que les autres ignorent.

174

Il vaut mieux employer notre esprit à supporter les infortunes qui nous arrivent qu'à prévoir celles qui nous peuvent arriver.

175

La constance en amour est une inconstance perpétuelle, qui fait que notre cœur s'attache successivement à toutes les qualités de la personne que nous aimons, donnant tantôt la préférence à l'une, tantôt à l'autre; de sorte que cette constance n'est qu'une inconstance arrêtée et renfermée dans un même sujet.

176

Il y a deux sortes de constance en amour: l'une vient de ce que l'on trouve sans cesse dans la personne que l'on aime de nouveaux sujets d'aimer, et l'autre vient de ce que l'on se fait un honneur d'être constant.

177

La persévérance n'est digne ni de blâme ni de louange, parce qu'elle n'est que la durée des goûts et des sentiments, qu'on ne s'ôte et qu'on ne se donne point.

178

Ce qui nous fait aimer les nouvelles connaissances n'est pas tant la lassitude que nous avons des vieilles ou le plaisir de changer, que le dégoût de n'être pas assez admirés de ceux qui nous connaissent trop, et l'espérance de l'être davantage de ceux qui ne nous connaissent pas tant.

179

Nous nous plaignons quelquefois légèrement de nos amis pour justifier par avance notre légèreté.

180

Notre repentir n'est pas tant un regret du mal que nous avons fait, qu'une crainte de celui qui nous en peut arriver.

181

Il y a une inconstance qui vient de la légèreté de l'esprit ou de sa faiblesse, qui lui fait recevoir toutes les opinions d'autrui, et il y en a une autre, qui est plus excusable, qui vient du dégoût des choses.

182

Les vices entrent dans la composition des vertus comme les poisons entrent dans la composition des remèdes. La prudence les assemble et les tempère, et elle s'en sert utilement contre les maux de la vie.

183

Il faut demeurer d'accord à l'honneur de la vertu que les plus grands malheurs des hommes sont ceux où ils tombent par les crimes.

184

Nous avouons nos défauts pour réparer par notre sincérité le tort qu'ils nous font dans l'esprit des autres.

185

Il y a des héros en mal comme en bien.

186

On ne méprise pas tous ceux qui ont des vices; mais on méprise tous ceux qui n'ont aucune vertu.

187

Le nom de la vertu sert à l'intérêt aussi utilement que les vices.

188

La santé de l'âme n'est pas plus assurée que celle du corps; et quoique l'on paraisse éloigné des passions, on n'est pas moins en danger de s'y laisser emporter que de tomber malade quand on se porte bien.

189

Il semble que la nature ait prescrit à chaque homme dès sa naissance des bornes pour les vertus et pour les vices.

190

Il n'appartient qu'aux grands hommes d'avoir de grands défauts.

191

On peut dire que les vices nous attendent dans le cours de la vie comme des hôtes chez qui il faut successivement loger; et je doute que l'expérience nous les fît éviter s'il nous était permis de faire deux fois le même chemin.

192

Quand les vices nous quittent, nous nous flattons de la créance que c'est nous qui les quittons.

193

Il y a des rechutes dans les maladies de l'âme, comme dans celles du corps. Ce que nous prenons pour notre guérison n'est le plus souvent qu'un relâche ou un changement de mal.

194

Les défauts de l'âme sont comme les blessures du corps: quelque soin qu'on prenne de les guérir, la cicatrice paraît toujours, et elles sont à tout moment en danger de se rouvrir.

195

Ce qui nous empêche souvent de nous abandonner à un seul vice est que nous en avons plusieurs.

196

Nous oublions aisément nos fautes lorsqu'elles ne sont sues que de nous.

197

Il y a des gens de qui l'on peut ne jamais croire du mal sans l'avoir vu; mais il n'y en a point en qui il nous doive surprendre en le voyant.

198

Nous élevons la gloire des uns pour abaisser celle des autres. Et quelquefois on louerait moins Monsieur le Prince et M. de Turenne si on ne les voulait point blâmer tous deux.

199

Le désir de paraître habile empêche souvent de le devenir.

200

La vertu n'irait pas si loin si la vanité ne lui tenait compagnie.

201

Celui qui croit pouvoir trouver en soi-même de quoi se passer de tout le monde se trompe fort; mais celui qui croit qu'on ne peut se passer de lui se trompe encore davantage.

202

Les faux honnêtes gens sont ceux qui déguisent leurs défauts aux autres et à eux-mêmes. Les vrais honnêtes gens sont ceux qui les connaissent parfaitement et les confessent.

203

Le vrai honnête homme est celui qui ne se pique de rien.

204

La sévérité des femmes est un ajustement et un fard qu'elles ajoutent à leur beauté.

205

L'honnêteté des femmes est souvent l'amour de leur réputation et de leur repos.

206

C'est être véritablement honnête homme que de vouloir être toujours exposé à la vue des honnêtes gens.

207

La folie nous suit dans tous les temps de la vie. Si quelqu'un paraît sage, c'est seulement parce que ses folies sont proportionnées à son âge et à sa fortune.

208

Il y a des gens niais qui se connaissent, et qui emploient habilement leur niaiserie.

209

Qui vit sans folie n'est pas si sage qu'il croit.

210

En vieillissant on devient plus fou, et plus sage.

211

Il y a des gens qui ressemblent aux vaudevilles, qu'on ne chante qu'un certain temps.

212

La plupart des gens ne jugent des hommes que par la vogue qu'ils ont, ou par leur fortune.

213

L'amour de la gloire, la crainte de la honte, le dessein de faire fortune, le désir de rendre notre vie commode et agréable, et l'envie d'abaisser les autres, sont souvent les causes de cette valeur si célèbre parmi les hommes.

214

La valeur est dans les simples soldats un métier périlleux qu'ils ont pris pour gagner leur vie.

215

La parfaite valeur et la poltronnerie complète sont deux extrémités où l'on arrive rarement. L'espace qui est entre-deux est vaste, et contient toutes les autres espèces de courage: il n'y a pas moins de différence entre elles qu'entre les visages et les humeurs. Il y a des hommes qui s'exposent volontiers au commencement d'une action, et qui se relâchent et se rebutent aisément par sa durée. Il y en a qui sont contents quand ils ont satisfait à l'honneur du monde, et qui font fort peu de chose au-delà. On en voit qui ne sont pas toujours également maîtres de leur peur. D'autres se laissent quelquefois entraîner à des terreurs générales. D'autres vont à la charge parce qu'ils n'osent demeurer dans leurs postes. Il s'en trouve à qui l'habitude des moindres périls affermit le courage et les prépare à s'exposer à de plus grands. Il y en a qui sont braves à coups d'épée, et qui craignent les coups de mousquet; d'autres sont assurés aux coups de mousquet, et appréhendent de se battre à coups d'épée. Tous ces courages de différentes espèces conviennent en ce que la nuit augmentant la crainte et cachant les bonnes et les mauvaises actions, elle donne la liberté de se ménager. Il y a encore un autre ménagement plus général; car on ne voit point d'homme qui fasse tout ce qu'il serait capable de faire dans une occasion s'il était assuré d'en revenir. De sorte qu'il est visible que la crainte de la mort ôte quelque chose de la valeur.

216

La parfaite valeur est de faire sans témoins ce qu'on serait capable de faire devant tout le monde.

217

L'intrépidité est une force extraordinaire de l'âme qui l'élève au-dessus des troubles, des désordres et des émotions que la vue des grands périls pourrait exciter en elle; et c'est par cette force que les héros se maintiennent en un état paisible, et conservent l'usage libre de leur raison dans les accidents les plus surprenants et les plus terribles.

218

L'hypocrisie est un hommage que le vice rend à la vertu.

219

La plupart des hommes s'exposent assez dans la guerre pour sauver leur honneur. Mais peu se veulent toujours exposer autant qu'il est nécessaire pour faire réussir le dessein pour lequel ils s'exposent.

220

La vanité, la honte, et surtout le tempérament, font souvent la valeur des hommes, et la vertu des femmes.

221

On ne veut point perdre la vie, et on veut acquérir de la gloire; ce qui fait que les braves ont plus d'adresse et d'esprit pour éviter la mort que les gens de chicane n'en ont pour conserver leur bien.

222

Il n'y a guère de personnes qui dans le premier penchant de l'âge ne fassent connaître par où leur corps et leur esprit doivent défaillir.

223

Il est de la reconnaissance comme de la bonne foi des marchands: elle entretient le commerce; et nous ne payons pas parce qu'il est juste de nous acquitter, mais pour trouver plus facilement des gens qui nous prêtent.

224

Tous ceux qui s'acquittent des devoirs de la reconnaissance ne peuvent pas pour cela se flatter d'être reconnaissants.

225

Ce qui fait le mécompte dans la reconnaissance qu'on attend des grâces que l'on a faites, c'est que l'orgueil de celui qui donne, et l'orgueil de celui qui reçoit, ne peuvent convenir du prix du bienfait.

226

Le trop grand empressement qu'on a de s'acquitter d'une obligation est une espèce d'ingratitude.

227

Les gens heureux ne se corrigent guère; ils croient toujours avoir raison quand la fortune soutient leur mauvaise conduite.

228

L'orgueil ne veut pas devoir, et l'amour-propre ne veut pas payer.

229

Le bien que nous avons reçu de quelqu'un veut que nous respections le mal qu'il nous fait.

230

Rien n'est si contagieux que l'exemple, et nous ne faisons jamais de grands biens ni de grands maux qui n'en produisent de semblables. Nous imitons les bonnes actions par émulation, et les mauvaises par la malignité de notre nature que la honte retenait prisonnière, et que l'exemple met en liberté.

231

C'est une grande folie de vouloir être sage tout seul.

232

Quelque prétexte que nous donnions à nos afflictions, ce n'est souvent que l'intérêt et la vanité qui les causent.

233

Il y a dans les afflictions diverses sortes d'hypocrisie. Dans l'une, sous prétexte de pleurer la perte d'une personne qui nous est chère, nous nous pleurons nous-mêmes; nous regrettons la bonne opinion qu'il avait de nous; nous pleurons la diminution de notre bien, de notre plaisir, de notre considération. Ainsi les morts ont l'honneur des larmes qui ne coulent que pour les vivants. Je dis que c'est une espèce d'hypocrisie, à cause que dans ces sortes d'afflictions on se trompe soi-même. Il y a une autre hypocrisie qui n'est pas si innocente, parce qu'elle impose à tout le monde: c'est l'affliction de certaines personnes qui aspirent à la gloire d'une belle et immortelle douleur. Après que le temps qui consume tout a fait cesser celle qu'elles avaient en effet, elles ne laissent pas d'opiniâtrer leurs pleurs, leurs plaintes, et leurs soupirs; elles prennent un personnage lugubre, et travaillent à persuader par toutes leurs actions que leur déplaisir ne finira qu'avec leur vie. Cette triste et fatigante vanité se trouve d'ordinaire dans les femmes ambitieuses. Comme leur sexe leur ferme tous les chemins qui mènent à la gloire, elles s'efforcent de se rendre célèbres par la montre d'une inconsolable affliction. Il y a encore une autre espèce de larmes qui n'ont que de petites sources qui coulent et se tarissent facilement: on pleure pour avoir la réputation d'être tendre, on pleure pour être plaint, on pleure pour être pleuré; enfin on pleure pour éviter la honte de ne pleurer pas.

234

C'est plus souvent par orgueil que par défaut de lumières qu'on s'oppose avec tant d'opiniâtreté aux opinions les plus suivies: on trouve les premières places prises dans le bon parti, et on ne veut point des dernières.

235

Nous nous consolons aisément des disgrâces de nos amis lorsqu'elles servent à signaler notre tendresse pour eux.

236

Il semble que l'amour-propre soit la dupe de la bonté, et qu'il s'oublie lui-même lorsque nous travaillons pour l'avantage des autres. Cependant c'est prendre le chemin le plus assuré pour arriver à ses fins; c'est prêter à usure sous prétexte de donner; c'est enfin s'acquérir tout le monde par un moyen subtil et délicat.

237

Nul ne mérite d'être loué de bonté, s'il n'a pas la force d'être méchant: toute autre bonté n'est le plus souvent qu'une paresse ou une impuissance de la volonté.

238

Il n'est pas si dangereux de faire du mal à la plupart des hommes que de leur faire trop de bien.

239

Rien ne flatte plus notre orgueil que la confiance des grands, parce que nous la regardons comme un effet de notre mérite, sans considérer qu'elle ne vient le plus souvent que de vanité, ou d'impuissance de garder le secret.

240

On peut dire de l'agrément séparé de la beauté que c'est une symétrie dont on ne sait point les règles, et un rapport secret des traits ensemble, et des traits avec les couleurs et avec l'air de la personne.

241

La coquetterie est le fond de l'humeur des femmes. Mais toutes ne la mettent pas en pratique, parce que la coquetterie de quelques-unes est retenue par la crainte ou par la raison.

242

On incommode souvent les autres quand on croit ne les pouvoir jamais incommoder.

243

Il y a peu de choses impossibles d'elles-mêmes; et l'application pour les faire réussir nous manque plus que les moyens.

244

La souveraine habileté consiste à bien connaître le prix des choses.

245

C'est une grande habileté que de savoir cacher son habileté.

246

Ce qui paraît générosité n'est souvent qu'une ambition déguisée qui méprise de petits intérêts, pour aller à de plus grands.

247

La fidélité qui paraît en la plupart des hommes n'est qu'une invention de l'amour-propre pour attirer la confiance. C'est un moyen de nous élever au-dessus des autres, et de nous rendre dépositaires des choses les plus importantes.

248

La magnanimité méprise tout pour avoir tout.

249

Il n'y a pas moins d'éloquence dans le ton de la voix, dans les yeux et dans l'air de la personne, que dans le choix des paroles.

250

La véritable éloquence consiste à dire tout ce qu'il faut, et à ne dire que ce qu'il faut.

251

Il y a des personnes à qui les défauts siéent bien, et d'autres qui sont disgraciées avec leurs bonnes qualités.

252

Il est aussi ordinaire de voir changer les goûts qu'il est extraordinaire de voir changer les inclinations.

253

L'intérêt met en œuvre toutes sortes de vertus et de vices.

254

L'humilité n'est souvent qu'une feinte soumission, dont on se sert pour soumettre les autres; c'est un artifice de l'orgueil qui s'abaisse pour s'élever; et bien qu'il se transforme en mille manières, il n'est jamais mieux déguisé et plus capable de tromper que lorsqu'il se cache sous la figure de l'humilité.

255

Tous les sentiments ont chacun un ton de voix, des gestes et des mines qui leur sont propres. Et ce rapport bon ou mauvais, agréable ou désagréable, est ce qui fait que les personnes plaisent ou déplaisent.

256

Dans toutes les professions chacun affecte une mine et un extérieur pour paraître ce qu'il veut qu'on le croie. Ainsi on peut dire que le monde n'est composé que de mines.

257

La gravité est un mystère du corps inventé pour cacher les défauts de l'esprit.

258

Le bon goût vient plus du jugement que de l'esprit.

259

Le plaisir de l'amour est d'aimer; et l'on est plus heureux par la passion que l'on a que par celle que l'on donne.

260

La civilité est un désir d'en recevoir, et d'être estimé poli.

261

L'éducation que l'on donne d'ordinaire aux jeunes gens est un second amour-propre qu'on leur inspire.

262

Il n'y a point de passion où l'amour de soi-même règne si puissamment que dans l'amour; et on est toujours plus disposé à sacrifier le repos de ce qu'on aime qu'à perdre le sien.

263

Ce qu'on nomme libéralité n'est le plus souvent que la vanité de donner, que nous aimons mieux que ce que nous donnons.

264

La pitié est souvent un sentiment de nos propres maux dans les maux d'autrui. C'est une habile prévoyance des malheurs où nous pouvons tomber; nous donnons du secours aux autres pour les engager à nous en donner en de semblables occasions; et ces services que nous leur rendons sont à proprement parler des biens que nous nous faisons à nous-mêmes par avance.

265

La petitesse de l'esprit fait l'opiniâtreté; et nous ne croyons pas aisément ce qui est au-delà de ce que nous voyons.

266

C'est se tromper que de croire qu'il n'y ait que les violentes passions, comme l'ambition et l'amour, qui puissent triompher des autres. La paresse, toute languissante qu'elle est, ne laisse pas d'en être souvent la maîtresse; elle usurpe sur tous les desseins et sur toutes les actions de la vie; elle y détruit et y consume insensiblement les passions et les vertus.

267

La promptitude à croire le mal sans l'avoir assez examiné est un effet de l'orgueil et de la paresse. On veut trouver des coupables; et on ne veut pas se donner la peine d'examiner les crimes.

268

Nous récusons des juges pour les plus petits intérêts et nous voulons bien que notre réputation et notre gloire dépendent du jugement des hommes, qui nous sont tous contraires, ou par leur jalousie, ou par leur préoccupation, ou par leur peu de lumière; et ce n'est que pour les faire prononcer en notre faveur que nous exposons en tant de manières notre repos et notre vie.

269

Il n'y a guère d'homme assez habile pour connaître tout le mal qu'il fait.

270

L'honneur acquis est caution de celui qu'on doit acquérir.

271

La jeunesse est une ivresse continuelle: c'est la fièvre de la raison.

272

Rien ne devrait plus humilier les hommes qui ont mérité de grandes louanges, que le soin qu'ils prennent encore de se faire valoir par de petites choses.

273

Il y a des gens qu'on approuve dans le monde, qui n'ont pour tout mérite que les vices qui servent au commerce de la vie.

274

La grâce de la nouveauté est à l'amour ce que la fleur est sur les fruits; elle y donne un lustre qui s'efface aisément, et qui ne revient jamais.

275

Le bon naturel, qui se vante d'être si sensible, est souvent étouffé par le moindre intérêt.

276

L'absence diminue les médiocres passions, et augmente les grandes, comme le vent éteint les bougies et allume le feu.

277

Les femmes croient souvent aimer encore qu'elles n'aiment pas. L'occupation d'une intrigue, l'émotion d'esprit que donne la galanterie, la pente naturelle au plaisir d'être aimées, et la peine de refuser, leur persuadent qu'elles ont de la passion lorsqu'elles n'ont que de la coquetterie.

278

Ce qui fait que l'on est souvent mécontent de ceux qui négocient, est qu'ils abandonnent presque toujours l'intérêt de leurs amis pour l'intérêt du succès de la négociation, qui devient le leur par l'honneur d'avoir réussi à ce qu'ils avaient entrepris.

279

Quand nous exagérons la tendresse que nos amis ont pour nous, c'est souvent moins par reconnaissance que par le désir de faire juger de notre mérite.

280

L'approbation que l'on donne à ceux qui entrent dans le monde vient souvent de l'envie secrète que l'on porte à ceux qui y sont établis.

281

L'orgueil qui nous inspire tant d'envie nous sert souvent aussi à la modérer.

282

Il y a des faussetés déguisées qui représentent si bien la vérité que ce serait mal juger que de ne s'y pas laisser tromper.

283

Il n'y a pas quelquefois moins d'habileté à savoir profiter d'un bon conseil qu'à se bien conseiller soi-même.

284

Il y a des méchants qui seraient moins dangereux s'ils n'avaient aucune bonté.

285

La magnanimité est assez définie par son nom; néanmoins on pourrait dire que c'est le bon sens de l'orgueil, et la voie la plus noble pour recevoir des louanges.

286

Il est impossible d'aimer une seconde fois ce qu'on a véritablement cessé d'aimer.

287

Ce n'est pas tant la fertilité de l'esprit qui nous fait trouver plusieurs expédients sur une même affaire, que c'est le défaut de lumière qui nous fait arrêter à tout ce qui se présente à notre imagination, et qui nous empêche de discerner d'abord ce qui est le meilleur.

288

Il y a des affaires et des maladies que les remèdes aigrissent en certains temps; et la grande habileté consiste à connaître quand _il est dangereux d'en user.

289

La simplicité affectée est une imposture délicate.

290

Il y a plus de défauts dans l'humeur que dans l'esprit.

291

Le mérite des hommes a sa saison aussi bien que les fruits.

292

On peut dire de l'humeur des hommes, comme de la plupart des bâtiments, qu'elle a diverses faces, les unes agréables, et les autres désagréables.

293

La modération ne peut avoir le mérite de combattre l'ambition et de la soumettre: elles ne se trouvent jamais ensemble. La modération est la langueur et la paresse de l'âme, comme l'ambition en est l'activité et l'ardeur.

294

Nous aimons toujours ceux qui nous admirent; et nous n'aimons pas toujours ceux que nous admirons.

295

Il s'en faut bien que nous ne connaissions toutes nos volontés.

296

Il est difficile d'aimer ceux que nous n'estimons point; mais il ne l'est pas moins d'aimer ceux que nous estimons beaucoup plus que nous.

297

Les humeurs du corps ont un cours ordinaire et réglé, qui meut et qui tourne imperceptiblement notre volonté; elles roulent ensemble et exercent successivement un empire secret en nous: de sorte qu'elles ont une part considérable à toutes nos actions, sans que nous le puissions connaître.

298

La reconnaissance de la plupart des hommes n'est qu'une secrète envie de recevoir de plus grands bienfaits.

299

Presque tout le monde prend plaisir à s'acquitter des petites obligations; beaucoup de gens ont de la reconnaissance pour les médiocres; mais il n'y a quasi personne qui n'ait de l'ingratitude pour les grandes.

300

Il y a des folies qui se prennent comme les maladies contagieuses.

301

Assez de gens méprisent le bien, mais peu savent le donner.

302

Ce n'est d'ordinaire que dans de petits intérêts où nous prenons le hasard de ne pas croire aux apparences.

303

Quelque bien qu'on nous dise de nous, on ne nous apprend rien de nouveau.

304

Nous pardonnons souvent à ceux qui nous ennuient, mais nous ne pouvons pardonner à ceux que nous ennuyons.

305

L'intérêt que l'on accuse de tous nos crimes mérite souvent d'être loué de nos bonnes actions.

306

On ne trouve guère d'ingrats tant qu'on est en état de faire du bien.

307

Il est aussi honnête d'être glorieux avec soi-même qu'il est ridicule de l'être avec les autres.

308

On a fait une vertu de la modération pour borner l'ambition des grands hommes, et pour consoler les gens médiocres de leur peu de fortune, et de leur peu de mérite.

309

Il y a des gens destinés à être sots, qui ne font pas seulement des sottises par leur choix, mais que la fortune même contraint d'en faire.

310

Il arrive quelquefois des accidents dans la vie, d'où il faut être un peu fou pour se bien tirer.

311

S'il y a des hommes dont le ridicule n'ait jamais paru, c'est qu'on ne l'a pas bien cherché.

312

Ce qui fait que les amants et les maîtresses ne s'ennuient point d'être ensemble, c'est qu'ils parlent toujours d'eux-mêmes.

313

Pourquoi faut-il que nous ayons assez de mémoire pour retenir jusqu'aux moindres particularités de ce qui nous est arrivé, et que nous n'en ayons pas assez pour nous souvenir combien de fois nous les avons contées à une même personne ?

314

L'extrême plaisir que nous prenons à parler de nous-mêmes nous doit faire craindre de n'en donner guère à ceux qui nous écoutent.

315

Ce qui nous empêche d'ordinaire de faire voir le fond de notre cœur à nos amis, n'est pas tant la défiance que nous avons d'eux, que celle que nous avons de nous-mêmes.

316

Les personnes faibles ne peuvent être sincères.

317

Ce n'est pas un grand malheur d'obliger des ingrats, mais c'en est un insupportable d'être obligé à un malhonnête homme.

318

On trouve des moyens pour guérir de la folie, mais on n'en trouve point pour redresser un esprit de travers.

319

On ne saurait conserver longtemps les sentiments qu'on doit avoir pour ses amis et pour ses bienfaiteurs, si on se laisse la liberté de parler souvent de leurs défauts.

320

Louer les princes des vertus qu'ils n'ont pas, c'est leur dire impunément des injures.

321

Nous sommes plus près d'aimer ceux qui nous haïssent que ceux qui nous aiment plus que nous ne voulons.

322

Il n'y a que ceux qui sont méprisables qui craignent d'être méprisés.

323

Notre sagesse n'est pas moins à la merci de la fortune que nos biens.

324

Il y a dans la jalousie plus d'amour-propre que d'amour.

325

Nous nous consolons souvent par faiblesse des maux dont la raison n'a pas la force de nous consoler.

326

Le ridicule déshonore plus que le déshonneur.

327

Nous n'avouons de petits défauts que pour persuader que nous n'en avons pas de grands.

328

L'envie est plus irréconciliable que la haine.

329

On croit quelquefois haïr la flatterie, mais on ne hait que la manière de flatter.

330

On pardonne tant que l'on aime.

331

Il est plus difficile d'être fidèle à sa maîtresse quand on est heureux que quand on en est maltraité.

332

Les femmes ne connaissent pas toute leur coquetterie.

333

Les femmes n'ont point de sévérité complète sans aversion.

334

Les femmes peuvent moins surmonter leur coquetterie que leur passion.

335

Dans l'amour la tromperie va presque toujours plus loin que la méfiance.

336

Il y a une certaine sorte d'amour dont l'excès empêche la jalousie.

337

Il est de certaines bonnes qualités comme des sens: ceux qui en sont entièrement privés ne les peuvent apercevoir ni les comprendre.

338

Lorsque notre haine est trop vive, elle nous met au-dessous de ceux que nous haïssons.

339

Nous ne ressentons nos biens et nos maux qu'à proportion de notre amour-propre.

340

L'esprit de la plupart des femmes sert plus à fortifier leur folie que leur raison.

341

Les passions de la jeunesse ne sont guère plus opposées au salut que la tiédeur des vieilles gens.

342

L'accent du pays où l'on est né demeure dans l'esprit et dans le cœur, comme dans le langage.

343

Pour être un grand homme, il faut savoir profiter de toute sa fortune.

344

La plupart des hommes ont comme les plantes des propriétés cachées, que le hasard fait découvrir.

345

Les occasions nous font connaître aux autres, et encore plus à nous-mêmes.

346

Il ne peut y avoir de règle dans l'esprit ni dans le cœur des femmes, si le tempérament n'en est d'accord.

347

Nous ne trouvons guère de gens de bon sens, que ceux qui sont de notre avis.

348

Quand on aime, on doute souvent de ce qu'on croit le plus.

349

Le plus grand miracle de l'amour, c'est de guérir de la coquetterie.

350

Ce qui nous donne tant d'aigreur contre ceux qui nous font des finesses, c'est qu'ils croient être plus habiles que nous.

351

On a bien de la peine à rompre, quand on ne s'aime plus.

352

On s'ennuie presque toujours avec les gens avec qui il n'est pas permis de s'ennuyer.

353

Un honnête homme peut être amoureux comme un fou, mais non pas comme un sot.

354

Il y a de certains défauts qui, bien mis en œuvre, brillent plus que la vertu même.

355

On perd quelquefois des personnes qu'on regrette plus qu'on n'en est affligé; et d'autres dont on est affligé, et qu'on ne regrette guère.

356

Nous ne louons d'ordinaire de bon cœur que ceux qui nous admirent.

357

Les petits esprits sont trop blessés des petites choses; les grands esprits les voient toutes, et n'en sont point blessés.

358

L'humilité est la véritable preuve des vertus chrétiennes: sans elle nous conservons tous nos défauts, et ils sont seulement couverts par l'orgueil qui les cache aux autres, et souvent à nous-mêmes.

359

Les infidélités devraient éteindre l'amour, et il ne faudrait point être jaloux quand on a sujet de l'être. Il n'y a que les personnes qui évitent de donner de la jalousie qui soient dignes qu'on en ait pour elles.

360

On se décrie beaucoup plus auprès de nous par les moindres infidélités qu'on nous fait, que par les plus grandes qu'on fait aux autres.

361

La jalousie naît toujours avec l'amour, mais elle ne meurt pas toujours avec lui.

362

La plupart des femmes ne pleurent pas tant la mort de leurs amants pour les avoir aimés, que pour paraître plus dignes d'être aimées.

363

Les violences qu'on nous fait nous font souvent moins de peine que celles que nous nous faisons à nous-mêmes.

364

On sait assez qu'il ne faut guère parler de sa femme; mais on ne sait pas assez qu'on devrait encore moins parler de soi.

365

Il y a de bonnes qualités qui dégénèrent en défauts quand elles sont naturelles, et d'autres qui ne sont jamais parfaites quand elles sont acquises. Il faut, par exemple, que la raison nous fasse ménagers de notre bien et de notre confiance; et il faut, au contraire, que la nature nous donne la bonté et la valeur.

366

Quelque défiance que nous ayons de la sincérité de ceux qui nous parlent, nous croyons toujours qu'ils nous disent plus vrai qu'aux autres.

367

Il y a peu d'honnêtes femmes qui ne soient lasses de leur métier.

368

La plupart des honnêtes femmes sont des trésors cachés, qui ne sont en sûreté que parce qu'on ne les cherche pas.

369

Les violences qu'on se fait pour s'empêcher d'aimer sont souvent plus cruelles que les rigueurs de ce qu'on aime.

370

Il n'y a guère de poltrons qui connaissent toujours toute leur peur.

371

C'est presque toujours la faute de celui qui aime de ne pas connaître quand on cesse de l'aimer.

372

La plupart des jeunes gens croient être naturels, lorsqu'ils ne sont que mal polis et grossiers.

373

Il y a de certaines larmes qui nous trompent souvent nous-mêmes après avoir trompé les autres.

374

Si on croit aimer sa maîtresse pour l'amour d'elle, on est bien trompé.

375

Les esprits médiocres condamnent d'ordinaire tout ce qui passe leur portée.

376

L'envie est détruite par la véritable amitié, et la coquetterie par le véritable amour.

377

Le plus grand défaut de la pénétration n'est pas de n'aller point jusqu'au but, c'est de le passer.

378

On donne des conseils mais on n'inspire point de conduite.

379

Quand notre mérite baisse, notre goût baisse aussi.

380

La fortune fait paraître nos vertus et nos vices, comme la lumière fait paraître les objets.

381

La violence qu'on se fait pour demeurer fidèle à ce qu'on aime ne vaut guère mieux qu'une infidélité.

382

Nos actions sont comme les bouts-rimés, que chacun fait rapporter à ce qu'il lui plaît.

383

L'envie de parler de nous, et de faire voir nos défauts du côté que nous voulons bien les montrer, fait une grande partie de notre sincérité.

384

On ne devrait s'étonner que de pouvoir encore s'étonner.

385

On est presque également difficile à contenter quand on a beaucoup d'amour et quand on n'en a plus guère.

386

Il n'y a point de gens qui aient plus souvent tort que ceux qui ne peuvent souffrir d'en avoir.

387

Un sot n'a pas assez d'étoffe pour être bon.

388

Si la vanité ne renverse pas entièrement les vertus, du moins elle les ébranle toutes.

389

Ce qui nous rend la vanité des autres insupportable, c'est qu'elle blesse la nôtre.

390

On renonce plus aisément à son intérêt qu'à son goût.

391

La fortune ne paraît jamais si aveugle qu'à ceux à qui elle ne fait pas de bien.

392

Il faut gouverner la fortune comme la santé: en jouir quand elle est bonne, prendre patience quand elle est mauvaise, et ne faire jamais de grands remèdes sans un extrême besoin.

393

L'air bourgeois se perd quelquefois à l'armée; mais il ne se perd jamais à la cour.

394

On peut être plus fin qu'un autre, mais non pas plus fin que tous les autres.

395

On est quelquefois moins malheureux d'être trompé de ce qu'on aime, que d'en être détrompé.

396

On garde longtemps son premier amant, quand on n'en prend point de second.

397

Nous n'avons pas le courage de dire en général que nous n'avons point de défauts, et que nos ennemis n'ont point de bonnes qualités; mais en détail nous ne sommes pas trop éloignés de le croire.

398

De tous nos défauts, celui dont nous demeurons le plus aisément d'accord, c'est de la paresse; nous nous persuadons qu'elle tient à toutes les vertus paisibles et que, sans détruire entièrement les autres, elle en suspend seulement les fonctions.

399

Il y a une élévation qui ne dépend point de la fortune: c'est un certain air qui nous distingue et qui semble nous destiner aux grandes choses; c'est un prix que nous nous donnons imperceptiblement à nous-mêmes; c'est par cette qualité que nous usurpons les déférences des autres hommes, et c'est elle d'ordinaire qui nous met plus au-dessus d'eux que la naissance, les dignités, et le mérite même.

400

Il y a du mérite sans élévation, mais il n'y a point d'élévation sans quelque mérite.

401

L'élévation est au mérite ce que la parure est aux belles personnes.

402

Ce qui se trouve le moins dans la galanterie, c'est de l'amour.

403

La fortune se sert quelquefois de nos défauts pour nous élever, et il y a des gens incommodes dont le mérite serait mal récompensé si on ne voulait acheter leur absence.

404

Il semble que la nature ait caché dans le fond de notre esprit des talents et une habileté que nous ne connaissons pas; les passions seules ont le droit de les mettre au jour, et de nous donner quelquefois des vues plus certaines et plus achevées que l'art ne saurait faire.

405

Nous arrivons tout nouveaux aux divers âges de la vie, et nous y manquons souvent d'expérience malgré le nombre des années.

406

Les coquettes se font honneur d'être jalouses de leurs amants, pour cacher qu'elles sont envieuses des autres femmes.

407

Il s'en faut bien que ceux qui s'attrapent à nos finesses ne nous paraissent aussi ridicules que nous nous le paraissons à nous-mêmes quand les finesses des autres nous ont attrapés.

408

Le plus dangereux ridicule des vieilles personnes qui ont été aimables, c'est d'oublier qu'elles ne le sont plus.

409

Nous aurions souvent honte de nos plus belles actions si le monde voyait tous les motifs qui les produisent.

410

Le plus grand effort de l'amitié n'est pas de montrer nos défauts à un ami; c'est de lui faire voir les siens.

411

On n'a guère de défauts qui ne soient plus pardonnables que les moyens dont on se sert pour les cacher.

412

Quelque honte que nous ayons méritée, il est presque toujours en notre pouvoir de rétablir notre réputation.

413

On ne plaît pas longtemps quand on n'a que d'une sorte d'esprit.

414

Les fous et les sottes gens ne voient que par leur humeur.

415

L'esprit nous sert quelquefois à faire hardiment des sottises.

416

La vivacité qui augmente en vieillissant ne va pas loin de la folie.

417

En amour celui qui est guéri le premier est toujours le mieux guéri.

418

Les jeunes femmes qui ne veulent point paraître coquettes, et les hommes d'un âge avancé qui ne veulent pas être ridicules, ne doivent jamais parler de l'amour comme d'une chose où ils puissent avoir part.

419

Nous pouvons paraître grands dans un emploi au-dessous de notre mérite, mais nous paraissons souvent petits dans un emploi plus grand que nous.

420

Nous croyons souvent avoir de la constance dans les malheurs, lorsque nous n'avons que de l'abattement, et nous les souffrons sans oser les regarder comme les poltrons se laissent tuer de peur de se défendre.

421

La confiance fournit plus à la conversation que l'esprit.

422

Toutes les passions nous font faire des fautes, mais l'amour nous en fait faire de plus ridicules.

423

Peu de gens savent être vieux.

424

Nous nous faisons honneur des défauts opposés à ceux que nous avons: quand nous sommes faibles, nous nous vantons d'être opiniâtres.

425

La pénétration a un air de deviner qui flatte plus notre vanité que toutes les autres qualités de l'esprit.

426

La grâce de la nouveauté et la longue habitude, quelque opposées qu'elles soient, nous empêchent également de sentir les défauts de nos amis.

427

La plupart des amis dégoûtent de l'amitié, et la plupart des dévots dégoûtent de la dévotion.

428

Nous pardonnons aisément à nos amis les défauts qui ne nous regardent pas.

429

Les femmes qui aiment pardonnent plus aisément les grandes indiscrétions que les petites infidélités.

430

Dans la vieillesse de l'amour comme dans celle de l'âge on vit encore pour les maux, mais on ne vit plus pour les plaisirs.

431

Rien n'empêche tant d'être naturel que l'envie de le paraître.

432

C'est en quelque sorte se donner part aux belles actions, que de les louer de bon cœur.

433

La plus véritable marque d'être né avec de grandes qualités, c'est d'être né sans envie.

434

Quand nos amis nous ont trompés, on ne doit que de l'indifférence aux marques de leur amitié, mais on doit toujours de la sensibilité à leurs malheurs.

435

La fortune et l'humeur gouvernent le monde.

436

Il est plus aisé de connaître l'homme en général que de connaître un homme en particulier.

437

On ne doit pas juger du mérite d'un homme par ses grandes qualités, mais par l'usage qu'il en sait faire.

438

Il y a une certaine reconnaissance vive qui ne nous acquitte pas seulement des bienfaits que nous avons reçus, mais qui fait même que nos amis nous doivent en leur payant ce que nous leur devons.

439

Nous ne désirerions guère de choses avec ardeur, si nous connaissions parfaitement ce que nous désirons.

440

Ce qui fait que la plupart des femmes sont peu touchées de l'amitié, c'est qu'elle est fade quand on a senti de l'amour.

441

Dans l'amitié comme dans l'amour on est souvent plus heureux par les choses qu'on ignore que par celles que l'on sait.

442

Nous essayons de nous faire honneur des défauts que nous ne voulons pas corriger.

443

Les passions les plus violentes nous laissent quelquefois du relâche, mais la vanité nous agite toujours.

444

Les vieux fous sont plus fous que les jeunes.

445

La faiblesse est plus opposée à la vertu que le vice.

446

Ce qui rend les douleurs de la honte et de la jalousie si aiguës, c'est que la vanité ne peut servir à les supporter.

447

La bienséance est la moindre de toutes les lois, et la plus suivie.

448

Un esprit droit a moins de peine de se soumettre aux esprits de travers que de les conduire.

449

Lorsque la fortune nous surprend en nous donnant une grande place sans nous y avoir conduits par degrés, ou sans que nous nous y soyons élevés par nos espérances, il est presque impossible de s'y bien soutenir, et de paraître digne de l'occuper.

450

Notre orgueil s'augmente souvent de ce que nous retranchons de nos autres défauts.

451

Il n'y a point de sots si incommodes que ceux qui ont de l'esprit.

452

Il n'y a point d'homme qui se croie en chacune de ses qualités au-dessous de l'homme du monde qu'il estime le plus.

453

Dans les grandes affaires on doit moins s'appliquer à faire naître des occasions qu'à profiter de celles qui se présentent.

454

Il n'y a guère d'occasion où l'on fît un méchant marché de renoncer au bien qu'on dit de nous, à condition de n'en dire point de mal.

455

Quelque disposition qu'ait le monde à mal juger, il fait encore plus souvent grâce au faux mérite qu'il ne fait injustice au véritable.

456

On est quelquefois un sot avec de l'esprit, mais on ne l'est jamais avec du jugement.

457

Nous gagnerions plus de nous laisser voir tels que nous sommes, que d'essayer de paraître ce que nous ne sommes pas.

458

Nos ennemis approchent plus de la vérité dans les jugements qu'ils font de nous que nous n'en approchons nous-mêmes.

459

Il y a plusieurs remèdes qui guérissent de l'amour, mais il n'y en a point d'infaillibles.

460

Il s'en faut bien que nous connaissions tout ce que nos passions nous font faire.

461

La vieillesse est un tyran qui défend sur peine de la vie tous les plaisirs de la jeunesse.

462

Le même orgueil qui nous fait blâmer les défauts dont nous nous croyons exempts, nous porte à mépriser les bonnes qualités que nous n'avons pas.

463

Il y a souvent plus d'orgueil que de bonté à plaindre les malheurs de nos ennemis; c'est pour leur faire sentir que nous sommes au-dessus d'eux que nous leur donnons des marques de compassion.

464

Il y a un excès de biens et de maux qui passe notre sensibilité.

465

Il s'en faut bien que l'innocence ne trouve autant de protection que le crime.

466

De toutes les passions violentes, celle qui sied le moins mal aux femmes, c'est l'amour.

467

La vanité nous fait faire plus de choses contre notre goût que la raison.

468

Il y a de méchantes qualités qui font de grands talents.

469

On ne souhaite jamais ardemment ce qu'on ne souhaite que par raison.

470

Toutes nos qualités sont incertaines et douteuses en bien comme en mal, et elles sont presque toutes à la merci des occasions.

471

Dans les premières passions les femmes aiment l'amant, et dans les autres elles aiment l'amour.

472

L'orgueil a ses bizarreries, comme les autres passions; on a honte d'avouer que l'on ait de la jalousie, et on se fait honneur d'en avoir eu, et d'être capable d'en avoir.

473

Quelque rare que soit le véritable amour, il l'est encore moins que la véritable amitié.

474

Il y a peu de femmes dont le mérite dure plus que la beauté.

475

L'envie d'être plaint, ou d'être admiré, fait souvent la plus grande partie de notre confiance.

476

Notre envie dure toujours plus longtemps que le bonheur de ceux que nous envions.

477

La même fermeté qui sert à résister à l'amour sert aussi à le rendre violent et durable, et les personnes faibles qui sont toujours agitées des passions n'en sont presque jamais véritablement remplies.

478

L'imagination ne saurait inventer tant de diverses contrariétés qu'il y en a naturellement dans le cœur de chaque personne.

479

Il n'y a que les personnes qui ont de la fermeté qui puissent avoir une véritable douceur; celles qui paraissent douces n'ont d'ordinaire que de la faiblesse, qui se convertit aisément en aigreur.

480

La timidité est un défaut dont il est dangereux de reprendre les personnes qu'on en veut corriger.

481

Rien n'est plus rare que la véritable bonté; ceux mêmes qui croient en avoir n'ont d'ordinaire que de la complaisance ou de la faiblesse.

482

L'esprit s'attache par paresse et par constance à ce qui lui est facile ou agréable; cette habitude met toujours des bornes à nos connaissances, et jamais personne ne s'est donné la peine d'étendre et de conduire son esprit aussi loin qu'il pourrait aller.

483

On est d'ordinaire plus médisant par vanité que par malice.

484

Quand on a le cœur encore agité par les restes d'une passion, on est plus près d'en prendre une nouvelle que quand on est entièrement guéri.

485

Ceux qui ont eu de grandes passions se trouvent toute leur vie heureux, et malheureux, d'en être guéris.

486

Il y a encore plus de gens sans intérêt que sans envie.

487

Nous avons plus de paresse dans l'esprit que dans le corps.

488

Le calme ou l'agitation de notre humeur ne dépend pas tant de ce qui nous arrive de plus considérable dans la vie, que d'un arrangement commode ou désagréable de petites choses qui arrivent tous les jours.

489

Quelque méchants que soient les hommes, ils n'oseraient paraître ennemis de la vertu, et lorsqu'ils la veulent persécuter, ils feignent de croire qu'elle est fausse ou ils lui supposent des crimes.

490

On passe souvent de l'amour à l'ambition, mais on ne revient guère de l'ambition à l'amour.

491

L'extrême avarice se méprend presque toujours; il n'y a point de passion qui s'éloigne plus souvent de son but, ni sur qui le présent ait tant de pouvoir au préjudice de l'avenir.

492

L'avarice produit souvent des effets contraires; il y a un nombre infini de gens qui sacrifient tout leur bien à des espérances douteuses et éloignées, d'autres méprisent de grands avantages à venir pour de petits intérêts présents.

493

Il semble que les hommes ne se trouvent pas assez de défauts; ils en augmentent encore le nombre par de certaines qualités singulières dont ils affectent de se parer, et ils les cultivent avec tant de soin qu'elles deviennent à la fin des défauts naturels, qu'il ne dépend plus d'eux de corriger.

494

Ce qui fait voir que les hommes connaissent mieux leurs fautes qu'on ne pense, c'est qu'ils n'ont jamais tort quand on les entend parler de leur conduite: le même amour-propre qui les aveugle d'ordinaire les éclaire alors, et leur donne des vues si justes qu'il leur fait supprimer ou déguiser les moindres choses qui peuvent être condamnées.

495

Il faut que les jeunes gens qui entrent dans le monde soient honteux ou étourdis: un air capable et composé se tourne d'ordinaire en impertinence.

496

Les querelles ne dureraient pas longtemps, si le tort n'était que d'un côté.

497

Il ne sert de rien d'être jeune sans être belle, ni d'être belle sans être jeune.

498

Il y a des personnes si légères et si frivoles qu'elles sont aussi éloignées d'avoir de véritables défauts que des qualités solides.

499

On ne compte d'ordinaire la première galanterie des femmes que lorsqu'elles en ont une seconde.

500

Il y a des gens si remplis d'eux-mêmes que, lorsqu'ils sont amoureux, ils trouvent moyen d'être occupés de leur passion sans l'être de la personne qu'ils aiment.

501

L'amour, tout agréable qu'il est, plaît encore plus par les manières dont il se montre que par lui-même.

502

Peu d'esprit avec de la droiture ennuie moins, à la longue, que beaucoup d'esprit avec du travers.

503

La jalousie est le plus grand de tous les maux, et celui qui fait le moins de pitié aux personnes qui le causent.

504

Après avoir parlé de la fausseté de tant de vertus apparentes, il est raisonnable de dire quelque chose de la fausseté du mépris de la mort. J'entends parler de ce mépris de la mort que les païens se vantent de tirer de leurs propres forces, sans l'espérance d'une meilleure vie. Il y a différence entre souffrir la mort constamment, et la mépriser. Le premier est assez ordinaire; mais je crois que l'autre n'est jamais sincère. On a écrit néanmoins tout ce qui peut le plus persuader que la mort n'est point un mal; et les hommes les plus faibles aussi bien que les héros ont donné mille exemples célèbres pour établir cette opinion. Cependant je doute que personne de bon sens l'ait jamais cru; et la peine que l'on prend pour le persuader aux autres et à soi-même fait assez voir que cette entreprise n'est pas aisée. On peut avoir divers sujets de dégoûts dans la vie, mais on n'a jamais raison de mépriser la mort; ceux mêmes qui se la donnent volontairement ne la comptent pas pour si peu de chose, et ils s'en étonnent et la rejettent comme les autres, lorsqu'elle vient à eux par une autre voie que celle qu'ils ont choisie. L'inégalité que l'on remarque dans le courage d'un nombre infini de vaillants hommes vient de ce que la mort se découvre différemment à leur imagination, et y paraît plus présente en un temps qu'en un autre. Ainsi il arrive qu'après avoir méprisé ce qu'ils ne connaissent pas, ils craignent enfin ce qu'ils connaissent. Il faut éviter de l'envisager avec toutes ses circonstances, si on ne veut pas croire qu'elle soit le plus grand de tous les maux. Les plus habiles et les plus braves sont ceux qui prennent de plus honnêtes prétextes pour s'empêcher de la considérer. Mais tout homme qui la sait voir telle qu'elle est, trouve que c'est une chose épouvantable. La nécessité de mourir faisait toute la constance des philosophes. Ils croyaient qu'il fallait aller de bonne grâce où l'on ne saurait s'empêcher d'aller; et, ne pouvant éterniser leur vie, il n'y avait rien qu'ils ne fissent pour éterniser leur réputation, et sauver du naufrage ce qui n'en peut être garanti. Contentons-nous pour faire bonne mine de ne nous pas dire à nous-mêmes tout ce que nous en pensons, et espérons plus de notre tempérament que de ces faibles raisonnements qui nous font croire que nous pouvons approcher de la mort avec indifférence. La gloire de mourir avec fermeté, l'espérance d'être regretté, le désir de laisser une belle réputation, l'assurance d'être affranchi des misères de la vie, et de ne dépendre plus des caprices de la fortune, sont des remèdes qu'on ne doit pas rejeter. Mais on ne doit pas croire aussi qu'ils soient infaillibles. Ils font pour nous assurer ce qu'une simple haie fait souvent à la guerre pour assurer ceux qui doivent approcher d'un lieu d'où l'on tire. Quand on en est éloigné, on s'imagine qu'elle peut mettre à couvert; mais quand on en est proche, on trouve que c'est un faible secours. C'est nous flatter, de croire que la mort nous paraisse de près ce que nous en avons jugé de loin, et que nos sentiments, qui ne sont que faiblesse, soient d'une trempe assez forte pour ne point souffrir d'atteinte par la plus rude de toutes les épreuves. C'est aussi mal connaître les effets de l'amour-propre, que de penser qu'il puisse nous aider à compter pour rien ce qui le doit nécessairement détruire, et la raison, dans laquelle on croit trouver tant de ressources, est trop faible en cette rencontre pour nous persuader ce que nous voulons. C'est elle au contraire qui nous trahit le plus souvent, et qui, au lieu de nous inspirer le mépris de la mort, sert à nous découvrir ce qu'elle a d'affreux et de terrible. Tout ce qu'elle peut faire pour nous est de nous conseiller d'en détourner les yeux pour les arrêter sur d'autres objets. Caton et Brutus en choisirent d'illustres. Un laquais se contenta il y a quelque temps de danser sur l'échafaud où il allait être roué. Ainsi, bien que les motifs soient différents, ils produisent les mêmes effets. De sorte qu'il est vrai que, quelque disproportion qu'il y ait entre les grands hommes et les gens du commun, on a vu mille fois les uns et les autres recevoir la mort d'un même visage; mais ç'a toujours été avec cette différence que, dans le mépris que les grands hommes font paraître pour la mort, c'est l'amour de la gloire qui leur en ôte la vue, et dans les gens du commun ce n'est qu'un effet de leur peu de lumière qui les empêche de connaître la grandeur de leur mal et leur laisse la liberté de penser à autre chose.

Maximes supprimées

1 Maximes retranchées après la première édition

1

L'amour-propre est l'amour de soi-même, et de toutes choses pour soi ; il rend les hommes idolâtres d'eux-mêmes, et les rendrait les tyrans des autres si la fortune leur en donnait les moyens ; il ne se repose jamais hors de soi, et ne s'arrête dans les sujets étrangers que comme les abeilles sur les fleurs, pour en tirer ce qui lui est propre. Rien n'est si impétueux que ses désirs, rien de si caché que ses desseins, rien de si habile que ses conduites ; ses souplesses ne se peuvent représenter, ses transformations passent celles des métamorphoses, et ses raffinements ceux de la chimie. On ne peut sonder la profondeur, ni percer les ténèbres de ses abîmes. Là il est à couvert des yeux les plus pénétrants ; il y fait mille insensibles tours et retours. Là il est souvent invisible à lui-même, il y conçoit, il y nourrit, et il y élève, sans le savoir, un grand nombre d'affections et de haines ; il en forme de si monstrueuses que, lorsqu'il les a mises au jour, il les méconnaît, ou il ne peut se résoudre à les avouer. De cette nuit qui le couvre naissent les ridicules persuasions qu'il a de lui-même ; de là viennent ses erreurs, ses ignorances, ses grossièretés et ses niaiseries sur son sujet ; de là vient qu'il croit que ses sentiments sont morts lorsqu'ils ne sont qu'endormis, qu'il s'imagine n'avoir plus envie de courir dès qu'il se repose, et qu'il pense avoir perdu tous les goûts qu'il a rassasiés. Mais cette obscurité épaisse, qui le cache à lui-même, n'empêche pas qu'il ne voie parfaitement ce qui est hors de lui, en quoi il est semblable à nos yeux, qui découvrent tout, et sont aveugles seulement pour eux-mêmes. En effet dans ses plus grands intérêts, et dans ses plus importantes affaires, où la violence de ses souhaits appelle toute son attention, il voit, il sent, il entend, il imagine, il soupçonne, il pénètre, il devine tout ; de sorte qu'on est tenté de croire que chacune de ses passions a une espèce de magie qui lui est propre. Rien n'est si intime et si fort que ses attachements, qu'il essaye de rompre inutilement à la vue des malheurs extrêmes qui le menacent. Cependant il fait quelquefois en peu de temps, et sans aucun effort, ce qu'il n'a pu faire avec tous ceux dont il est capable dans le cours de plusieurs année ; d'où l'on pourrait conclure assez vraisemblablement que c'est par lui-même que ses désirs sont allumés, plutôt que par la beauté et par le mérite de ses objets ; que son goût est le prix qui les relève, et le fard qui les embellit ; que c'est après lui-même qu'il court, et qu'il suit son gré, lorsqu'il suit les choses qui sont à son gré. Il est tous les contraires : il est impérieux et obéissant, sincère et dissimulé, miséricordieux et cruel, timide et audacieux. Il a de différentes inclinations selon la diversité des tempéraments qui le tournent, et le dévouent tantôt à la gloire, tantôt aux richesses, et tantôt aux plaisirs ; il en change selon le changement de nos âges, de nos fortunes et de nos expériences, mais il lui est indifférent d'en avoir plusieurs ou de n'en avoir qu'une, parce qu'il se partage en plusieurs et se ramasse en une quand il le faut, et comme il lui plaît. Il est inconstant, et outre les changements qui viennent des causes étrangères, il y en a une infinité qui naissent de lui, et de son propre fonds ; il est inconstant d'inconstance, de légèreté, d'amour, de nouveauté, de lassitude et de dégoût ; il est capricieux, et on le voit quelquefois travailler avec le dernier empressement, et avec des travaux incroyables, à obtenir des choses qui ne lui sont point avantageuses, et qui même lui sont nuisibles, mais qu'il poursuit parce qu'il les veut. Il est bizarre, et met souvent toute son application dans les emplois les plus frivoles ; il trouve tout son plaisir dans les plus fades, et conserve toute sa fierté dans les plus méprisables. Il est dans tous les états de la vie, et dans toutes les conditions ; il vit partout, et il vit de tout, il vit de rien ; il s'accommode des choses, et de leur privation ; il passe même dans le parti des gens qui lui font la guerre, il entre dans leurs desseins ; et ce qui est admirable, il se hait lui-même avec eux, il conjure sa perte, il travaille même à sa ruine. Enfin il ne se soucie que d'être, et pourvu qu'il soit, il veut bien être son ennemi. Il ne faut donc pas s'étonner s'il se joint quelquefois à la plus rude austérité, et s'il entre si hardiment en société avec elle pour se détruire, parce que, dans le même temps qu'il se ruine en un endroit, il se rétablit en un autre ; quand on pense qu'il quitte son plaisir, il ne fait que le suspendre, ou le changer, et lors même qu'il est vaincu et qu'on croit en être défait, on le retrouve qui triomphe dans sa propre défaite. Voilà la peinture de l'amour-propre, dont toute la vie n'est qu'une grande et longue agitation ; la mer en est une image sensible, et l'amour-propre trouve dans le flux et le reflux de ses vagues continuelles une fidèle expression de la succession turbulente de ses pensées, et de ses éternels mouvements.

2

Toutes les passions ne sont autre chose que les divers degrés de la chaleur, et de la froideur, du sang.

3

La modération dans la bonne fortune n'est que l'appréhension de la honte qui suit l'emportement, ou la peur de perdre ce que l'on a.

4

La modération est comme la sobriété : on voudrait bien manger davantage, mais on craint de se faire mal.

5

Tout le monde trouve à redire en autrui ce qu'on trouve à redire en lui.

6

L'orgueil, comme lassé de ses artifices et de ses différentes métamorphoses, après avoir joué tout seul tous les personnages de la comédie humaine, se montre avec un visage naturel, et se découvre par la fierté ; de sorte qu'à proprement parler la fierté est l'éclat et la déclaration de l'orgueil.

7

La complexion qui fait le talent pour les petites choses est contraire à celle qu'il faut pour le talent des grandes.

8

C'est une espèce de bonheur, de connaître jusques à quel point on doit être malheureux.

9

On n'est jamais si malheureux qu'on croit, ni si heureux qu'on avait espéré.

10

On se console souvent d'être malheureux par un certain plaisir qu'on trouve à le paraître.

11

Il faudrait pouvoir répondre de sa fortune, pour pouvoir répondre de ce que l'on fera.

12

Comment peut-on répondre de ce qu'on voudra à l'avenir, puisque l'on ne sait pas précisément ce que l'on veut dans le temps présent ?

13

L'amour est à l'âme de celui qui aime ce que l'âme est au corps qu'elle anime.

14

La justice n'est qu'une vive appréhension qu'on ne nous ôte ce qui nous appartient ; de là vient cette considération et ce respect pour tous les intérêts du prochain, et cette scrupuleuse application à ne lui faire aucun préjudice ; cette crainte retient l'homme dans les bornes des biens que la naissance, ou la fortune, lui ont donnés, et sans cette crainte il ferait des courses continuelles sur les autres.

15

La justice, dans les juges qui sont modérés, n'est que l'amour de leur élévation.

16

On blâme l'injustice, non pas par l'aversion que l'on a pour elle, mais pour le préjudice que l'on en reçoit.

17

Le premier mouvement de joie que nous avons du bonheur de nos amis ne vient ni de la bonté de notre naturel, ni de l'amitié que nous avons pour eux ; c'est un effet de l'amour-propre qui nous flatte de l'espérance d'être heureux à notre tour, ou de retirer quelque utilité de leur bonne fortune.

18

Dans l'adversité de nos meilleurs amis, nous trouvons toujours quelque chose qui ne nous déplaît pas.

19

L'aveuglement des hommes est le plus dangereux effet de leur orgueil : il sert à le nourrir et à l'augmenter, et nous ôte la connaissance des remèdes qui pourraient soulager nos misères et nous guérir de nos défauts.

20

On n'a plus de raison, quand on n'espère plus d'en trouver aux autres.

21

Les philosophes, et Sénèque surtout, n'ont point ôté les crimes par leurs préceptes : ils n'ont fait que les employer au bâtiment de l'orgueil.

22

Les plus sages le sont dans les choses indifférentes, mais ils ne le sont presque jamais dans leurs plus sérieuses affaires.

23

La plus subtile folie se fait de la plus subtile sagesse.

24

La sobriété est l'amour de la santé, ou l'impuissance de manger beaucoup.

25

Chaque talent dans les hommes, de même que chaque arbre, a ses propriétés et ses effets qui lui sont tous particuliers.

26

On n'oublie jamais mieux les choses que quand on s'est lassé d'en parler.

27

La modestie, qui semble refuser les louanges, n'est en effet qu'un désir d'en avoir de plus délicates.

28

On ne blâme le vice et on ne loue la vertu que par intérêt.

29

L'amour-propre empêche bien que celui qui nous flatte ne soit jamais celui qui nous flatte le plus.

30

On ne fait point de distinction dans les espèces de colères, bien qu'il y en ait une légère et quasi innocente, qui vient de l'ardeur de la complexion, et une autre très criminelle, qui est à proprement parler la fureur de l'orgueil.

31

Les grandes âmes ne sont pas celles qui ont moins de passions et plus de vertu que les âmes communes, mais celles seulement qui ont de plus grands desseins.

32

La férocité naturelle fait moins de cruels que l'amour-propre.

33

On peut dire de toutes nos vertus ce qu'un poète italien a dit de l'honnêteté des femmes, que ce n'est souvent autre chose qu'un art de paraître honnête.

34

Ce que le monde nomme vertu n'est d'ordinaire qu'un fantôme formé par nos passions, à qui on donne un nom honnête, pour faire impunément ce qu'on veut.

35

Nous n'avouons jamais nos défauts que par vanité.

36

On ne trouve point dans l'homme le bien ni le mal dans l'excès.

37

Ceux qui sont incapables de commettre de grands crimes n'en soupçonnent pas facilement les autres.

38

La pompe des enterrements regarde plus la vanité des vivants que l'honneur des morts.

39

Quelque incertitude et quelque variété qui paraisse dans le monde, on y remarque néanmoins un certain enchaînement secret, et un ordre réglé de tout temps par la Providence, qui fait que chaque chose marche en son rang, et suit le cours de sa destinée.

40

L'intrépidité doit soutenir le cœur dans les conjurations, au lieu que la seule valeur lui fournit toute la fermeté qui lui est nécessaire dans les périls de la guerre.

41

Ceux qui voudraient définir la victoire par sa naissance seraient tentés comme les poètes de l'appeler la fille du Ciel, puisqu'on ne trouve point son origine sur la terre. En effet elle est produite par infinité d'actions qui, au lieu de l'avoir pour but, regardent seulement les intérêts particuliers de ceux qui les font, puisque tous ceux qui composent une armée, allant à leur propre gloire et à leur élévation, procurent un bien si grand et si général.

42

On ne peut répondre de son courage quand on n'a jamais été dans le péril.

43

L'imitation est toujours malheureuse, et tout ce qui est contrefait déplaît avec les mêmes choses qui charment lorsqu'elles sont naturelles.

44

Il est bien malaisé de distinguer la bonté générale, et répandue sur tout le monde, de la grande habileté.

45

Pour pouvoir être toujours bon, il faut que les autres croient qu'ils ne peuvent jamais nous être impunément méchants.

46

La confiance de plaire est souvent un moyen de déplaire infailliblement.

47

La confiance que l'on a en soi fait naître la plus grande partie de celle que l'on a aux autres.

48

Il y a une révolution générale qui change le goût des esprits, aussi bien que les fortunes du monde.

49

La vérité est le fondement et la raison de la perfection, et de la beauté ; une chose, de quelque nature qu'elle soit, ne saurait être belle, et parfaite, si elle n'est véritablement tout ce qu'elle doit être, et si elle n'a tout ce qu'elle doit avoir.

50

Il y a de belles choses qui ont plus d'éclat quand elles demeurent imparfaites que quand elles sont trop achevées.

51

La magnanimité est un noble effort de l'orgueil par lequel il rend l'homme maître de lui-même pour le rendre maître de toutes choses.

52

Le luxe et la trop grande politesse dans les États sont le présage assuré de leur décadence parce que, tous les particuliers s'attachant à leurs intérêts propres, ils se détournent du bien public.

53

Rien ne prouve tant que les philosophes ne sont pas si persuadés qu'ils disent que la mort n'est pas un mal, que le tourment qu'ils se donnent pour établir l'immortalité de leur nom par la perte de la vie.

54

De toutes les passions celle qui est plus inconnue à nous-mêmes, c'est la paresse ; elle est la plus ardente et la plus maligne de toutes, quoique sa violence soit insensible, et que les dommages qu'elle cause soient très cachés ; si nous considérons attentivement son pouvoir, nous verrons qu'elle se rend en toutes rencontres maîtresse de nos sentiments, de nos intérêts et de nos plaisirs ; c'est la rémore qui a la force d'arrêter les plus grands vaisseaux, c'est une bonace plus dangereuse aux plus importantes affaires que les écueils, et que les plus grandes tempêtes ; le repos de la paresse est un charme secret de l'âme qui suspend soudainement les plus ardentes poursuites et les plus opiniâtres résolutions ; pour donner enfin la véritable idée de cette passion, il faut dire que la paresse est comme une béatitude de l'âme, qui la console de toutes ses pertes, et qui lui tient lieu de tous les biens.

55

Il est plus facile de prendre de l'amour quand on n'en a pas, que de s'en défaire quand on en a.

56

La plupart des femmes se rendent plutôt par faiblesse que par passion ; de là vient que pour l'ordinaire les hommes entreprenants réussissent mieux que les autres, quoiqu'ils ne soient pas plus aimables.

57

N'aimer guère en amour est un moyen assuré pour être aimé.

58

La sincérité que se demandent les amants et les maîtresses, pour savoir l'un et l'autre quand ils cesseront de s'aimer, est bien moins pour vouloir être avertis quand on ne les aimera plus que pour être mieux assurés qu'on les aime lorsque l'on ne dit point le contraire.

59

La plus juste comparaison qu'on puisse faire de l'amour, c'est celle de la fièvre ; nous n'avons non plus de pouvoir sur l'un que sur l'autre, soit pour sa violence ou pour sa durée.

60

La plus grande habileté des moins habiles est de se savoir soumettre à la bonne conduite d'autrui.

2 Maxime retranchée après la deuxième édition

61

Quand on ne trouve pas son repos en soi-même, il est inutile de le chercher ailleurs.

3 Maximes retranchées après la quatrième édition

62

Comme on n'est jamais en liberté d'aimer, ou de cesser d'aimer, l'amant ne peut se plaindre avec justice de l'inconstance de sa maîtresse, ni elle de la légèreté de son amant.

63

Quand nous sommes las d'aimer, nous sommes bien aises qu'on nous devienne infidèle, pour nous dégager de notre fidélité.

64

Comment prétendons-nous qu'un autre garde notre secret si nous ne pouvons le garder nous-mêmes ?

65

Il n'y en a point qui pressent tant les autres que les paresseux lorsqu'ils ont satisfait à leur paresse, afin de paraître diligents.

66

C'est une preuve de peu d'amitié de ne s'apercevoir pas du refroidissement de celle de nos amis.

67

Les rois font des hommes comme des pièces de monnaie ; ils les font valoir ce qu'ils veulent, et l'on est forcé de les recevoir selon leur cours, et non pas selon leur véritable prix.

68

Il y a des crimes qui deviennent innocents et même glorieux par leur éclat, leur nombre et leur excès. De là vient que les voleries publiques sont des habiletés, et que prendre des provinces injustement s'appelle faire des conquêtes.

69

On donne plus aisément des bornes à sa reconnaissance qu'à ses espérances et qu'à ses désirs.

70

Nous ne regrettons pas toujours la perte de nos amis par la considération de leur mérite, mais par celle de nos besoins et de la bonne opinion qu'ils avaient de nous.

71

On aime à deviner les autres ; mais l'on n'aime pas à être deviné.

72

C'est une ennuyeuse maladie que de conserver sa santé par un trop grand régime.

73

On craint toujours de voir ce qu'on aime, quand on vient de faire des coquetteries ailleurs.

74

On doit se consoler de ses fautes, quand on a la force de les avouer.

Maximes posthumes

1 Maximes fournies par le manuscrit de Liancourt

1

Comme la plus heureuse personne du monde est celle à qui peu de choses suffit, les grands et les ambitieux sont en ce point les plus misérables qu'il leur faut l'assemblage d'une infinité de biens pour les rendre heureux.

2

La finesse n'est qu'une pauvre habileté.

3

Les philosophes ne condamnent les richesses que par le mauvais usage que nous en faisons ; il dépend de nous de les acquérir et de nous en servir sans crime et, au lieu qu'elles nourrissent et accroissent les vices, comme le bois entretient et augmente le feu, nous pouvons les consacrer à toutes les vertus et les rendre même par là plus agréables et plus éclatantes.

4

La ruine du prochain plaît aux amis et aux ennemis.

5

Chacun pense être plus fin que les autres.

6

On ne saurait compter toutes les espèces de vanité.

7

Ce qui nous empêche souvent de bien juger des sentences qui prouvent la fausseté des vertus, c'est que nous croyons trop aisément qu'elles sont véritables en nous.

8

Nous craignons toutes choses comme mortels, et nous désirons toutes choses comme si nous étions immortels.

9

Dieu a mis des talents différents dans l'homme comme il a planté de différents arbres dans la nature, en sorte que chaque talent de même que chaque arbre a ses propriétés et ses effets qui lui sont tous particuliers ; de là vient que le poirier le meilleur du monde ne saurait porter les pommes les plus communes, et que le talent le plus excellent ne saurait produire les mêmes effets des talents les plus communs ; de là vient encore qu'il est aussi ridicule de vouloir faire des sentences sans en avoir la graine en soi que de vouloir qu'un parterre produise des tulipes quoiqu'on n'y ait point semé les oignons.

10

Une preuve convaincante que l'homme n'a pas été créé comme il est, c'est que plus il devient raisonnable et plus il rougit en soi-même de l'extravagance, de la bassesse et de la corruption de ses sentiments et de ses inclinations.

11

Il ne faut pas s'offenser que les autres nous cachent la vérité puisque nous nous la cachons si souvent nous-mêmes.

12

Rien ne prouve davantage combien la mort est redoutable que la peine que les philosophes se donnent pour persuader qu'on la doit mépriser.

13

Il semble que c'est le diable qui a tout exprès placé la paresse sur la frontière de plusieurs vertus.

14

La fin du bien est un mal ; la fin du mal est un bien.

15

On blâme aisément les défauts des autres, mais on s'en sert rarement à corriger les siens.

16

Les biens et les maux qui nous arrivent ne nous touchent pas selon leur grandeur, mais selon notre sensibilité.

17

Ceux qui prisent trop leur noblesse ne prisent d'ordinaire pas assez ce qui en est l'origine.

18

Le remède de la jalousie est la certitude de ce qu'on craint, parce qu'elle cause la fin de la vie ou la fin de l'amour ; c'est un cruel remède, mais il est plus doux que les doutes et les soupçons.

19

Il est difficile de comprendre combien est grande la ressemblance et la différence qu'il y a entre tous les hommes.

20

Ce qui fait tant disputer contre les maximes qui découvrent le cœur de l'homme, c'est que l'on craint d'y être découvert.

21

L'homme est si misérable que, tournant toutes ses conduites à satisfaire ses passions, il gémit incessamment sous leur tyrannie ; il ne peut supporter ni leur violence ni celle qu'il faut qu'il se fasse pour s'affranchir de leur joug ; il trouve du dégoût non seulement dans ses vices, mais encore dans leurs remèdes, et ne peut s'accommoder ni des chagrins de ses maladies ni du travail de sa guérison.

22

Dieu a permis, pour punir l'homme du péché originel, qu'il se fît un dieu de son amour-propre pour en être tourmenté dans toutes les actions de sa vie.

23

L'espérance et la crainte sont inséparables, et il n'y a point de crainte sans espérance ni d'espérance sans crainte.

24

Le pouvoir que les personnes que nous aimons ont sur nous est presque toujours plus grand que celui que nous y avons nous-mêmes.

25

Ce qui nous fait croire si facilement que les autres ont des défauts, c'est la facilité que l'on a de croire ce qu'on souhaite.

26

L'intérêt est l'âme de l'amour-propre, de sorte que, comme le corps, privé de son âme, est sans vue, sans ouïe, sans connaissance, sans sentiment et sans mouvement, de même l'amour-propre séparé, s'il le faut dire ainsi, de son intérêt, ne voit, n'entend, ne sent et ne se remue plus ; de là vient qu'un même homme qui court la terre et les mers pour son intérêt devient soudainement paralytique pour l'intérêt des autres ; de là vient le soudain assoupissement et cette mort que nous causons à tous ceux à qui nous contons nos affaires ; de là vient leur prompte résurrection lorsque dans notre narration nous y mêlons quelque chose qui les regarde ; de sorte que nous voyons dans nos conversations et dans nos traités que dans un même moment un homme perd connaissance et revient à soi, selon que son propre intérêt s'approche de lui ou qu'il s'en retire.

2 Maximes fournies par des lettres

27

On ne donne des louanges que pour en profiter.

28

Les passions ne sont que les divers goûts de l'amour propre.

29

L'extrême ennui sert à nous désennuyer.

30

On loue et on blâme la plupart des choses parce que c'est la mode de les louer ou de les blâmer.

31

Il n'est jamais plus difficile de bien parler que lorsqu'on ne parle que de peur de se taire.

3 Maximes fournies par l'édition hollandaise de 1664

32

Si on avait ôté à ce qu'on appelle force le désir de conserver, et la crainte de perdre, il ne lui resterait pas grand'chose.

33

La familiarité est un relâchement presque de toutes les règles de la vie civile, que le libertinage a introduit dans la société pour nous faire parvenir à celle qu'on appelle commode. C'est un effet de l'amour-propre qui, voulant tout accommoder à notre faiblesse, nous soustrait à l'honnête sujétion que nous imposent les bonnes mœurs et, pour chercher trop les moyens de nous les rendre commodes, le fait dégénérer en vices. Les femmes, ayant naturellement plus de mollesse que les hommes, tombent plutôt dans ce relâchement, et y perdent davantage : l'autorité du sexe ne se maintient pas, le respect qu'on lui doit diminue, et l'on peut dire que l'honnête y perd la plus grande partie de ses droits.

34

La raillerie est une gaieté agréable de l'esprit, qui enjoue la conversation, et qui lie la société si elle est obligeante, ou qui la trouble si elle ne l'est pas. Elle est plus pour celui qui la fait que pour celui qui la souffre. C'est toujours un combat de bel esprit, que produit la vanité ; d'où vient que ceux qui en manquent pour la soutenir, et ceux qu'un défaut reproché fait rougir, s'en offensent également, comme d'une défaite injurieuse qu'ils ne sauraient pardonner. C'est un poison qui tout pur éteint l'amitié et excite la haine, mais qui corrigé par l'agrément de l'esprit, et la flatterie de la louange, l'acquiert ou la conserve ; et il en faut user sobrement avec ses amis et avec les faibles.

4 Maximes fournies par le supplément de l'édition de 1693

35

Force gens veulent être dévots, mais personne ne veut être humble.

36

Le travail du corps délivre des peines de l'esprit, et c'est ce qui rend les pauvres heureux.

37

Les véritables mortifications sont celles qui ne sont point connues ; la vanité rend les autres faciles.

38

L'humilité est l'autel sur lequel Dieu veut qu'on lui offre des sacrifices.

39

Il faut peu de choses pour rendre le sage heureux ; rien ne peut rendre un fol content ; c'est pourquoi presque tous les hommes sont misérables.

40

Nous nous tourmentons moins pour devenir heureux que pour faire croire que nous le sommes.

41

Il est bien plus aisé d'éteindre un premier désir que de satisfaire tous ceux qui le suivent.

42

La sagesse est à l'âme ce que la santé est pour le corps.

43

Les grands de la terre ne pouvant donner la santé du corps ni le repos d'esprit, on achète toujours trop cher tous les biens qu'ils peuvent faire.

44

Avant que de désirer fortement une chose, il faut examiner quel est le bonheur de celui qui la possède.

45

Un véritable ami est le plus grand de tous les biens et celui de tous qu'on songe le moins à acquérir.

46

Les amants ne voient les défauts de leurs maîtresses que lorsque leur enchantement est fini.

47

La prudence et l'amour ne sont pas faits l'un pour l'autre : à mesure que l'amour croît, la prudence diminue.

48

Il est quelquefois agréable à un mari d'avoir une femme jalouse : il entend toujours parler de ce qu'il aime.

49

Qu'une femme est à plaindre, quand elle a tout ensemble de l'amour et de la vertu !

50

Le sage trouve mieux son compte à ne point s'engager qu'à vaincre.

51

Il est plus nécessaire d'étudier les hommes que les livres.

52

Le bonheur ou le malheur vont d'ordinaire à ceux qui ont le plus de l'un ou de l'autre.

53

On ne se blâme que pour être loué.

54

Il n'est rien de plus naturel ni de plus trompeur que de croire qu'on est aimé.

55

Nous aimons mieux voir ceux à qui nous faisons du bien que ceux qui nous en font.

56

Il est plus difficile de dissimuler les sentiments que l'on a que de feindre ceux que l'on n'a pas.

57

Les amitiés renouées demandent plus de soins que celles qui n'ont jamais été rompues.

58

Un homme à qui personne ne plaît est bien plus malheureux que celui qui ne plaît à personne.

5 Maximes fournies par des témoignages de contemporains

59

L'enfer des femmes, c'est la vieillesse.

60

Les soumissions et les bassesses que les seigneurs de la Cour font auprès des ministres qui ne sont pas de leur rang sont des lâchetés de gens de cœur.

61

L'honnêteté [n'est] d'aucun état en particulier, mais de tous les états en général.

Réflexions diverses

I. Du vrai

Le vrai, dans quelque sujet qu'il se trouve, ne peut être effacé par aucune comparaison d'un autre vrai, et quelque différence qui puisse être entre deux sujets, ce qui est vrai dans l'un n'efface point ce qui est vrai dans l'autre : ils peuvent avoir plus ou moins d'étendue et être plus ou moins éclatants, mais ils sont toujours égaux par leur vérité, qui n'est pas plus vérité dans le plus grand que dans le plus petit. L'art de la guerre est plus étendu, plus noble et plus brillant que celui de la poésie ; mais le poète et le conquérant sont comparables l'un à l'autre ; comme aussi, en tant qu'ils sont véritablement ce qu'ils sont, le législateur et le peintre, etc.

Deux sujets de même nature peuvent être différents, et même opposés, comme le sont Scipion et Annibal, Fabius Maximus et Marcellus ; cependant, parce que leurs qualités sont vraies, elles subsistent en présence l'une de l'autre, et ne s'effacent point par la comparaison. Alexandre et César donnent des royaumes ; la veuve donne une pite : quelque différents que soient ces présents, la libéralité est vraie et égale en chacun d'eux, et chacun donne à proportion de ce qu'il est.

Un sujet peut avoir plusieurs vérités, et un autre sujet peut n'en avoir qu'une : le sujet qui a plusieurs vérités est d'un plus grand prix, et peut briller par des endroits où l'autre ne brille pas ; mais dans l'endroit où l'un et l'autre est vrai, ils brillent également. Épaminondas était grand capitaine, bon citoyen, grand philosophe ; il était plus estimable que Virgile, parce qu'il avait plus de vérités que lui ; mais comme grand capitaine, Épaminondas n'était pas plus excellent que Virgile comme grand poète, parce que, par cet endroit, il n'était pas plus vrai que lui. La cruauté de cet enfant qu'un consul fit mourir pour avoir crevé les yeux d'une corneille était moins importante que celle de Philippe second, qui fit mourir son fils, et elle était peut-être mêlée avec moins d'autres vices ; mais le degré de cruauté exercée sur un simple animal ne laisse pas de tenir son rang avec la cruauté des princes les plus cruels, parce que leurs différents degrés de cruauté ont une vérité égale.

Quelque disproportion qu'il y ait entre deux maisons qui ont les beautés qui leur conviennent, elles ne s'effacent point l'une l'autre : ce qui fait que Chantilly n'efface point Liancourt, bien qu'il ait infiniment plus de diverses beautés, et que Liancourt n'efface pas aussi Chantilly, c'est que Chantilly a les beautés qui conviennent à la grandeur de Monsieur le Prince, et que Liancourt a les beautés qui conviennent à un particulier, et qu'ils ont chacun de vraies beautés. On voit néanmoins des femmes d'une beauté éclatante, mais irrégulière, qui en effacent souvent de plus véritablement belles ; mais comme le goût, qui se prévient aisément, est le juge de la beauté, et que la beauté des plus belles personnes n'est pas toujours égale, s'il arrive que les moins belles effacent les autres, ce sera seulement durant quelques moments ; ce sera que la différence de la lumière et du jour fera plus ou moins discerner la vérité qui est dans les traits ou dans les couleurs, qu'elle fera paraître ce que la moins belle aura de beau, et empêchera de paraître ce qui est de vrai et de beau dans l'autre.

II. De la société

Mon dessein n'est pas de parler de l'amitié en parlant de la société ; bien qu'elles aient quelque rapport, elles sont néanmoins très différentes : la première a plus d'élévation et de dignité, et le plus grand mérite de l'autre, c'est de lui ressembler. Je ne parlerai donc présentement que du commerce particulier que les honnêtes gens doivent avoir ensemble.

Il serait inutile de dire combien la société est nécessaire aux hommes : tous la désirent et tous la cherchent, mais peu se servent des moyens de la rendre agréable et de la faire durer. Chacun veut trouver son plaisir et ses avantages aux dépens des autres ; on se préfère toujours à ceux avec qui on se propose de vivre, et on leur fait presque toujours sentir cette préférence ; c'est ce qui trouble et qui détruit la société. Il faudrait du moins savoir cacher ce désir de préférence, puisqu'il est trop naturel en nous pour nous en pouvoir défaire ; il faudrait faire son plaisir et celui des autres, ménager leur amour-propre, et ne le blesser jamais.

L'esprit a beaucoup de part à un si grand ouvrage, mais il ne suffit pas seul pour nous conduire dans les divers chemins qu'il faut tenir. Le rapport qui se rencontre entre les esprits ne maintiendrait pas longtemps la société, si elle n'était réglée et soutenue par le bon sens, par l'humeur, et par des égards qui doivent être entre les personnes qui veulent vivre ensemble. S'il arrive quelquefois que des gens opposés d'humeur et d'esprit paraissent unis, ils tiennent sans doute par des liaisons étrangères, qui ne durent pas longtemps. On peut être aussi en société avec des personnes sur qui nous avons de la supériorité par la naissance ou par des qualités personnelles ; mais ceux qui ont cet avantage n'en doivent pas abuser ; ils doivent rarement le faire sentir, et ne s'en servir que pour instruire les autres ; ils doivent les faire apercevoir qu'ils ont besoin d'être conduits, et le mener par raison, en s'accommodant autant qu'il est possible à leurs sentiments et à leurs intérêts.

Pour rendre la société commode, il faut que chacun conserve sa liberté : il faut se voir, ou ne se voir point, sans sujétion, se divertir ensemble, et même s'ennuyer ensemble ; il faut se pouvoir séparer, sans que cette séparation apporte de changement ; il faut se pouvoir passer les uns des autres, si on ne veut pas s'exposer à embarrasser quelquefois, et on doit se souvenir qu'on incommode souvent, quand on croit ne pouvoir jamais incommoder. Il faut contribuer, autant qu'on le peut, au divertissement des personnes avec qui on veut vivre ; mais il ne faut pas être toujours chargé du soin d'y contribuer. La complaisance est nécessaire dans la société, mais elle doit avoir des bornes : elle devient une servitude quand elle est excessive ; il faut du moins qu'elle paraisse libre, et qu'en suivant le sentiment de nos amis, ils soient persuadés que c'est le nôtre aussi que nous suivons.

Il faut être facile à excuser nos amis, quand leurs défauts sont nés avec eux, et qu'ils sont moindres que leurs bonnes qualités ; il faut souvent éviter de leur faire voir qu'on les ait remarqués et qu'on en soit choqué, et on doit essayer de faire en sorte qu'ils puissent s'en apercevoir eux-mêmes, pour leur laisser le mérite de s'en corriger.

Il y a une sorte de politesse qui est nécessaire dans le commerce des honnêtes gens ; elle leur fait entendre raillerie, et elle les empêche d'être choqués et de choquer les autres par de certaines façons de parler trop sèches et trop dures, qui échappent souvent sans y penser, quand on soutient son opinion avec chaleur.

Le commerce des honnêtes gens ne peut subsister sans une certaine sorte de confiance ; elle doit être commune entre eux ; il faut que chacun ait un air de sûreté et de discrétion qui ne donne jamais lieu de craindre qu'on puisse rien dire par imprudence.

Il faut de la variété dans l'esprit : ceux qui n'ont que d'une sorte d'esprit ne peuvent plaire longtemps. On peut prendre des routes diverses, n'avoir pas les mêmes vues ni les mêmes talents, pourvu qu'on aide au plaisir de la société, et qu'on y observe la même justesse que les différentes voix et les divers instruments doivent observer dans la musique.

Comme il est malaisé que plusieurs personnes puissent avoir les mêmes intérêts, il est nécessaire au moins, pour la douceur de la société, qu'ils n'en aient pas de contraires.

On doit aller au-devant de ce qui peut plaire à ses amis, chercher les moyens de leur être utile, leur épargner des chagrins, leur faire voir qu'on les partage avec eux quand on ne peut les détourner, les effacer insensiblement sans prétendre de les arracher tout d'un coup, et mettre en la place des objets agréables, ou du moins qui les occupent. On peut leur parler des choses qui les regardent, mais ce n'est qu'autant qu'ils le permettent, et on y doit garder beaucoup de mesure ; il y a de la politesse, et quelquefois même de l'humanité, à ne pas entrer trop avant dans les replis de leur cœur ; ils ont souvent de la peine à laisser voir tout ce qu'ils en connaissent, et ils en ont encore davantage quand on pénètre ce qu'ils ne connaissent pas. Bien que le commerce que les honnêtes gens ont ensemble leur donne de la familiarité, et leur fournisse un nombre infini de sujets de se parler sincèrement, personne presque n'a assez de docilité et de bon sens pour bien recevoir plusieurs avis qui sont nécessaires pour maintenir la société : on veut être averti jusqu'à un certain point, mais on ne veut pas l'être en toutes choses, et on craint de savoir toutes sortes de vérités.

Comme on doit garder des distances pour voir les objets, il en faut garder aussi pour la société : chacun a son point de vue, d'où il veut être regardé ; on a raison, le plus souvent, de ne vouloir pas être éclairé de trop près, et il n'y a presque point d'homme qui veuille, en toutes choses, se laisser voir tel qu'il est.

III. De l'air et des manières

Il y a un air qui convient à la figure et aux talents de chaque personne ; on perd toujours quand on le quitte pour en prendre un autre. Il faut essayer de connaître celui qui nous est naturel, n'en point sortir, et le perfectionner autant qu'il nous est possible.

Ce qui fait que la plupart des petits enfants plaisent, c'est qu'ils sont encore renfermés dans cet air et dans ces manières que la nature leur a donnés, et qu'ils n'en connaissent point d'autres. Ils les changent et les corrompent quand ils sortent de l'enfance : ils croient qu'il faut imiter ce qu'ils voient faire aux autres, et ils ne le peuvent parfaitement imiter ; il y a toujours quelque chose de faux et d'incertain dans cette imitation. Ils n'ont rien de fixe dans leurs manières ni dans leurs sentiments ; au lieu d'être en effet ce qu'ils veulent paraître, ils cherchent à paraître ce qu'ils ne sont pas. Chacun veut être un autre, et n'être plus ce qu'il est : ils cherchent une contenance hors d'eux-mêmes, et un autre esprit que le leur ; ils prennent des tons et des manières au hasard ; ils en font l'expérience sur eux, sans considérer que ce qui convient à quelques-uns ne convient pas à tout le monde, qu'il n'y a point de règle générale pour les tons et pour les manières, et qu'il n'y a point de bonnes copies. Deux hommes néanmoins peuvent avoir du rapport en plusieurs choses sans être copie l'un de l'autre, si chacun suit son naturel ; mais personne presque ne le suit entièrement. On aime à imiter ; on imite souvent, même sans s'en apercevoir, et on néglige ses propres biens pour des biens étrangers, qui d'ordinaire ne nous conviennent pas.

Je ne prétends pas, par ce que je dis, nous renfermer tellement en nous-mêmes que nous n'ayons pas la liberté de suivre des exemples, et de joindre à nous des qualités utiles ou nécessaires que la nature ne nous a pas données : les arts et les sciences conviennent à la plupart de ceux qui s'en rendent capables, la bonne grâce et la politesse conviennent à tout le monde ; mais ces qualités acquises doivent avoir un certain rapport et une certaine union avec nos propres qualités, qui les étendent et les augmentent imperceptiblement.

Nous sommes quelquefois élevés à un rang et à des dignités au-dessus de nous, nous sommes souvent engagés dans une profession nouvelle où la nature ne nous avait pas destinés ; tous ces états ont chacun un air qui leur convient, mais qui ne convient pas toujours avec notre air naturel ; ce changement de notre fortune change souvent notre air et nos manières, et y ajoute l'air de la dignité, qui est toujours faux quand il est trop marqué et qu'il n'est pas joint et confondu avec l'air que la nature nous a donné : il faut les unir et les mêler ensemble et qu'ils ne paraissent jamais séparés.

On ne parle pas de toutes choses sur un même ton et avec les mêmes manières ; on ne marche pas à la tête d'un régiment comme on marche en se promenant. Mais il faut qu'un même air nous fasse dire naturellement des choses différentes, et qu'il nous fasse marcher différemment, mais toujours naturellement, et comme il convient de marcher à la tête d'un régiment et à une promenade.

Il y en a qui ne se contentent pas de renoncer à leur air propre et naturel, pour suivre celui du rang et des dignités où ils sont parvenus ; il y en a même qui prennent par avance l'air des dignités et du rang où ils aspirent. Combien de lieutenants généraux apprennent à paraître maréchaux de France ! Combien de gens de robe répètent inutilement l'air de chancelier, et combien de bourgeoises se donnent l'air de duchesses !

Ce qui fait qu'on déplaît souvent, c'est que personne ne sait accorder son air et ses manières avec sa figure, ni ses tons et ses paroles avec ses pensées et ses sentiments ; on trouble leur harmonie par quelque chose de faux et d'étranger ; on s'oublie soi-même, et on s'en éloigne insensiblement. Tout le monde presque tombe, par quelque endroit, dans ce défaut ; personne n'a l'oreille assez juste pour entendre parfaitement cette sorte de cadence. Mille gens déplaisent avec des qualités aimables, mille gens plaisent avec de moindres talents : c'est que les uns veulent paraître ce qu'ils ne sont pas, les autres sont ce qu'ils paraissent ; et enfin, quelques avantages ou quelques désavantages que nous ayons reçus de la nature, on plaît à proportion de ce qu'on suit l'air, les tons, les manières et les sentiments qui conviennent à notre état et à notre figure, et on déplaît à proportion de ce qu'on s'en éloigne.

IV. De la conversation

Ce qui fait que si peu de personnes sont agréables dans la conversation, c'est que chacun songe plus à ce qu'il veut dire qu'à ce que les autres disent. Il faut écouter ceux qui parlent, si on en veut être écouté ; il faut leur laisser la liberté de se faire entendre, et même de dire des choses inutiles. Au lieu de les contredire ou de les interrompre, comme on fait souvent, on doit, au contraire, entrer dans leur esprit et dans leur goût, montrer qu'on les entend, leur parler de ce qui les touche, louer ce qu'ils disent autant qu'il mérite d'être loué, et faire voir que c'est plus par choix qu'on le loue que par complaisance. Il faut éviter de contester sur des choses indifférentes, faire rarement des questions inutiles, ne laisser jamais croire qu'on prétend avoir plus de raison que les autres, et céder aisément l'avantage de décider.

On doit dire des choses naturelles, faciles et plus ou moins sérieuses, selon l'humeur et l'inclinaison des personnes que l'on entretient, ne les presser pas d'approuver ce qu'on dit, ni même d'y répondre. Quand on a satisfait de cette sorte aux devoirs de la politesse, on peut dire ses sentiments, sans prévention et sans opiniâtreté, en faisant paraître qu'on cherche à les appuyer de l'avis de ceux qui écoutent.

Il faut éviter de parler longtemps de soi-même, et de se donner souvent pour exemple. On ne saurait avoir trop d'application à connaître la pente et la portée de ceux à qui on parle, pour se joindre à l'esprit de celui qui en a le plus, et pour ajouter ses pensées aux siennes, en lui faisant croire, autant qu'il est possible, que c'est de lui qu'on les prend. Il y a de l'habileté à n'épuiser pas les sujets qu'on traite, et à laisser toujours aux autres quelque chose à penser et à dire.

On ne doit jamais parler avec des airs d'autorité, ni se servir de paroles et de termes plus grands que les choses. On peut conserver ses opinions, si elles sont raisonnables ; mais en les conservant, il ne faut jamais blesser les sentiments des autres, ni paraître choqué de ce qu'ils ont dit. Il est dangereux de vouloir être toujours le maître de la conversation, et de parler trop souvent d'une même chose ; on doit entrer indifféremment sur tous les sujets agréables qui se présentent, et ne faire jamais voir qu'on veut entraîner la conversation sur ce qu'on a envie de dire.

Il est nécessaire d'observer que toute sorte de conversation, quelque honnête et quelque spirituelle qu'elle soit, n'est pas également propre à toute sorte d'honnêtes gens : il faut choisir ce qui convient à chacun, et choisir même le temps de le dire ; mais s'il y a beaucoup d'art à parler, il n'y en a pas moins à se taire. Il y a un silence éloquent : il sert quelquefois à approuver et à condamner ; il y a un silence moqueur ; il y a un silence respectueux ; il y a des airs, des tours et des manières qui font souvent ce qu'il y a d'agréable ou de désagréable, de délicat ou de choquant dans la conversation. Le secret de s'en bien servir est donné à peu de personnes ; ceux mêmes qui en font des règles s'y méprennent quelquefois ; la plus sûre, à mon avis, c'est de n'en point avoir qu'on ne puisse changer, de laisser plutôt voir des négligences dans ce qu'on dit que de l'affectation, d'écouter, de ne parler guère, et de ne se forcer jamais à parler.

V. De la confiance

Bien que la sincérité et la confiance aient du rapport, elles sont néanmoins différentes en plusieurs choses : la sincérité est une ouverture de cœur, qui nous montre tels que nous sommes ; c'est un amour de la vérité, une répugnance à se déguiser, un désir de se dédommager de ses défauts, et de les diminuer même par le mérite de les avouer. La confiance ne nous laisse pas tant de liberté, ses règles sont plus étroites, elle demande plus de prudence et de retenue, et nous ne sommes pas toujours libres d'en disposer : il ne s'agit pas de nous uniquement, et nos intérêts sont mêlés d'ordinaire avec les intérêts des autres. Elle a besoin d'une grande justesse pour ne livrer pas nos amis en nous livrant nous-mêmes, et pour ne faire pas des présents de leur bien dans la vue d'augmenter le prix de ce que nous donnons.

La confiance plaît toujours à celui qui la reçoit : c'est un tribut que nous payons à son mérite ; c'est un dépôt que l'on commet à sa foi ; ce sont des gages qui lui donnent un droit sur nous, et une sorte de dépendance où nous nous assujettissons volontairement. Je ne prétends pas détruire par ce que je dis la confiance, si nécessaire entre les hommes puisqu'elle est le lien de la société et de l'amitié ; je prétends seulement y mettre des bornes, et la rendre honnête et fidèle. Je veux qu'elle soit toujours vraie et toujours prudente, et qu'elle n'ait ni faiblesse ni intérêt ; je sais bien qu'il est malaisé de donner de justes limites à la manière de recevoir toute sorte de confiance de nos amis, et de leur faire part de la nôtre.

On se confie le plus souvent par vanité, par envie de parler, par le désir de s'attirer la confiance des autres, et pour faire un échange de secrets. Il y a des personnes qui peuvent avoir raison de se fier en nous, vers qui nous n'aurions pas raison d'avoir la même conduite, et on s'acquitte envers ceux-ci en leur gardant le secret, et en les payant de légères confidences. Il y en a d'autres dont la fidélité nous est connue, qui ne ménagent rien avec nous, et à qui on peut se confier par choix et par estime. On doit ne leur rien cacher de ce qui ne regarde que nous, se montrer à eux toujours vrais dans nos bonnes qualités et dans nos défauts même, sans exagérer les unes et sans diminuer les autres, se faire une loi de ne leur faire jamais de demi-confidences ; elles embarrassent toujours ceux qui les font, et ne contentent presque jamais ceux qui les reçoivent : on leur donne des lumières confuses de ce qu'on veut cacher, on augmente leur curiosité, on les met en droit d'en vouloir savoir davantage, et ils se croient en liberté de disposer de ce qu'ils ont pénétré. Il est plus sûr et plus honnête de ne leur rien dire que de se taire quand on a commencé de parler.

Il y a d'autres règles à suivre pour les choses qui nous ont été confiées. Plus elles sont importantes, et plus la prudence et la fidélité y sont nécessaires. Tout le monde convient que le secret doit être inviolable, mais on ne convient pas toujours de la nature et de l'importance du secret ; nous ne consultons le plus souvent que nous-mêmes sur ce que nous devons dire et sur ce que nous devons taire ; il y a peu de secrets de tous les temps, et le scrupule de les révéler ne dure pas toujours.

On a des liaisons étroites avec des amis dont on connaît la fidélité ; ils nous ont toujours parlé sans réserve, et nous avons toujours gardé les mêmes mesures avec eux ; ils savent nos habitudes et nos commerces, et il nous voient de trop près pour ne s'apercevoir pas du moindre changement ; ils peuvent savoir par ailleurs ce que nous sommes engagés de ne dire jamais à personne ; il n'a pas été en notre pouvoir de les faire entrer dans ce qu'on nous a confié ; ils ont peut-être même quelque intérêt de le savoir ; on est assuré d'eux comme de soi, et on se voit réduit à la cruelle nécessité de prendre leur amitié, qui nous est précieuse, ou de manquer à la foi du secret. Cet état est sans doute la plus rude épreuve de la fidélité ; mais il ne doit pas ébranler un honnête homme : c'est alors qu'il lui est permis de se préférer aux autres ; son premier devoir est de conserver indispensablement ce dépôt en son entier, sans en peser les suites ; il doit non seulement ménager ses paroles et ses tons, il doit encore ménager ses conjectures, et ne laisser jamais rien voir, dans ses discours ni dans son air, qui puisse tourner l'esprit des autres vers ce qu'il ne veut pas dire.

On a souvent besoin de force et de prudence pour opposer à la tyrannie de la plupart de nos amis, qui se font un droit sur notre confiance, et qui veulent tout savoir de nous. On ne doit jamais leur laisser établir ce droit sans exception : il y a des rencontres et des circonstances qui ne sont pas de leur juridiction ; s'ils s'en plaignent, on doit souffrir leur plaintes, et s'en justifier avec douceur ; mais s'ils demeurent injustes, on doit sacrifier leur amitié à son devoir, et choisir entre deux maux inévitables, dont l'un se peut réparer, et l'autre est sans remède.

VI. De l'amour et de la mer

Ceux qui ont voulu nous représenter l'amour et ses caprices l'ont comparé en tant de sortes à la mer qu'il est malaisé de rien ajouter à ce qu'ils en ont dit. Ils nous ont fait voir que l'un et l'autre ont une inconstance et une infidélité égales, que leurs biens et leurs maux sont sans nombre, que les navigations les plus heureuses sont exposées à mille dangers, que les tempêtes et les écueils sont toujours à craindre, et que souvent même on fait naufrage dans le port. Mais en nous exprimant tant d'espérances et tant de craintes, ils ne nous pas assez montré, ce me semble, le rapport qu'il y a d'un amour usé, languissant et sur sa fin, à ces longues bonaces, à ces calmes ennuyeux, que l'on rencontre sous la ligne : on est fatigué d'un grand voyage, on souhaite de l'achever ; on voit la terre, mais on manque de vent pour y arriver ; on se voit exposé aux injures des saisons ; les maladies et les langueurs empêchent d'agir ; l'eau et les vivres manquent ou changent de goût ; on a recours inutilement aux secours étrangers ; on essaye de pêcher, et on prend quelques poissons, sans en tirer de soulagement ni de nourriture ; on est las de tout ce qu'on voit, on est toujours avec ses mêmes pensées, et on est toujours ennuyé ; on vit encore, et on a regret à vivre ; on attend des désirs pour sortir d'un état pénible et languissant, mais on n'en forme que de faibles et d'inutiles.

VII. Des exemples

Quelque différence qu'il y ait entre les bons et les mauvais exemples, on trouvera que les uns et les autres ont presque également produit de méchants effets. Je ne sais même si les crimes de Tibère et de Néron ne nous éloignent pas plus du vice que les exemples estimables des plus grands hommes ne nous approchent de la vertu. Combien la valeur d'Alexandre a-t-elle fait de fanfarons ! Combien la gloire de César a-t-elle autorisé d'entreprises contre la patrie ! Combien Rome et Sparte ont-elles loué de vertus farouches ! Combien Diogène a-t-il fait de philosophes importuns, Cicéron de babillards, Pomponius Atticus de gens neutres et paresseux, Marius et Sylla de vindicatifs, Lucullus de voluptueux, Alcibiade et Antoine de débauchés, Capon d'opiniâtres ! Tous ces grands originaux ont produit un nombre infini de mauvaises copies. Les vertus sont frontières des vices ; les exemples sont des guides qui nous égarent souvent, et nous sommes si remplis de fausseté que nous ne nous en servons pas moins pour nous éloigner du chemin de la vertu que pour le suivre.

VIII. De l'incertitude de la jalousie

Plus on parle de sa jalousie, et plus les endroits qui ont déplu paraissent de différents côtés ; les moindres circonstances les changent, et font toujours découvrir quelque chose de nouveau. Ces nouveautés font revoir sous d'autres apparences ce qu'on croyait avoir assez vu et assez pesé ; on cherche à s'attacher à une opinion, et on ne s'attache à rien ; tout ce qui est de plus opposé et de plus effacé se présente en même temps ; on veut haïr et on veut aimer, mais on aime encore quand on hait, et on hait encore quand on aime ; on croit tout, et on doute de tout ; on a de la honte et du dépit d'avoir cru et d'avoir douté ; on se travaille incessamment pour arrêter son opinion, et on ne la conduit jamais à un lieu fixe.

Les poètes devraient comparer cette opinion à la peine de Sisyphe, puisqu'on roule aussi inutilement que lui un rocher, par un chemin pénible et périlleux : on voit le sommet de la montagne et on s'efforce d'y arriver, on l'espère quelquefois, mais on n'y arrive jamais. On n'est pas assez heureux pour oser croire ce qu'on souhaite, ni même assez heureux aussi pour être assuré de ce qu'on craint le plus. On est assujetti à une incertitude éternelle, qui nous présente successivement des biens et des maux qui nous échappent toujours.

IX. De l'amour et de la vie

L'amour est une image de notre vie : l'un et l'autre sont sujets aux mêmes révolutions et aux mêmes changements. Leur jeunesse est pleine de joie et d'espérance : on se trouve heureux d'être jeune, comme on se trouve heureux d'aimer. Cet état si agréable nous conduit à désirer d'autres biens, et on en veut de plus solides ; on ne se contente pas de subsister, on veut faire des progrès, on est occupé des moyens de s'avancer et d'assurer sa fortune ; on cherche la protection des ministres, on se rend utile à leurs intérêts ; on ne peut souffrir que quelqu'un prétende ce que nous prétendons. Cette émulation est traversée de mille soins et de mille peines, qui s'effacent par le plaisir de se voir établi : toutes les passions sont alors satisfaites, et on ne prévoit pas qu'on puisse cesser d'être heureux.

Cette félicité néanmoins est rarement de longue durée, et elle ne peut conserver longtemps la grâce de la nouveauté. Pour avoir ce que nous avons souhaité, nous ne laissons pas de souhaiter encore. Nous nous accoutumons à tout ce qui est à nous ; les mêmes biens ne conservent pas leur même prix, et ils ne touchent pas toujours également notre goût ; nous changeons imperceptiblement, sans remarquer notre changement ; ce que nous avons obtenu devient une partie de nous-même : nous serions cruellement touchés de le perdre, mais nous ne sommes plus sensibles au plaisir de le conserver ; la joie n'est plus vive, on en cherche ailleurs que dans ce qu'on a tant désiré. Cette inconstance involontaire est un effet du temps, qui prend malgré nous sur l'amour comme sur notre vie ; il en efface insensiblement chaque jour un certain air de jeunesse et de gaieté, et en détruit les plus véritables charmes ; on prend des manières plus sérieuses, on joint des affaires à la passion ; l'amour ne subsiste plus par lui-même, et il emprunte des secours étrangers. Cet état de l'amour représente le penchant de l'âge, où on commence à voir par où on doit finir ; mais on n'a pas la force de finir volontairement, et dans le déclin de l'amour comme dans le déclin de la vie personne ne se peut résoudre de prévenir les dégoûts qui restent à éprouver ; on vit encore pour les maux, mais on ne vit plus pour les plaisirs. La jalousie, la méfiance, la crainte de lasser, la crainte d'être quitté, sont des peines attachées à la vieillesse de l'amour, comme les maladies sont attachées à la trop longue durée de la vie : on ne sent plus qu'on est vivant que parce qu'on sent qu'on est malade, et on ne sent aussi qu'on est amoureux que par sentir toutes les peines de l'amour. On ne sort de l'assoupissement des trop longs attachements que par le dépit et le chagrin de se voir toujours attaché ; enfin, de toutes les décrépitudes, celle de l'amour est la plus insupportable.

X. Des goûts

Il y a des personnes qui ont plus d'esprit que de goût, et d'autres qui ont plus de goût que d'esprit ; il y a plus de variété et de caprice dans le goût que dans l'esprit.

Ce terme de goût a diverses significations, et il est aisé de s'y méprendre. Il y a différence entre le goût qui nous porte vers les choses, et le goût qui nous en fait connaître et discerner les qualités, en s'attachant aux règles : on peut aimer la comédie sans avoir le goût assez fin et assez délicat pour en bien juger, et on peut avoir le goût assez bon pour bien juger de la comédie sans l'aimer. Il y a des goûts qui nous approchent imperceptiblement de ce qui se montre à nous ; d'autres nous entraînent par leur force ou par leur durée.

Il y a des gens qui ont le goût faux en tout ; d'autres ne l'ont faux qu'en de certaines choses, et ils l'ont droit et juste dans ce qui est de leur portée. D'autres ont des goûts particuliers, qu'ils connaissent mauvais, et ne laissent pas de les suivre. Il y en a qui ont le goût incertain ; le hasard en décide ; ils changent par légèreté, et sont touchés de plaisir ou d'ennui sur la parole de leurs amis. D'autres sont toujours prévenus ; ils sont esclaves de tous leurs goûts, et les respectent en toutes choses. Il y en a qui sont sensibles à ce qui est bon, et choqués de ce qui ne l'est pas ; leurs vues sont nettes et justes, et il trouvent la raison de leur goût dans leur esprit et dans leur discernement.

Il y en a qui, par une sorte d'instinct dont ils ignorent la cause, décident de ce qui se présente à eux, et prennent toujours le bon parti. Ceux-ci font paraître plus de goût que d'esprit, parce que leur amour-propre et leur humeur ne prévalent point sur leurs lumières naturelles ; tout agit de concert en eux, tout y est sur un même ton. Cet accord les fait juger sainement des objets, et leur en forme une idée véritable ; mais, à parler généralement, il y a peu de gens qui aient le goût fixe et indépendant de celui des autres ; ils suivent l'exemple et la coutume, et ils en empruntent presque tout ce qu'ils ont de goût.

Dans toutes ces différences de goûts que l'on vient de marquer, il est très rare, et presque impossible, de rencontrer cette sorte de bon goût qui sait donner le prix à chaque chose, qui en connaît toute la valeur, et qui se porte généralement sur tout : nos connaissances sont trop bornées, et cette juste disposition des qualités qui font bien juger ne se maintient d'ordinaire que sur ce qui ne nous regarde pas directement. Quand il s'agit de nous, notre goût n'a plus cette justesse si nécessaire, la préoccupation la trouble, tout ce qui a du rapport à nous nous paraît sous une autre figure. Personne ne voit des mêmes yeux ce qui le touche et ce qui ne le touche pas ; notre goût est conduit alors par la pente de l'amour-propre et de l'humeur, qui nous fournissent des vues nouvelles, et nous assujettissent à un nombre infini de changements et d'incertitudes ; notre goût n'est plus à nous, nous n'en disposons plus, il change sans notre consentement, et les mêmes objets nous paraissent par tant de côtés différents que nous méconnaissons enfin ce que nous avons vu et ce que nous avons senti.

XI. Du rapport des hommes avec les animaux

Il y a autant de diverses espèces d'hommes qu'il y a de diverses espèces d'animaux, et les hommes sont, à l'égard des autres hommes, ce que les différentes espèces d'animaux sont entre elles et à l'égard les unes des autres.

Combien y a-t-il d'hommes qui vivent du sang et de la vie des innocents, les uns comme des tigres, toujours farouches et toujours cruels, d'autres comme des lions, en gardant quelque apparence de générosité, d'autres comme des ours, grossiers et avides, d'autres comme des loups, ravissants et impitoyables, d'autres comme des renards, qui vivent d'industrie, et dont le métier est de tromper !

Combien y a-t-il d'hommes qui ont du rapport aux chiens ! Ils détruisent leur espèce ; ils chassent pour le plaisir de celui qui les nourrit ; les uns suivent toujours leur maître, les autres gardent sa maison. Il y a des lévriers d'attache, qui vivent de leur valeur, qui se destinent à la guerre, et qui ont de la noblesse dans leur courage ; il y a des dogues acharnés, qui n'ont de qualités que la fureur ; il y a des chiens, plus ou moins inutiles, qui aboient souvent, et qui mordent quelquefois, et il y a même des chiens de jardinier. Il y a des singes et des guenons qui plaisent par leurs manières, qui ont de l'esprit, et qui font toujours du mal. Il y a des paons qui n'ont que de la beauté, qui déplaisent par leur chant, et qui détruisent les lieux qu'ils habitent.

Il y a des oiseaux qui ne sont recommandables que par leur ramage ou par leurs couleurs. Combien de perroquets, qui parlent sans cesse, et qui n'entendent jamais ce qu'ils disent ; combien de pies et de corneilles, qui ne s'apprivoisent que pour dérober ; combien d'oiseaux de proie, qui ne vivent que de rapine ; combien d'espèces d'animaux paisibles et tranquilles, qui ne servent qu'à nourrir d'autres animaux !

Il y a des chats, toujours au guet, malicieux et infidèles, et qui font patte de velours ; il y a des vipères dont la langue est venimeuse, et dont le reste est utile ; il y a des araignées, des mouches, des punaises et des puces, qui sont toujours incommodes et insupportables ; il y a des crapauds, qui font horreur, et qui n'ont que du venin ; il y a des hiboux, qui craignent la lumière. Combien d'animaux qui vivent sous terre pour se conserver ! Combien de chevaux, qu'on emploie à tant d'usages, et qu'on abandonne quand ils ne servent plus ; combien de bœufs, qui travaillent toute leur vie pour enrichir celui qui leur impose le joug ; de cigales, qui passent leur vie à chanter ; de lièvres, qui ont peur de tout ; de lapins, qui s'épouvantent et rassurent en un moment ; de pourceaux, qui vivent dans la crapule et dans l'ordure ; de canards privés, qui trahissent leurs semblables, et les attirent dans les filets, de corbeaux et de vautours, qui ne vivent que de pourriture et de corps morts ! Combien d'oiseaux passagers, qui vont si souvent d'un bout du monde à l'autre, et qui s'exposent à tant de périls, pour chercher à vivre ! Combien d'hirondelles, qui suivent toujours le beau temps ; de hannetons, inconsidérés et sans dessein ; de papillons, qui cherchent le feu qui les brûle ! Combien d'abeilles, qui respectent leur chef, et qui se maintiennent avec tant de règle et d'industrie ! Combien de frelons, vagabonds et fainéants, qui cherchent à s'établir aux dépens des abeilles ! Combien de fourmis, dont la prévoyance et l'économie soulagent tous leurs besoins ! Combien de crocodiles, qui feignent de se plaindre pour dévorer ceux qui sont touchés de leur plainte ! Et combien d'animaux qui sont assujettis parce qu'ils ignorent leur force !

Toutes ces qualités se trouvent dans l'homme, et il exerce, à l'égard des autres hommes, tout ce que les animaux dont on vient de parler exercent entre eux.

XII. De l'origine des maladies

Si on examine la nature des maladies, on trouvera qu'elles tirent leur origine des passions et des peines de l'esprit. L'âge d'or, qui en était exempt, était exempt de maladies. L'âge d'argent, qui le suivit, conserva encore sa pureté. L'âge d'airain donna la naissance aux passions et aux peines de l'esprit ; elles commencèrent à se former, et elles avaient encore la faiblesse de l'enfance et sa légèreté. Mais elles parurent avec toute leur force et toute leur malignité dans l'âge de fer, et répandirent dans le monde, par la suite de leur corruption, les diverses maladies qui ont affligé les hommes depuis tant de siècles. L'ambition a produit les fièvres aiguës et frénétiques : l'envie a produit la jaunisse et l'insomnie ; c'est de la paresse que viennent les léthargies, les paralysies et les langueurs : la colère a fait les étouffements, les ébullitions de sang, et les inflammations de poitrine : la peur a fait les battements de cœur et les syncopes ; la vanité a fait les folies ; l'avarice, la teigne et la gale ; la tristesse a fait le scorbut ; la cruauté, la pierre ; la calomnie et les faux rapports ont répandu la rougeole, la petite vérole, et le pourpre, et on doit à la jalousie la gangrène, la peste et la rage. Les disgrâces imprévues ont fait l'apoplexie ; les procès ont fait la migraine et le transport au cerveau ; les dettes ont fait les fièvres étiques ; l'ennui du mariage a produit la fièvre quarte, et la lassitude des amants qui n'osent se quitter a causé les vapeurs. L'amour, lui seul, a fait plus de maux que tout le reste ensemble, et personne ne doit entreprendre de les exprimer ; mais comme il fait aussi les plus grands biens de la vie, au lieu de médire de lui, on doit se taire ; on doit le craindre et le respecter toujours.

XIII. Du faux

On est faux en différentes manières. Il y a des hommes faux qui veulent toujours paraître ce qu'ils ne sont pas. Il y en a d'autres, de meilleure foi, qui sont nés faux, qui se trompent eux-mêmes, et qui ne voient jamais les choses comme elles sont. Il y en a dont l'esprit est droit, et le goût faux. D'autres ont l'esprit faux, et ont quelque droiture dans le goût. Et il y en a qui n'ont rien de faux dans le goût, ni dans l'esprit. Ceux-ci sont très rares, puisque, à parler généralement, il n'y a presque personne qui n'ait de la fausseté dans quelque endroit de l'esprit ou du goût.

Ce qui fait cette fausseté si universelle, c'est que nos qualités sont incertaines et confuses, et que nos vues le sont aussi ; on ne voit point les choses précisément comme elles sont, on les estime plus ou moins qu'elles ne valent, et on ne les fait point rapporter à nous en la manière qui leur convient, et qui convient à notre état et à nos qualités. Ce mécompte met un nombre infini de faussetés dans le goût et dans l'esprit : notre amour-propre est flatté de tout ce qui se présente à nous sous les apparences du bien ; mais comme il y a plusieurs sortes de biens qui touchent notre vanité ou notre tempérament, on les suit souvent par coutume, ou par commodité ; on les suit parce que les autres les suivent, sans considérer qu'un même sentiment ne doit pas être également embrassé par toute sorte de personnes, et qu'on s'y doit attacher plus ou moins fortement selon qu'il convient plus ou moins à ceux qui le suivent.

On craint encore plus de se montrer faux par le goût que par l'esprit. Les honnêtes gens doivent approuver sans prévention ce qui mérite d'être approuvé, suivre ce qui mérite d'être suivi, et ne se piquer de rien. Mais il y faut une grande proportion et une grande justesse ; il faut savoir discerner ce qui est bon en général, et ce qui nous est propre, et suivre alors avec raison la pente naturelle qui nous porte vers les choses qui nous plaisent. Si les hommes ne voulaient exceller que par leurs propres talents et en suivant leurs devoirs, il n'y aurait rien de faux dans leur goût et dans leur conduite ; ils se montreraient tels qu'ils sont ; ils jugeraient des choses par leurs lumières, et s'y attacheraient par raison ; il y aurait de la proportion dans leurs vues et dans leurs sentiments ; leur goût serait vrai, il viendrait d'eux et non pas des autres, et ils le suivraient par choix, et non pas par coutume ou par hasard.

Si on est faux en approuvant ce qui ne doit pas être approuvé, on ne l'est pas moins, le plus souvent, par l'envie de se faire valoir par des qualités qui sont bonnes de soi, mais qui ne nous conviennent pas : un magistrat est faux quand il se pique d'être brave, bien qu'il puisse être hardi dans de certaines rencontres ; il doit paraître ferme et assuré dans une sédition qu'il a droit d'apaiser, sans craindre d'être faux, et il serait faux et ridicule de se battre en duel. Une femme peut aimer les sciences, mais toutes les sciences ne lui conviennent pas toujours, et l'entêtement de certaines sciences ne lui convient jamais, et est toujours faux.

Il faut que la raison et le bon sens mettent le prix aux choses, et qu'elles déterminent notre goût à leur donner le rang qu'elles méritent et qu'il nous convient de leur donner ; mais presque tous les hommes se trompent dans ce prix et dans ce rang, et il y a toujours de la fausseté dans ce mécompte.

Les plus grands rois sont ceux qui s'y méprennent le plus souvent : ils veulent surpasser les autres hommes en valeur, en savoir, en galanterie, et dans mille autres qualités où tout le monde a droit de prétendre ; mais ce goût d'y surpasser les autres peut être faux en eux, quand il va trop loin. Leur émulation doit avoir un autre objet : ils doivent imiter Alexandre, qui ne voulut disputer du prix de la course que contre des rois, et se souvenir que ce n'est que des qualités particulières à la royauté qu'ils doivent disputer. Quelque vaillant que puisse être un roi, quelque savant et agréable qu'il puisse être, il trouvera un nombre infini de gens qui auront ces mêmes qualités aussi avantageusement que lui, et le désir de les surpasser paraîtra toujours faux, et souvent même il lui sera impossible d'y réussir ; mais s'il s'attache à ses devoirs véritables, s'il est magnanime, s'il est grand capitaine et grand politique, s'il est juste, clément et libéral, s'il soulage ses sujets, s'il aime la gloire et le repos de son État, il ne trouvera que des rois à vaincre dans une si noble carrière ; il n'y aura rien que de vrai et de grand dans un si juste dessein, le désir d'y surpasser les autres n'aura rien de faux. Cette émulation est digne d'un roi, et c'est la véritable gloire où il doit prétendre.

XIV. Des modèles de la nature et de la fortune

Il semble que la fortune, toute changeante et capricieuse qu'elle est, renonce à ses changements et à ses caprices pour agir de concert avec la nature, et que l'une et l'autre concourent de temps en temps à faire des hommes extraordinaires et singuliers, pour servir de modèles à la postérité. Le soin de la nature est de fournir les qualités ; celui de la fortune est de les mettre en œuvre, et de les faire voir dans le jour et avec les proportions qui conviennent à leur dessein ; on dirait alors qu'elles imitent les règles des grands peintres, pour nous donner des tableaux parfaits de ce qu'elles veulent représenter. Elles choisissent un sujet, et s'attachent au plan qu'elles se sont proposé ; elles disposent de la naissance, de l'éducation, des qualités naturelles et acquises, des temps, des conjonctures, des amis, des ennemis ; elles font remarquer des vertus et des vices, des actions heureuses et malheureuses ; elles joignent même de petites circonstances aux plus grandes, et les savent placer avec tant d'art que les actions des hommes et leurs motifs nous paraissent toujours sous la figure et avec les couleurs qu'il plaît à la nature et à la fortune d'y donner.

Quel concours de qualités éclatantes n'ont-elles pas assemblé dans la personne d'Alexandre, pour le montrer au monde comme un modèle d'élévation d'âme et de grandeur de courage ! Si on examine sa naissance illustre, son éducation, sa jeunesse, sa beauté, sa complexion heureuse, l'étendue et la capacité de son esprit pour la guerre et pour les sciences, ses vertus, ses défauts même, le petit nombre de ses troupes, la puissance formidable de ses ennemis, la courte durée d'une si belle vie, sa mort et ses successeurs, ne verra-t-on pas l'industrie et l'application de la fortune et de la nature à renfermer dans un même sujet ce nombre infini de diverses circonstances ? Ne verra-t-on pas le soin particulier qu'elles ont pris d'arranger tant d'événements extraordinaires, et de les mettre chacun dans son jour, pour composer un modèle d'un jeune conquérant, plus grand encore par ses qualités personnelles que par l'étendue de ses conquêtes ?

Si on considère de quelle sorte la nature et la fortune nous montrent César, ne verra-t-on pas qu'elles ont suivi un autre plan, qu'elles n'ont renfermé dans sa personne tant de valeur, de clémence, de libéralité, tant de qualités militaires, tant de pénétration, tant de facilité d'esprit et de mœurs, tant d'éloquence, tant de grâces du corps, tant de supériorité de génie pour la paix et pour la guerre, ne verra-t-on pas, dis-je, qu'elles ne se sont assujetties si longtemps à arranger et à mettre en œuvre tant de talents extraordinaires, et qu'elles n'ont contraint César de s'en servir contre sa patrie, que pour nous laisser un modèle du plus grand homme du monde, et du plus célèbre usurpateur ? Elle le fait naître particulier dans une république maîtresse de l'univers, affermie et soutenue par les plus grands hommes qu'elle eût jamais produits ; la fortune choisit parmi eux ce qu'il y avait de plus illustre, de plus puissant et de plus redoutable pour les rendre ses ennemis ; elle le réconcilie pour un temps avec les plus considérables pour les faire servir à son élévation ; elle les éblouit et les aveugle ensuite, pour lui faire une guerre qui le conduit à la souveraine puissance. Combien d'obstacles ne lui a-t-elle pas fait surmonter ! De combien de périls sur terre et sur mer ne l'a-t-elle pas garanti, sans jamais avoir été blessé ! Avec quelle persévérance la fortune n'a-t-elle pas soutenu les desseins de César et détruit ceux de Pompée ! Par quelle industrie n'a-t-elle pas disposé ce peuple romain, si puissant, si fier et si jaloux de sa liberté à la soumettre à la puissance d'un seul homme ! Ne s'est-elle pas même servie des circonstances de la mort de César pour la rendre convenable à sa vie ? Tant d'avertissements des devins, tant de prodiges, tant d'avis de sa femme et de ses amis ne peuvent le garantir, et la fortune choisit le propre jour qu'il doit être couronné dans le Sénat pour le faire assassiner par ceux mêmes qu'il a sauvés, et par un homme qui lui doit la naissance.

Cet accord de la nature et de la fortune n'a jamais été plus marqué que dans la personne de Caton, et il semble qu'elles se soient efforcées l'une et l'autre de renfermer dans un seul homme non seulement les vertus de l'ancienne Rome, mais encore de l'opposer directement aux vertus de César, pour montrer qu'avec une pareille étendue d'esprit et de courage, le désir de gloire conduit l'un à être usurpateur et l'autre à servir de modèle d'un parfait citoyen ? Mon dessein n'est pas de faire ici le parallèle de ces deux grands hommes, après tout ce qui en est écrit ; je dirai seulement que, quelque grands et illustres qu'ils nous paraissent, la nature et la fortune n'auraient pu mettre toutes leurs qualités dans le jour qui convenait pour les faire éclater, si elles n'eussent opposé Caton à César. Il fallait les faire naître en même temps dans une même république, différents par leurs mœurs et par leurs talents, ennemis par les intérêts de la patrie et par des intérêts domestiques, l'un vaste dans ses desseins et sans bornes dans son ambition, l'autre austère, renfermé dans les lois de Rome et idolâtre de la liberté, tous deux célèbres par des vertus qui les montraient par de si différents côtés, et plus célèbres encore, si on l'ose dire, par l'opposition que la fortune et la nature ont pris soin de mettre entre eux. Quel arrangement, quelle suite, quelle économie de circonstances dans la vie de Caton, et dans sa mort ! La destinée même de la république a servi au tableau que la fortune nous a voulu donner de ce grand homme, et elle finit sa vie avec la liberté de son pays.

Si nous laissons les exemples des siècles passés pour venir aux exemples du siècle présent, on trouvera que la nature et la fortune ont conservé cette même union dont j'ai parlé, pour nous montrer de différents modèles en deux hommes consommés en l'art de commander. Nous verrons Monsieur le Prince et M. de Turenne disputer de la gloire des armes, et mériter par un nombre infini d'actions éclatantes la réputation qu'ils ont acquise. Ils paraîtront avec une valeur et une expérience égales ; infatigables de corps et d'esprit, on les verra agir ensemble, agir séparément, et quelquefois opposés l'un à l'autre ; nous les verrons, heureux et malheureux dans diverses occasions de la guerre, devoir les bons succès à leur conduite et à leur courage, et se montrer même toujours plus grands par leurs disgrâces ; tous deux sauver l'État ; tous deux contribuer à le détruire, et se servir des mêmes talents par des voies différentes, M. de Turenne suivant ses desseins avec plus de règle et moins de vivacité, d'une valeur plus retenue et toujours proportionnée au besoin de la faire paraître, Monsieur le Prince inimitable en la manière de voir et d'exécuter les plus grandes choses, entraîné par la supériorité de son génie qui semble lui soumettre les événements et les faire servir à sa gloire. La faiblesse des armées qu'ils ont commandées dans les dernières campagnes, et la puissance des ennemis qui leur étaient opposés, ont donné de nouveaux sujets à l'un et à l'autre de montrer toute leur vertu et de réparer par leur mérite tout ce qui leur manquait pour soutenir la guerre. La mort même de M. de Turenne, si convenable à une si belle vie, accompagnée de tant de circonstances singulières et arrivée dans un moment si important, ne nous paraît-elle pas comme un effet de la crainte et de l'incertitude de la fortune, qui n'a osé décider de la destinée de la France et de l'Empire ? Cette même fortune, qui retire Monsieur le Prince du commandement des armées sous le prétexte de sa santé et dans un temps où il devait achever de si grandes choses, ne se joint-elle pas à la nature pour nous montrer présentement ce grand homme dans une vie privée, exerçant des vertus paisibles soutenu de sa propre gloire ? Et brille-t-il moins dans sa retraite qu'au milieu de ses victoires ?

XV. Des coquettes et des vieillards

S'il est malaisé de rendre raison des goûts en général, il le doit être encore davantage de rendre raison du goût des femmes coquettes. On peut dire néanmoins que l'envie de plaire se répand généralement sur tout ce qui peut flatter leur vanité, et qu'elles ne trouvent rien d'indigne de leurs conquêtes. Mais le plus incompréhensible de tous leurs goûts est, à mon sens, celui qu'elles ont pour les vieillards qui ont été galants. Ce goût paraît trop bizarre, et il y en a trop d'exemples, pour ne chercher pas la cause d'un sentiment tout à la fois si commun et si contraire à l'opinion que l'on a des femmes. Je laisse aux philosophes à décider si c'est un soin charitable de la nature, qui veut consoler les vieillards dans leur misère, et qui leur fournit le secours des coquettes par la même prévoyance qui lui fait donner des ailes aux chenilles, dans le déclin de leur vie, pour les rendre papillons ; mais, sans pénétrer dans les secrets de la physique, on peut, ce me semble, chercher des causes plus sensibles de ce goût dépravé des coquettes pour les vieilles gens. Ce qui est plus apparent, c'est qu'elles aiment les prodiges, et qu'il n'y en a point qui doive plus toucher leur vanité que de ressusciter un mort. Elles ont le plaisir de l'attacher à leur char, et d'en parer leur triomphe, sans que leur réputation en soit blessée ; au contraire, un vieillard est un ornement à la suite d'une coquette, et il est aussi nécessaire dans son train que les nains l'étaient autrefois dans Amadis. Elles n'ont point d'esclaves si commodes et si utiles. Elles paraissent bonnes et solides en conservant un ami sans conséquence. Il publie leurs louanges, il gagne croyance vers les maris et leur répond de la conduite de leurs femmes. S'il a du crédit, elles en retirent mille secours ; il entre dans tous les intérêts et dans tous les besoins de la maison. S'il sait les bruits qui courent des véritables galanteries, il n'a garde de les croire ; il les étouffe, et assure que le monde est médisant ; il juge par sa propre expérience des difficultés qu'il y a de toucher le cœur d'une si bonne femme ; plus on lui fait acheter des grâces et des faveurs et plus il est discret et fidèle ; son propre intérêt l'engage assez au silence ; il craint toujours d'être quitté, et il se trouve trop heureux d'être souffert. Il se persuade aisément qu'il est aimé, puisqu'on le choisit contre tant d'apparences ; il croit que c'est un privilège de son vieux mérite, et remercie l'amour de se souvenir de lui dans tous les temps.

Elle, de son côté, ne voudrait pas manquer à ce qu'elle lui a promis ; elle lui fait remarquer qu'il a toujours touché son inclination, et qu'elle n'aurait jamais aimé si elle ne l'avait jamais connu ; elle le prie surtout de n'être pas jaloux et de se fier en elle ; elle lui avoue qu'elle aime un peu le monde et le commerce des honnêtes gens, qu'elle a même intérêt d'en ménager plusieurs à la fois, pour ne laisser pas voir qu'elle le traite différemment des autres ; que si elle fait quelques railleries de lui avec ceux dont on s'est avisé de parler, c'est seulement pour avoir le plaisir de le nommer souvent, ou pour mieux cacher ses sentiments ; qu'après tout il est le maître de sa conduite, et que, pourvu qu'il en soit content et qu'il l'aime toujours, elle se met aisément en repos du reste. Quel vieillard ne se rassure pas par des raisons si convaincantes, qui l'ont souvent trompé quand il était jeune et aimable ? Mais, pour son malheur, il oublie trop aisément qu'il n'est plus ni l'un ni l'autre, et cette faiblesse est, de toutes, la plus ordinaire aux vieilles gens qui ont été aimés. Je ne sais même si cette tromperie ne leur vaut pas mieux encore que de connaître la vérité : on les souffre du moins, on les amuse, ils sont détournés de la vue de leurs propres misères, et le ridicule où ils tombent est souvent un moindre mal pour eux que les ennuis et l'anéantissement d'une vie pénible et languissante.

XVI. De la différence des esprits

Bien que toutes les qualités de l'esprit se puissent rencontrer dans un grand esprit, il y en a néanmoins qui lui sont propres et particulières : ses lumières n'ont point de bornes, il agit toujours également et avec la même activité, il discerne les objets éloignés comme s'ils étaient présents, il comprend, il imagine les plus grandes choses, il voit et connaît les plus petites ; ses pensées sont relevées, étendues, justes et intelligibles ; rien n'échappe à sa pénétration, et elle lui fait toujours découvrir la vérité au travers des obscurités qui la cachent aux autres. Mais toutes ces grandes qualités ne peuvent souvent empêcher que l'esprit ne paraisse petit et faible, quand l'humeur s'en est rendue la maîtresse.

Un bel esprit pense toujours noblement ; il produit avec facilité des choses claires, agréables et naturelles ; il les fait voir dans leur plus beau jour, et il les pare de tous les ornements qui leur conviennent ; il entre dans le goût des autres, et retranche de ses pensées ce qui est inutile ou ce qui peut déplaire. Un esprit adroit, facile, insinuant, sait éviter et surmonter les difficultés ; il se plie aisément à ce qu'il veut ; il sait connaître et suivre l'esprit et l'humeur de ceux avec qui il traite ; et en ménageant leurs intérêts il avance et établit les siens. Un bon esprit voit toutes choses comme elles doivent être vues ; il leur donne le prix qu'elles méritent, il les sait tourner du côté qui lui est le plus avantageux, et il s'attache avec fermeté à ses pensées parce qu'il en connaît toute la force et toute la raison.

Il y a de la différence entre un esprit utile et un esprit d'affaires : on peut entendre les affaires sans s'appliquer à son intérêt particulier ; il y a des gens habiles dans tout ce qui ne les regarde pas et très malhabiles dans ce qui les regarde, et il y en a d'autres, au contraire, qui ont une habileté bornée à ce qui les touche et qui savent trouver leur avantage en toutes choses.

On peut avoir tout ensemble un air sérieux dans l'esprit et dire souvent des choses agréables et enjouées ; cette sorte d'esprit convient à toutes personnes, et à tous les âges de la vie. Les jeunes gens ont d'ordinaire l'esprit enjoué et moqueur, sans l'avoir sérieux, et c'est ce qui les rend souvent incommodes. Rien n'est plus malaisé à soutenir que le dessein d'être toujours plaisant, et les applaudissements qu'on reçoit quelquefois en divertissant les autres ne valent pas que l'on s'expose à la honte de les ennuyer souvent, quand ils sont de méchante humeur. La moquerie est une des plus agréables et des plus dangereuses qualités de l'esprit : elle plaît toujours, quand elle est délicate ; mais on craint toujours aussi ceux qui s'en servent trop souvent. La moquerie peut néanmoins être permise, quand elle n'est mêlée d'aucune malignité et quand on y fait entrer les personnes mêmes dont on parle.

Il est malaisé d'avoir un esprit de raillerie sans affecter d'être plaisant, ou sans aimer à se moquer ; il faut une grande justesse pour railler longtemps sans tomber dans l'une ou l'autre de ces extrémités. La raillerie est un air de gaieté qui remplit l'imagination, et qui lui fait voir en ridicule les objets qui se présentent ; l'humeur y mêle plus ou moins de douceur ou d'âpreté ; il y a une manière de railler délicate et flatteuse qui touche seulement les défauts que les personnes dont on parle veulent bien avouer, qui sait déguiser les louanges qu'on leur donne sous des apparences de blâme, et qui découvre ce qu'elles ont d'aimable en feignant de le vouloir cacher.

Un esprit fin et un esprit de finesse sont très différents. Le premier plaît toujours ; il est délié, il pense des choses délicates et voit les plus imperceptibles. Un esprit de finesse ne va jamais droit, il cherche des biais et des détours pour faire réussir ses desseins ; cette conduite est bientôt découverte, elle se fait toujours craindre et ne mène presque jamais aux grandes choses.

Il y a quelque différence entre un esprit de feu et un esprit brillant. Un esprit de feu va plus loin et avec plus de rapidité ; un esprit brillant a de la vivacité, de l'agrément et de la justesse.

La douceur de l'esprit, c'est un air facile et accommodant, qui plaît toujours quand il n'est point fade.

Un esprit de détail s'applique avec de l'ordre et de la règle à toutes les particularités des sujets qu'on lui présente. Cette application le renferme d'ordinaire à de petites choses ; elle n'est pas néanmoins toujours incompatible avec de grandes vues, et quand ces deux qualités se trouvent ensemble dans un même esprit, elles l'élèvent infiniment au-dessus des autres.

On a abusé du terme de bel esprit, et bien que tout ce qu'on vient de dire des différentes qualités de l'esprit puisse convenir à un bel esprit, néanmoins, comme ce titre a été donné à un nombre infini de mauvais poètes et d'auteurs ennuyeux, on s'en sert plus souvent pour tourner les gens en ridicule que pour les louer.

Bien qu'il y ait plusieurs épithètes pour l'esprit qui paraissent une même chose, le ton et la manière de les prononcer y mettent de la différence ; mais comme les tons et les manières ne se peuvent écrire, je n'entrerai point dans un détail qu'il serait impossible de bien expliquer. L'usage ordinaire le fait assez entendre, et en disant qu'un homme a de l'esprit, qu'il a bien de l'esprit, qu'il a beaucoup d'esprit, et qu'il a bon esprit, il n'y a que les tons et les manières qui puissent mettre de la différence entre ces expressions qui paraissent semblables sur le papier, et qui expriment néanmoins de très différentes sortes d'esprit.

On dit encore qu'un homme n'a que d'une sorte d'esprit, qu'il a de plusieurs sortes d'esprit, et qu'il a de toutes sortes d'esprit. On peut être sot avec beaucoup d'esprit, et on peut n'être pas sot avec peu d'esprit.

Avoir beaucoup d'esprit et un terme équivoque : il peut comprendre toutes les sortes d'esprit dont on vient de parler, mais il peut aussi n'en marquer aucune distinctement. On peut quelquefois faire paraître de l'esprit dans ce qu'on dit sans en avoir dans sa conduite, on peut avoir de l'esprit et l'avoir borné ; un esprit peut être propre à de certaines choses et ne l'être pas à d'autres ; on peut avoir beaucoup d'esprit et n'être propre à rien, et avec beaucoup d'esprit on est souvent fort incommode. Il semble néanmoins que le plus grand mérite de cette sorte d'esprit est de plaire quelquefois dans la conversation.

Bien que les productions d'esprit soient infinies, on peut, ce me semble, les distinguer de cette sorte : il y a des choses si belles que tout le monde est capable d'en voir et d'en sentir la beauté, il y en a qui ont de la beauté et qui ennuient, il y en a qui sont belles, que tout le monde sent et admire bien que tous n'en sachent pas la raison, il y en a qui sont si fines et si délicates que peu de gens sont capables d'en remarquer toutes les beautés, il y en a d'autres qui ne sont pas parfaites, mais qui sont dites avec tant d'art et qui sont soutenues et conduites avec tant de raison et tant de grâce qu'elles méritent d'être admirées.

XVII. De l'inconstance

Je ne prétends pas justifier ici l'inconstance en général, et moins encore celle qui vient de la seule légèreté ; mais il n'est pas juste aussi de lui imputer tous les autres changements de l'amour. Il y a une première fleur d'agrément et de vivacité dans l'amour qui passe insensiblement, comme celle des fruits ; ce n'est la faute de personne, c'est seulement la faute du temps. Dans les commencements, la figure est aimable, les sentiments ont du rapport, on cherche de la douceur et du plaisir, on veut plaire parce qu'on nous plaît, et on cherche à faire voir qu'on sait donner un prix infini à ce qu'on aime ; mais dans la suite on ne sent plus ce qu'on croyait sentir toujours, le feu n'y est plus, le mérite de la nouveauté s'efface, la beauté, qui a tant de part à l'amour, ou diminue ou ne fait plus la même impression ; le nom d'amour se conserve, mais on ne se retrouve plus les mêmes personnes, ni les mêmes sentiments ; on suit encore ses engagements par honneur, par accoutumance et pour n'être pas assez assuré de son propre changement.

Quelles personnes auraient commencé de s'aimer, si elles s'étaient vues d'abord comme on se voit dans la suite des années ? Mais quelles personnes aussi se pourraient séparer, si elles se revoyaient comme on s'est vu la première fois ? L'orgueil, qui est presque toujours le maître de nos goûts, et qui ne se rassasie jamais, serait flatté sans cesse par quelque nouveau plaisir ; la constance perdrait son mérite : elle n'aurait plus de part à une si agréable liaison, les faveurs présentes auraient la même grâce que les premières faveurs et le souvenir n'y mettrait point de différence ; l'inconstance serait même inconnue, et on s'aimerait toujours avec le même plaisir parce qu'on aurait toujours les mêmes sujets de s'aimer. Les changements qui arrivent dans l'amitié ont à peu près des causes pareilles à ceux qui arrivent dans l'amour : leurs règles ont beaucoup de rapport. Si l'un a plus d'enjouement et de plaisir, l'autre doit être plus égale et plus sévère, elle ne pardonne rien ; mais le temps, qui change l'humeur et les intérêts, les détruit presque également tous deux. Les hommes sont trop faibles et trop changeants pour soutenir longtemps le poids de l'amitié. L'antiquité en a fourni des exemples ; mais dans le temps où nous vivons, on peut dire qu'il est encore moins impossible de trouver un véritable amour qu'une véritable amitié.

XVIII. De la retraite

Je m'engagerais à un trop long discours si je rapportais ici en particulier toutes les raisons naturelles qui portent les vieilles gens à se retirer du commerce du monde : le changement de leur humeur, de leur figure et l'affaiblissement des organes les conduisent insensiblement, comme la plupart des autres animaux, à s'éloigner de la fréquentation de leurs semblables. L'orgueil, qui est inséparable de l'amour-propre, leur tient alors lieu de raison : il ne peut plus être flatté de plusieurs choses qui flattent les autres, l'expérience leur a fait connaître le prix de ce que tous les hommes désirent dans la jeunesse et l'impossibilité d'en jouir plus longtemps ; les diverses voies qui paraissent ouvertes aux jeunes gens pour parvenir aux grandeurs, aux plaisirs, à la réputation et à tout ce qui élève les hommes leur sont fermées, ou par la fortune, ou par leur conduite, ou par l'envie et l'injustice des autres ; le chemin pour y rentrer est trop long et trop pénible quand on s'est une fois égaré ; les difficultés leur en paraissent insurmontables, et l'âge ne leur permet plus d'y prétendre. Ils deviennent insensibles à l'amitié, non seulement parce qu'ils n'en ont peut-être jamais trouvé de véritable, mais parce qu'ils ont vu mourir un grand nombre de leurs amis qui n'avaient pas encore eu le temps ni les occasions de manquer à l'amitié et ils se persuadent aisément qu'ils auraient été plus fidèles que ceux qui leur restent. Ils n'ont plus de part aux premiers biens qui ont d'abord rempli leur imagination ; ils n'ont même presque plus de part à la gloire : celle qu'ils ont acquise est déjà flétrie par le temps, et souvent les hommes en perdent plus en vieillissant qu'ils n'en acquièrent. Chaque jour leur ôte une portion d'eux-mêmes ; ils n'ont plus assez de vie pour jouir de ce qu'ils ont, et bien moins encore pour arriver à ce qu'ils désirent ; il ne voient plus devant eux que des chagrins, des maladies et de l'abaissement ; tous est vu, et rien ne peut avoir pour eux la grâce de la nouveauté ; le temps les éloigne imperceptiblement du point de vue d'où il leur convient de voir les objets, et d'où ils doivent être vus. Les plus heureux sont encore soufferts, les autres sont méprisés ; le seul bon parti qu'il leur reste, c'est de cacher au monde ce qu'ils ne lui ont peut-être que trop montré. Leur goût, détrompé des désirs inutiles, se tourne alors vers des objets muets et insensibles ; les bâtiments, l'agriculture, l'économie, l'étude, toutes ces choses sont soumises à leurs volontés ; ils s'en approchent ou s'en éloignent comme il leur plaît ; ils sont maîtres de leurs desseins et de leurs occupations ; tout ce qu'ils désirent est en leur pouvoir, et, s'étant affranchis de la dépendance du monde, ils font tout dépendre d'eux. Les plus sages savent employer à leur salut le temps qu'il leur reste et, n'ayant qu'une si petite part à cette vie, ils se rendent dignes d'une meilleure. Les autres n'ont au moins qu'eux-mêmes pour témoins de leur misère ; leurs propres infirmités les amusent ; le moindre relâche leur tient lieu de bonheur ; la nature, défaillante et plus sage qu'eux, leur ôte souvent la peine de désirer ; enfin ils oublient le monde, qui est si disposé à les oublier ; leur vanité même est consolée par leur retraite, et avec beaucoup d'ennuis, d'incertitudes et de faiblesses, tantôt par piété, tantôt par raison, et le plus souvent par accoutumance, ils soutiennent le poids d'une vie insipide et languissante.

XIX. Des événements de ce siècle

L'histoire, qui nous apprend ce qui arrive dans le monde, nous montre également les grands événements et les médiocres ; cette confusion d'objets nous empêche souvent de discerner avec assez d'attention les choses extraordinaires qui sont renfermées dans les cours de chaque siècle. Celui où nous vivons en a produit, à mon sens, de plus singuliers que les précédents. J'ai voulu en écrire quelques-uns, pour les rendre plus remarquables aux personnes qui voudront y faire réflexion.

Marie de Médicis, reine de France, femme de Henri le Grand, fut mère du roi Louis XIII, de Gaston, fils de France, de la reine d'Espagne, de la duchesse de Savoie, et de la reine d'Angleterre ; elle fut régente en France, et gouverna le roi son fils, et son royaume, plusieurs années. Elle éleva Armand de Richelieu à la dignité de cardinal ; elle le fit premier ministre, maître de l'État et de l'esprit du Roi. Elle avait peu de vertus et peu de défauts qui la dussent faire craindre, et néanmoins, après tant d'éclat et de grandeurs, cette princesse, veuve de Henri IVe et mère de tant de rois, a été arrêtée prisonnière par le Roi son fils, et par la haine du cardinal de Richelieu qui lui devait sa fortune. Elle a été délaissée des autres rois ses enfants, qui n'ont osé même la recevoir dans leurs États, et elle est morte de misère, et presque de faim, à Cologne, après une persécution de dix années.

Ange de Joyeuse, duc et pair, maréchal de France et amiral, jeune, riche, galant et heureux, abandonna tant d'avantages pour se faire capucin. Après quelques années les besoins de l'État le rappelèrent au monde ; le Pape le dispensa de ses vœux, et lui ordonna d'accepter le commandement des armées du Roi contre les huguenots ; il demeura quatre ans dans cet emploi, et se laissa entraîner pendant ce temps aux mêmes passions qui l'avaient agité pendant sa jeunesse. La guerre étant finie, il renonça une seconde fois au monde, et reprit l'habit de capucin. Il vécut longtemps dans une vie sainte et religieuse ; mais la vanité, dont il avait triomphé dans le milieu des grandeurs, triompha de lui dans le cloître ; il fut élu gardien du couvent de Paris, et son élection étant contestée par quelques religieux, il s'exposa non seulement à aller à Rome dans un âge avancé, à pied et malgré les autres incommodités d'un si pénible voyage, mais la même opposition des religieux s'étant renouvelée à son retour, il partit une seconde fois pour retourner à Rome soutenir un intérêt si peu digne de lui, et il mourut en chemin de fatigue, de chagrin, et de vieillesse.

Trois hommes de qualité, Portugais, suivis de dix-sept de leurs amis, entreprirent la révolte de Portugal et des Indes qui en dépendent, sans concert avec les peuples ni avec les étrangers, et sans intelligence dans les places. Ce petit nombre de conjurés se rendit maître du palais de Lisbonne, en chassa la douairière de Mantoue, régente pour le roi d'Espagne, et fit soulever tout le royaume ; il ne périt dans ce désordre que Vasconcellos, ministre d'Espagne, et deux de ses domestiques. Un si grand changement se fit en faveur du duc de Bragance, et sans participation : il fut déclaré roi contre sa propre volonté, et se trouva le seul homme de Portugal qui résistât à son élection ; il a possédé ensuite cette couronne pendant quatorze années, n'ayant ni élévation, ni mérite ; il est mort dans son lit, et a laissé son royaume paisible à ses enfants.

Le cardinal de Richelieu a été maître absolu du royaume de France pendant le règne d'un roi qui lui laissait le gouvernement de son État, lorsqu'il n'osait lui confier sa propre personne ; le Cardinal avait aussi les mêmes défiances du Roi, et il évitait d'aller chez lui, craignant d'exposer sa vie ou sa liberté ; le Roi néanmoins sacrifie Cinq-Mars, son favori, à la vengeance du Cardinal, et consent qu'il périsse sur un échafaud. Ensuite le Cardinal meurt dans son lit ; il dispose par son testament des charges et des dignités de l'État, et oblige le Roi, dans le plus fort de ses soupçons et de sa haine, à suivre aussi aveuglement ses volontés après sa mort qu'il avait fait pendant sa vie.

On doit sans doute trouver extraordinaire que Anne-Marie-Louise d'Orléans, petite-fille de France, la plus riche sujette de l'Europe, destinée pour les plus grands rois, avare, rude et orgueilleuse, ait pu former le dessein, à quarante-cinq ans, d'épouser Puyguilhem, cadet de la maison de Lauzun, assez mal fait de sa personne, d'un esprit médiocre, et qui n'a, pour toute bonne qualité, que d'être hardi et insinuant. Mais on doit être encore plus surpris que Mademoiselle ait pris cette chimérique résolution par un esprit de servitude et parce que Puyguilhem était bien auprès du Roi ; l'envie d'être femme d'un favori lui tint lieu de passion, elle oublia son âge et sa naissance, et, sans avoir d'amour, elle fit des avances à Puyguilhem qu'un amour véritable ferait à peine excuser dans une jeune personne et d'une moindre condition. Elle lui dit un jour qu'il n'y avait qu'un seul homme qu'elle pût choisir pour épouser. Il la pressa de lui apprendre son choix ; mais n'ayant pas la force de prononcer son nom, elle voulut l'écrire avec un diamant sur les vitres d'une fenêtre. Puyguilhem jugea sans doute ce qu'elle allait faire, et espérant peut-être qu'elle lui donnerait cette déclaration par écrit, dont il pourrait faire quelque usage, il feignit une délicatesse de passion qui pût plaire à Mademoiselle, et il lui fit un scrupule d'écrire sur du verre un sentiment qui devait durer éternellement. Son dessein réussit comme il désirait, et Mademoiselle écrivit le soir dans du papier :

« C'est vous. » Elle le cachera elle-même ; mais, comme cette aventure se passait un jeudi et que minuit sonna avant que Mademoiselle pût donner son billet à Puyguilhem, elle ne voulut pas paraître moins scrupuleuse que lui, et craignant que le vendredi ne fût un jour malheureux, elle lui fit promettre d'attendre au samedi à ouvrir le billet qui lui devait apprendre cette _grande nouvelle. L'excessive fortune que cette déclaration faisait envisager à Puyguilhem ne lui parut point au-dessus de son ambition. Il songea à profiter du caprice de Mademoiselle, et il eut la hardiesse d'en rendre compte au Roi. Personne n'ignore qu'avec si grandes et éclatantes qualités nul prince au monde n'a jamais eu plus de hauteur, ni plus de fierté. Cependant, au lieu de perdre Puyguilhem d'avoir osé lui découvrir ses espérances, il lui permit non seulement de les conserver, mais il consentit que quatre officiers de la couronne lui vinssent demander son approbation pour un mariage si surprenant, et sans que Monsieur ni Monsieur le Prince en eussent entendu parler. Cette nouvelle se répandit dans le monde, et le remplit d'étonnement et d'indignation. Le Roi ne sentit pas alors ce qu'il venait de faire contre sa gloire et contre sa dignité. Il trouva seulement qu'il était de sa grandeur d'élever en un jour Puyguilhem au-dessus des plus grands du royaume et, malgré tant de disproportion, il le jugea digne d'être son cousin germain, le premier pair de France et maître de cinq cent mille livres de rente ; mais ce qui le flatta le plus encore, dans un si extraordinaire dessein, ce fut le plaisir secret de surprendre le monde, et de faire pour un homme qu'il aimait ce que personne n'avait encore imaginé. Il fut au pouvoir de Puyguilhem de profiter durant trois jours de tant de prodiges que la fortune avait faits en sa faveur, et d'épouser Mademoiselle ; mais, par un prodige plus grand encore, sa vanité ne put être satisfaite s'il ne l'épousait avec les mêmes cérémonies que s'il eût été de sa qualité : il voulut que le Roi et la Reine fussent témoins de ses noces, et qu'elles eussent tout l'éclat que leur présence y pouvait donner. Cette présomption sans exemple lui fit employer à de vains préparatifs, et à passer son contrat, tout le temps qui pouvait assurer son bonheur. Mme de Montespan, qui le haïssait, avait suivi néanmoins le penchant du Roi et ne s'était point opposée à ce mariage. Mais le bruit du monde la réveilla ; elle fit voir au Roi ce que lui seul ne voyait pas encore ; elle lui fit écouter la voix publique ; il connut l'étonnement des ambassadeurs, il reçut les plaintes et les remontrances respectueuses de Madame douairière et de toute la maison royale. Tant de raisons firent longtemps balancer le Roi, et ce fut avec un[e] extrême peine qu'il déclara à Puyguilhem qu'il ne pouvait consentir ouvertement à son mariage. Il l'assura néanmoins que ce changement en apparence ne changerait rien en effet ; qu'il était forcé, malgré lui, de céder à l'opinion générale, et de lui défendre d'épouser Mademoiselle, mais qu'il ne prétendait pas que cette défense empêchât son bonheur. Il le pressa de se marier en secret, et il lui promit que la disgrâce qui devait suivre une telle faute ne durerait que huit jours. Quelque sentiment que ce discours pût donner à Puyguilhem, il dit au Roi qu'il renonçait avec joie à tout ce qui lui avait permis d'espérer, puisque sa gloire en pouvait être blessée, et qu'il n'y avait point de fortune qui le pût consoler d'être huit jours séparé de lui. Le Roi fut véritablement touché de cette soumission ; il n'oublia rien pour obliger Puyguilhem à profiter de la faiblesse de Mademoiselle, et Puyguilhem n'oublia rien aussi, de son côté, pour faire voir au Roi qu'il lui sacrifiait toutes choses. Le désintéressement seul ne fit pas prendre néanmoins cette conduite à Puyguilhem : il crut qu'elle l'assurait pour toujours de l'esprit du Roi, et que rien ne pourrait à l'avenir diminuer sa faveur. Son caprice et sa vanité le portèrent même si loin que ce mariage si grand et si disproportionné lui parut insupportable parce qu'il ne lui était plus permis de le faire avec tout le faste et tout l'éclat qu'il s'était proposé. Mais ce qui le détermina le plus puissamment à le rompre, ce fut l'aversion insurmontable qu'il avait pour la personne de Mademoiselle, et le dégoût d'être son mari. Il espéra même de tirer des avantages solides de l'emportement de Mademoiselle, et que, sans l'épouser, elle lui donnerait la souveraineté de Dombes et le duché de Montpensier. Ce fut dans cette vue qu'il refusa d'abord toutes les grâces dont le Roi voulut le combler ; mais l'humeur avare et inégale de Mademoiselle, et les difficultés qui se rencontrèrent à assurer de si grands biens à Puyguilhem, rendirent ce dessein inutile, et l'obligèrent à recevoir les bienfaits du Roi. Il lui donna le gouvernement de Berry et cinq cent mille livres. Des avantages si considérables ne répondirent pas toutefois aux espérances que Puyguilhem avait formées. Son chagrin fournit bientôt à ses ennemis, et particulièrement à Mme de Montespan, tous les prétextes qu'ils souhaitaient pour le ruiner. Il connut son état et sa décadence et, au lieu de se ménager auprès du Roi avec de la douceur, de la patience et de l'habileté, rien ne fut plus capable de retenir son esprit âpre et fier. Il fit enfin des reproches au Roi ; il lui dit même des choses rudes et piquantes, jusqu'à casser son épée en sa présence en disant qu'il ne la tirerait plus pour son service ; il lui parla avec mépris de Mme de Montespan, et s'emporta contre elle avec tant de violence qu'elle douta de sa sûreté et n'en trouva plus qu'à le perdre. Il fut arrêté bientôt après, et on le mena à Pignerol, où il éprouva par une longue et dure prison la douleur d'avoir perdu les bonnes grâces du Roi, et d'avoir laissé échapper par une fausse vanité tant de grandeurs et tant d'avantages que la condescendance de son maître et la bassesse de Mademoiselle lui avaient présentés.

Alphonse, roi de Portugal, fils du duc de Bragance dont je viens de parler, s'est marié en France à la fille du duc de Nemours, jeune, sans biens et sans protection. Peu de temps après, cette princesse a formé le dessein de quitter le Roi son mari ; elle l'a fait arrêter dans Lisbonne, et les mêmes troupes, qui un jour auparavant le gardaient comme leur roi, l'ont gardé le lendemain comme prisonnier ; il a été confiné dans une île de ses propres États, et on lui a laissé la vie et le titre de roi. Le prince de Portugal, son frère, a épousé la Reine ; elle conserve sa dignité, et elle a revêtu le prince son mari de toute l'autorité du gouvernement, sans lui donner le nom de roi ; elle jouit tranquillement du succès d'une entreprise si extraordinaire, en paix avec les Espagnols, et sans guerre civile dans le royaume.

Un vendeur d'herbes, nommé Masaniel, fit soulever le menu peuple de Naples, et malgré la puissance des Espagnols il usurpa l'autorité royale ; il disposa souverainement de la vie, de la liberté et des biens de tout ce qui lui fut suspect ; il se rendit maître des douanes ; il dépouilla les partisans de tout leur argent et de leurs meubles, et fit brûler publiquement toutes ces richesses immenses dans le milieu de la ville, sans qu'un seul de cette foule confuse de révoltés voulût profiter d'un bien qu'on croyait mal acquis. Ce prodige ne dura que quinze jours, et finit par un autre prodige : ce même Masaniel, qui achevait de si grandes choses avec tant de bonheur, de gloire, et de conduite, perdit subitement l'esprit, et mourut frénétique en vingt-quatre heures.

La reine de Suède, en paix dans ses États et avec ses voisins, aimée de ses sujets, respectée des étrangers, jeune et sans dévotion, a quitté volontairement son royaume, et s'est réduite à une vie privée. Le roi de Pologne, de la même maison que la reine de Suède, s'est démis aussi de la royauté, par la seule lassitude d'être roi.

Un lieutenant d'infanterie sans nom et sans crédit, a commencé, à l'âge de quarante-cinq ans, de se faire connaître dans les désordres d'Angleterre. Il a dépossédé son roi légitime, bon, juste, doux, vaillant et libéral ; il lui a fait trancher la tête, par un arrêt de son parlement ; il a changé la royauté en république ; il a été dix ans maître de l'Angleterre, plus craint de ses voisins et plus absolu dans son pays que tous les rois qui y ont régné. Il est mort paisible, et en pleine possession de toute la puissance du royaume.

Les Hollandais ont secoué le joug de la domination d'Espagne ; ils ont formé une puissante république, et ils ont soutenu cent ans la guerre contre leurs rois légitimes pour conserver leur liberté. Ils doivent tant de grandes choses à la conduite et à la valeur des princes d'Orange, dont ils ont néanmoins toujours redouté l'ambition et limité le pouvoir. Présentement cette république, si jalouse de sa puissance, accorde au prince d'Orange d'aujourd'hui, malgré son peu d'expérience et ses malheureux succès dans la guerre, ce qu'elle a refusé à ses pères : elle ne se contente pas de relever sa fortune abattue, elle le met en état de se faire souverain de Hollande, et elle a souffert qu'il ait fait déchirer par le peuple un homme qui maintenait seul la liberté publique.

Cette puissance d'Espagne, si étendue et si formidable à tous les rois du monde, trouve aujourd'hui son principal appui dans ses sujets rebelles, et se soutient par la protection des Hollandais.

Un empereur, jeune, faible, simple, gouverné par des ministres incapables, et pendant le plus grand abaissement de la maison d'Autriche, se trouve en un moment chef de tous les princes d'Allemagne, qui craignent son autorité et méprisent sa personne, et il est plus absolu que n'a jamais été Charles-Quint.

Le roi d'Angleterre, faible, paresseux, et plongé dans les plaisirs, oubliant les intérêts de son royaume et ses exemples domestiques, s'est exposé avec fermeté depuis six ans à la fureur de ses peuples et à la haine de son parlement pour conserver une liaison étroite avec le roi de France ; au lieu d'arrêter les conquêtes de ce prince dans les Pays-Bas, il y a même contribué en lui fournissant des troupes. Cet attachement l'a empêché d'être maître absolu d'Angleterre et d'en étendre les frontières en Flandre et en Hollande par des places et par des ports, qu'il a toujours refusés ; mais dans le temps qu'il reçoit des sommes considérables du Roi, et qu'il a le plus de besoin d'en être soutenu contre ses propres sujets il renonce, sans prétexte, à tant d'engagements, et il se déclare contre la France, précisément quand il lui est utile et honnête d'y être attaché ; par une mauvaise politique précipitée, il perd, en un moment, le seul avantage qu'il pouvait retirer d'une mauvaise politique de six années, et ayant pu donner la paix comme médiateur, il est réduit à la demander comme suppliant, quand le Roi l'accorde à l'Espagne, à l'Allemagne et à la Hollande.

Les propositions qui avaient été faites au roi d'Angleterre de marier sa nièce, la princesse d'York, au prince d'Orange, ne lui étaient pas agréables ; le duc d'York en paraissait aussi éloigné que le Roi son frère, et le prince d'Orange même, rebuté par les difficultés de ce dessein, ne pensait plus à le faire réussir. Le roi d'Angleterre, étroitement lié au roi de France, consentait à ses conquêtes, lorsque les intérêts du grand trésorier d'Angleterre et la crainte d'être attaqué par le Parlement lui ont fait chercher sa sûreté particulière, en disposant le Roi son maître à s'unir avec le prince d'Orange par le mariage de la princesse d'York, et à faire déclarer l'Angleterre contre la France pour la protection des Pays-Bas. Ce changement du roi d'Angleterre a été si prompt et si secret que le duc d'York l'ignorait encore deux jours devant le mariage de sa fille, et personne ne se pouvait persuader que le roi d'Angleterre, qui avait hasardé dix ans sa vie et sa couronne pour demeurer attaché à la France, pût renoncer en un moment à tout ce qu'il en espérait pour suivre le sentiment de son ministre. Le prince d'Orange, de son côté, qui avait tant d'intérêt de se faire un chemin pour être un jour roi d'Angleterre, négligeait ce mariage qui le rendait héritier présomptif du royaume ; il bornait ses desseins à affermir son autorité en Hollande, malgré les mauvais succès de ses dernières campagnes, et il s'appliquait à se rendre aussi absolu dans les autres provinces de cet État qu'il le croyait être dans la Zélande ; mais il s'aperçut bientôt qu'il devait prendre d'autres mesures, et une aventure ridicule lui fit mieux connaître l'état où il était dans son pays qu'il ne le voyait par ses propres lumières. Un crieur public vendait des meubles à un encan où beaucoup de monde s'assembla ; il mit en vente un atlas, et voyant que personne ne l'enchérissait, il dit au peuple que ce livre était néanmoins plus rare qu'on ne pensait, et que les cartes en étaient si exactes que la rivière dont M. le prince d'Orange n'avait eu aucune connaissance lorsqu'il perdit la bataille de Cassel y était fidèlement marquée. Cette raillerie, qui fut reçue avec un applaudissement universel, a été un des plus puissants motifs qui ont obligé le prince d'Orange à rechercher de nouveau l'alliance d'Angleterre, pour contenir la Hollande, et pour joindre tant de puissances contre nous. Il semble néanmoins que ceux qui ont désiré ce mariage, et ceux qui y ont été contraires, n'ont pas connu leurs intérêts : le grand trésorier d'Angleterre a voulu adoucir le Parlement et se garantir d'en être attaqué, en portant le Roi son maître à donner sa nièce au prince d'Orange, et à se déclarer contre la France ; le roi d'Angleterre a cru affermir son autorité dans son royaume par l'appui du prince d'Orange, et il a prétendu engager ses peuples à lui fournir de l'argent pour ses plaisirs, sous prétexte de faire la guerre au roi de France et de le contraindre à recevoir la paix ; le prince d'Orange a eu dessein de soumettre la Hollande par la protection d'Angleterre ; à la France a appréhendé qu'un mariage si opposé à ses intérêts n'emportât la balance en joignant l'Angleterre à tous nos ennemis. L'événement a fait voir, en six semaines, la fausseté de tant de raisonnements : ce mariage met une défiance éternelle entre l'Angleterre et la Hollande, et toutes deux le regardent comme un dessein d'opprimer leur liberté ; le parlement d'Angleterre attaque les ministres du Roi, pour attaquer ensuite sa propre personne ; les États de Hollande, lassés de la guerre et jaloux de leur liberté, se repentent d'avoir mis leur autorité entre les mains d'un jeune homme ambitieux, et héritier présomptif de la couronne d'Angleterre ; le roi de France, qui a d'abord regardé ce mariage comme une nouvelle ligue qui se formait contre lui, a su s'en servir pour diviser ses ennemis, et pour se mettre en état de prendre la Flandre, s'il n'avait préféré la gloire de faire la paix à la gloire de faire de nouvelles conquêtes.

Si le siècle présent n'a pas moins produit d'événements extraordinaires que les siècles passés, on conviendra sans doute qu'il a le malheureux avantage de les surpasser dans l'excès des crimes. La France même, qui les a toujours détestés, qui y est opposée par l'humeur de la nation, par la religion, et qui est soutenue par les exemples du prince qui règne, se trouve néanmoins aujourd'hui le théâtre où l'on voit paraître tout ce que l'histoire et la fable nous ont dit des crimes de l'antiquité Les vices sont de tous les temps, les hommes sont nés avec de l'intérêt, de la cruauté et de la débauche ; mais si des personnes que tout le monde connaît avaient paru dans les premiers siècles, parlerait-on présentement des prostitutions d'Héliogabale, de la foi des Grecs et des poisons et des parricides de Médée ?

Appendice aux événements de ce siècle

1. Portrait de Mme de Montespan

Diane de Rochechouart est fille du duc de Mortemart et femme du marquis de Montespan. Sa beauté est surprenante ; son esprit et sa conversation ont encore plus de charme que sa beauté. Elle fit dessein de plaire au Roi et de l'ôter à La Vallière dont il était amoureux. Il négligea longtemps cette conquête, et il en fit même des railleries. Deux ou trois années se passèrent sans qu'elle fît d'autres progrès que d'être dame du palais attachée particulièrement à la Reine, et dans une étroite familiarité avec le Roi et La Vallière. Elle ne se rebuta pas néanmoins, et se confiant à sa beauté, à son esprit, et aux offices de Mme de Montausier, dame d'honneur de la Reine, elle suivit son projet sans douter de l'événement. Elle ne s'y est pas trompée : ses charmes et le temps détachèrent le Roi de La Vallière, et elle se vit maîtresse déclarée. Le marquis de Montespan sentit son malheur avec toute la violence d'un homme jaloux. Il s'emporta contre sa femme ; il reprocha publiquement à Mme de Montausier qu'elle l'avait entraînée dans la honte où elle était plongée. Sa douleur et son désespoir firent tant d'éclat qu'il fut contraint de sortir du royaume pour conserver sa liberté. Mme de Montespan eut alors toute la facilité qu'elle désirait, et son crédit n'eut plus de bornes. Elle eut un logement particulier dans toutes les maisons du Roi ; les conseils secrets se tenaient chez elle. La Reine céda à sa faveur comme tout le reste de la cour, et non seulement il ne lui fut plus permis d'ignorer un amour si public, mais elle fut obligée d'en voir toutes les suites sans oser se plaindre, et elle dut à Mme de Montespan les marques d'amitié et de douceur qu'elle recevait du Roi. Mme de Montespan voulut encore que La Vallière fût témoin de son triomphe, qu'elle fût présente et auprès d'elle à tous les divertissements publics et particuliers ; elle la fit entrer dans le secret de la naissance de ses enfants dans les temps où elle cachait son état à ses propres domestiques. Elle se lassa enfin de la présence de La Vallière malgré ses soumissions et ses souffrances, et cette fille simple et crédule fut réduite à prendre l'habit de carmélite, moins par dévotion que par faiblesse, et on peut dire qu'elle ne quitta le monde que pour faire sa cour.

2. Portrait du cardinal de Retz

Paul de Gondi, cardinal de Retz, a beaucoup d'élévation, d'étendue d'esprit, et plus d'ostentation que de vraie grandeur de courage. Il a une mémoire extraordinaire, plus de force que de politesse dans ses paroles, l'humeur facile, de la docilité et de la faiblesse à souffrir les plaintes et les reproches de ses amis, peu de piété, quelques apparences de religion. Il paraît ambitieux sans l'être ; la vanité, et ceux qui l'ont conduit, lui ont fait entreprendre de grandes choses presque toutes opposées à sa profession ; il a suscité les plus grands désordres de l'État sans avoir un dessein formé de s'en prévaloir, et bien loin de se déclarer ennemi du cardinal Mazarin pour occuper sa place, il n'a pensé qu'à lui paraître redoutable, et à se flatter de la fausse vanité de lui être opposé. Il a su profiter néanmoins avec habileté des malheurs publics pour se faire cardinal ; il a souffert la prison avec fermeté, et n'a dû sa liberté qu'à sa hardiesse. La paresse l'a soutenu avec gloire, durant plusieurs années, dans l'obscurité d'une vie errante et cachée. Il a conservé l'archevêché de Paris contre la puissance du cardinal Mazarin ; mais après la mort de ce ministre il s'en est démis sans connaître ce qu'il faisait, et sans prendre cette conjoncture pour ménager les intérêts de ses amis et les siens propres. Il est entré dans divers conclaves, et sa conduite a toujours augmenté sa réputation. Sa pente naturelle est l'oisiveté ; il travaille néanmoins avec activité dans les affaires qui le pressent, et il se repose avec nonchalance quand elles sont finies. Il a une présence d'esprit, et il sait tellement tourner à son avantage les occasions que la fortune lui offre qu'il semble qu'il les ait prévues et désirées. Il aime à raconter ; il veut éblouir indifféremment tous ceux qui l'écoutent par des aventures extraordinaires, et souvent son imagination lui fournit plus que sa mémoire. Il est faux dans la plupart de ses qualités, et ce qui a le plus contribué à sa réputation c'est de savoir donner un beau jour à ses défauts. Il est insensible à la haine et à l'amitié, quelque soin qu'il ait pris de paraître occupé de l'une ou de l'autre ; il est incapable d'envie ni d'avarice, soit par vertu ou par inapplication. Il a plus emprunté de ses amis qu'un particulier ne devait espérer de leur pouvoir rendre ; il a senti de la vanité à trouver tant de crédit, et à entreprendre de s'acquitter. Il n'a point de goût ni de délicatesse ; il s'amuse à tout et ne se plaît à rien ; il évite avec adresse de laisser pénétrer qu'il n'a qu'une légère connaissance de toutes choses. La retraite qu'il vient de faire est la plus éclatante et la plus fausse action de sa vie ; c'est un sacrifice qu'il fait à son orgueil, sous prétexte de dévotion : il quitte la cour, où il ne peut s'attacher, et il s'éloigne du monde, qui s'éloigne de lui.

3. Remarques sur les commencements de la vie du cardinal de Richelieu

Monsieur de Luçon, qui depuis a été cardinal de Richelieu, s'étant attaché entièrement aux intérêts du maréchal d'Ancre, lui conseilla de faire la guerre ; mais après lui avoir donné cette pensée et que la proposition en fut faite au Conseil, Monsieur de Luçon témoigna de la désapprouver et s'y opposa pour ce que M. de Nevers, qui croyait que la paix fût avantageuse pour ses desseins, lui avait fait offrir le prieuré de La Charité par le P. Joseph, pourvu qu'il la fît résoudre au Conseil. Ce changement d'opinion de Monsieur de Luçon surprit le maréchal d'Ancre, et l'obligea de lui dire avec quelque aigreur qu'il s'étonnait de le voir passer si promptement d'un sentiment à un autre tout contraire ; à quoi Monsieur de Luçon répondit ces propres paroles, que les nouvelles rencontres demandent de nouveaux conseils. Mais jugeant bien par là qu'il avait déplu au maréchal, il résolut de chercher les moyens de le perdre ; et un jour que Déageant l'était allé trouver pour lui faire signer quelques expéditions, il lui dit qu'il avait une affaire importante à communiquer à M. de Luynes, et qu'il souhaitait de l'entretenir. Le lendemain, M. de Luynes et lui se virent, où Monsieur de Luçon lui dit que le maréchal d'Ancre était résolu de le perdre, et que le seul moyen de se garantir d'être opprimé par un si puissant ennemi était de le prévenir. Ce discours surprit beaucoup M. de Luynes, qui avait déjà pris cette résolution, ne sachant si ce conseil, qui lui était donné par une créature du maréchal, n'était point un piège pour le surprendre et pour lui faire découvrir ses sentiments. Néanmoins Monsieur de Luçon lui fit paraître tant de zèle pour le service du Roi et un si grand attachement à la ruine du maréchal, qu'il disait être le plus grand ennemi de l'État, que M. de Luynes, persuadé de sa sincérité, fut sur le point de lui découvrir son dessein, et de lui communiquer le projet qu'il avait fait de tuer le maréchal ; mais s'étant retenu alors de lui en parler, il dit à Déageant la conversation qu'ils avaient eue ensemble et l'envie qu'il avait de lui faire part de son secret ; ce que Déageant désapprouva entièrement, et lui fit voir que ce serait donner un moyen infaillible à Monsieur de Luçon de se réconcilier à ses dépens avec le maréchal, et de se joindre plus étroitement que jamais avec lui, en lui découvrant une affaire de cette conséquence : de sorte que la chose s'exécuta, et le maréchal d'Ancre fut tué sans que Monsieur de Luçon en eût connaissance. Mais les conseils qu'il avait donnés à M. de Luynes, et l'animosité qu'il lui avait témoigné d'avoir contre le maréchal le conservèrent, et firent que le Roi lui commanda de continuer d'assister au Conseil, et d'exercer sa charge de secrétaire d'État comme il avait accoutumé : si bien qu'il demeura encore quelque temps à la cour, sans que la chute du maréchal qui l'avait avancé nuisît à sa fortune. Mais, comme il n'avait pas pris les mêmes précautions envers les vieux ministres qu'il avait fait auprès de M. de Luynes, M. de Villeroy et M. le président Jeannin, qui virent par quel biais il entrait dans les affaires, firent connaître à M. de Luynes qu'il ne devait pas attendre plus de fidélité de lui qu'il en avait témoigné pour le maréchal d'Ancre, et qu'il était nécessaire de l'éloigner comme une personne dangereuse et qui voulait s'établir par quelques voies que ce pût être : ce qui fit résoudre M. de Luynes à lui commander de se retirer à Avignon.

Cependant la Reine mère du Roi alla à Blois, et Monsieur de Luçon, qui ne pouvait souffrir de se voir privé de toutes ses espérances, essaya de renouer avec M. de Luynes et lui fit offrir que, s'il lui permettait de retourner auprès de la Reine, qu'il se servirait du pouvoir qu'il avait sur son esprit pour lui faire chasser tous ceux qui lui étaient désagréables et pour lui faire faire toutes les choses que M. de Luynes lui prescrirait. Cette proposition fut reçue, et Monsieur de Luçon, retournant, produisit l'affaire du Pont-de-Cé, en suite de quoi il fut fait cardinal, et commença d'établir les fondements de la grandeur où il est parvenu.

4. Le comte d'Harcourt

Le soin que la fortune a pris d'élever et d'abattre le mérite des hommes est connu dans tous les temps, et il y a mille exemples du droit qu'elle s'est donné de mettre le prix à leurs qualités, comme les souverains mettent le prix à la monnaie, pour faire voir que sa marque leur donne le cours qu'il lui plaît. Si elle s'est servie des talents extraordinaires de Monsieur le Prince et de M. de Turenne pour les faire admirer, il paraît qu'elle a respecté leur vertu et que, tout injuste qu'elle est, elle n'a pu se dispenser de leur faire justice. Mais on peut dire qu'elle veut montrer toute l'étendue de son pouvoir lorsqu'elle choisit des sujets médiocres pour les égaler aux plus grands hommes. Ceux qui ont connu le comte d'Harcourt conviendront de ce que je dis, et ils le regarderont comme un chef-d'œuvre de la fortune, qui a voulu que la postérité le jugeât digne d'être comparé dans la gloire des armes aux plus célèbres capitaines. Ils lui verront exécuter heureusement les plus difficiles et les plus glorieuses entreprises. Les succès des îles Sainte-Marguerite, de Casal, le combat de la Route, le siège de Turin, les batailles gagnées en Catalogne, une si longue suite de victoires étonneront les siècles à venir. La gloire du comte d'Harcourt sera en balance avec celle de Monsieur le Prince et de M. de Turenne, malgré les distances que la nature a mises entre eux ; elle aura un même rang dans l'histoire, et on n'osera refuser à son mérite ce que l'on sait présentement qui n'est dû qu'à sa seule fortune.

Portrait de La Rochefoucauld par lui-même

Portrait de M.R.D. fait par lui-même

Je suis d'une taille médiocre, libre et bien proportionnée. J'ai le teint brun mais assez uni, le front élevé et d'une raisonnable grandeur, les yeux noirs, petits et enfoncés, et les sourcils noirs et épais, mais bien tournés. Je serais fort empêché à dire de quelle sorte j'ai le nez fait, car il n'est ni camus ni aquilin, ni gros ni pointu, au moins à ce que je crois. Tout ce que je sais, c'est qu'il est plutôt grand que petit, et qu'il descend un peu trop en bas. J'ai la bouche grande, et les lèvres assez rouges d'ordinaire, et ni bien ni mal taillées. J'ai les dents blanches, et passablement bien rangées. On m'a dit autrefois que j'avais un peu trop de menton : je viens de me tâter et de me regarder dans le miroir pour savoir ce qui en est, et je ne sais pas trop bien qu'en juger. Pour le tour du visage, je l'ai ou carré ou en ovale ; lequel des deux, il me serait fort difficile de le dire. J'ai les cheveux noirs, naturellement frisés, et avec cela assez épais et assez longs pour pouvoir prétendre en belle tête. J'ai quelque chose de chagrin et de fier dans la mine ; cela fait croire à la plupart des gens que je suis méprisant, quoique je ne le sois point du tout. J'ai l'action fort aisée, et même un peu trop, et jusques à faire beaucoup de gestes en parlant. Voilà naïvement comme je pense que je suis fait au dehors, et l'on trouvera, je crois, que ce que je pense de moi là-dessus n'est pas fort éloigné de ce qui en est. J'en userai avec la même fidélité dans ce qui me reste à faire de mon portrait ; car je me suis assez étudié pour me bien connaître, et je ne manque ni d'assurance pour dire librement ce que je puis avoir de bonnes qualités, ni de sincérité pour avouer franchement ce que j'ai de défauts. Premièrement, pour parler de mon humeur, je suis mélancolique, et je le suis à un point que depuis trois ou quatre ans à peine m'a-t-on vu rire trois ou quatre fois. J'aurais pourtant, ce me semble, une mélancolie assez supportable et assez douce, si je n'en avais point d'autre que celle qui me vient de mon tempérament ; mais il m'en vient tant d'ailleurs, et ce qui m'en vient me remplir de telle sorte l'imagination, et m'occupe si fort l'esprit, que la plupart du temps ou je rêve sans dire mot ou je n'ai presque point d'attache à ce que je dis. Je suis fort resserré avec ceux que je ne connais pas, et je ne suis pas même extrêmement ouvert avec la plupart de ceux que je connais. C'est un défaut, je le sais bien, et je ne négligerai rien pour m'en corriger ; mais comme un certain air sombre que j'ai dans le visage contribue à me faire paraître encore plus réservé que je ne le suis, et qu'il n'est pas en notre pouvoir de nous défaire d'un méchant air qui nous vient de la disposition naturelle des traits, je pense qu'après m'être corrigé au dedans, il ne laissera pas de me demeurer toujours de mauvaises marques au dehors. J'ai de l'esprit et je ne fais point difficulté de le dire ; car à quoi bon façonner là-dessus ? Tant biaiser et tant apporter d'adoucissement pour dire les avantages que l'on a, c'est, ce me semble, cacher un peu de vanité sous une modestie apparente et se servir d'une manière bien adroite pour faire croire de soi beaucoup plus de bien que l'on n'en dit. Pour moi, je suis content qu'on ne me croie ni plus beau que je me fais, ni de meilleure humeur que je me dépeins, ni plus spirituel et plus raisonnable que je dirai que je le suis. J'ai donc de l'esprit, encore une fois, mais un esprit que la mélancolie gâte ; car, encore que je possède assez bien ma langue, que j'aie la mémoire heureuse, et que je ne pense pas les choses fort confusément, j'ai pourtant une si forte application à mon chagrin que souvent j'exprime assez mal ce que je veux dire. La conversation des honnêtes gens est un des plaisirs qui me touchent le plus. J'aime qu'elle soit sérieuse et que la morale en fasse la plus grande partie ; cependant je sais la goûter aussi quand elle est enjouée, et si je n'y dis pas beaucoup de petites choses pour rire, ce n'est pas du moins que je ne connaisse bien ce que valent les bagatelles bien dites, et que je ne trouve fort divertissante cette manière de badiner où il y a certains esprits prompts et aisés qui réussissent si bien. J'écris bien en prose, je fais bien en vers, et si j'étais sensible à la gloire qui vient de ce côté-là, je pense qu'avec peu de travail je pourrais m'acquérir assez de réputation. J'aime la lecture en général ; celle où il se trouve quelque chose qui peut façonner l'esprit et fortifier l'âme est celle que j'aime le plus. Surtout, j'ai une extrême satisfaction à lire avec une personne d'esprit ; car de cette sorte on réfléchit à tous moments sur ce qu'on lit, et des réflexions que l'on fait il se forme une conversation la plus agréable du monde, et la plus utile. Je juge assez bien des ouvrages de vers et de prose que l'on me montre ; mais j'en dis peut-être mon sentiment avec un peu trop de liberté. Ce qu'il y a encore de mal en moi, c'est que j'ai quelquefois une délicatesse trop scrupuleuse, et une critique trop sévère. Je ne hais pas à entendre disputer, et souvent aussi je me mêle assez volontiers dans la dispute : mais je soutiens d'ordinaire mon opinion avec trop de chaleur et lorsqu'on défend un parti injuste contre moi, quelquefois, à force de me passionner pour celui de la raison, je deviens moi-même fort peu raisonnable. J'ai les sentiments vertueux, les inclinations belles, et une si forte envie d'être tout à fait honnête homme que mes amis ne me sauraient faire un plus grand plaisir que de m'avertir sincèrement de mes défauts. Ceux qui me connaissent un peu particulièrement et qui ont eu la bonté de me donner quelquefois des avis là-dessus savent que je les ai toujours reçus avec toute la joie imaginable, et toute la soumission d'esprit que l'on saurait désirer. J'ai toutes les passions assez douces et assez réglées : on ne m'a presque jamais vu en colère et je n'ai jamais eu de haine pour personne. Je ne suis pas pourtant incapable de me venger, si l'on m'avait offensé, et qu'il y allât de mon honneur à me ressentir de l'injure qu'on m'aurait faite. Au contraire je suis assuré que le devoir ferait si bien en moi l'office de la haine que je poursuivrais ma vengeance avec encore plus de vigueur qu'un autre. L'ambition ne me travaille point. Je ne crains guère de choses, et ne crains aucunement la mort. Je suis peu sensible à la pitié, et je voudrais ne l'y être point du tout. Cependant il n'est rien que je ne fisse pour le soulagement d'une personne affligée, et je crois effectivement que l'on doit tout faire, jusques à lui témoigner même beaucoup de compassion de son mal, car les misérables sont si sots que cela leur fait le plus grand bien du monde ; mais je tiens aussi qu'il faut se contenter d'en témoigner, et se garder soigneusement d'en avoir. C'est une passion qui n'est bonne à rien au-dedans d'une âme bien faite, qui ne sert qu'à affaiblir le cœur et qu'on doit laisser au peuple qui, n'exécutant jamais rien par raison, a besoin de passions pour le porter à faire les choses. J'aime mes amis, et je les aime d'une façon que je ne balancerais pas un moment à sacrifier mes intérêts aux leurs ; j'ai de la condescendance pour eux, je souffre patiemment leurs mauvaises humeurs et j'en excuse facilement toutes choses ; seulement je ne leur fais pas beaucoup de caresses, et je n'ai pas non plus de grandes inquiétudes en leur absence. J'ai naturellement fort peu de curiosité pour la plus grande partie de tout ce qui en donne aux autres gens. Je suis fort secret, et j'ai moins de difficulté que personne à taire ce qu'on m'a dit en confidence. Je suis extrêmement régulier à ma parole ; je n'y manque jamais, de quelque conséquence que puisse être ce que j'ai promis et je m'en suis fait toute ma vie une loi indispensable. J'ai une civilité fort exacte parmi les femmes, et je ne crois pas avoir jamais rien dit devant elles qui leur ait pu faire de la peine. Quand elles ont l'esprit bien fait, j'aime mieux leur conversation que celle des hommes : on y trouve une certaine douceur qui ne se rencontre point parmi nous, et il me semble outre cela qu'elles s'expliquent avec plus de netteté et qu'elles donnent un tour plus agréable aux choses qu'elles disent. Pour galant, je l'ai été un peu autrefois ; présentement je ne le suis plus, quelque jeune que je sois. J'ai renoncé aux fleurettes et je m'étonne seulement de ce qu'il y a encore tant d'honnêtes gens qui s'occupent à en débiter. J'approuve extrêmement les belles passions : elles marquent la grandeur de l'âme, et quoique dans les inquiétudes qu'elles donnent il y ait quelque chose de contraire à la sévère sagesse, elles s'accommodent si bien d'ailleurs avec la plus austère vertu que je crois qu'on ne les saurait condamner avec justice. Moi qui connais tout ce qu'il y a de délicat et de fort dans les grands sentiments de l'amour, si jamais je viens à aimer, ce sera assurément de cette sorte ; mais, de la façon dont je suis, je ne crois pas que cette connaissance que j'ai me passe jamais de l'esprit au cœur.

Documents relatifs à la genèse des maximes

Avis au lecteur

Voici un portrait du cœur de l'homme que je donne au public, sous le nom de Réflexions ou Maximes morales. Il court fortune de ne plaire pas à tout le monde, parce qu'on trouvera peut-être qu'il ressemble trop, et qu'il ne flatte pas assez. Il y a apparence que l'intention du peintre n'a jamais été de faire paraître cet ouvrage, et qu'il serait encore renfermé dans son cabinet si une méchante copie qui en a couru, et qui a passé même depuis quelque temps en Hollande, n'avait obligé un de ses amis de m'en donner une autre, qu'il dit être tout à fait conforme à l'original ; mais toute correcte qu'elle est, possible n'évitera-t-elle pas la censure de certaines personnes qui ne peuvent souffrir que l'on se mêle de pénétrer dans le fond de leur cœur, et qui croient être en droit d'empêcher que les autres les connaissent, parce qu'elles ne veulent pas se connaître elles-mêmes. Il est vrai que, comme ces Maximes sont remplies de ces sortes de vérités dont l'orgueil humain ne se peut accommoder, il est presque impossible qu'il ne se soulève contre elles, et qu'elles ne s'attirent des censeurs. Aussi est-ce pour eux que je mets ici une Lettre que l'on m'a donné, qui a été faite depuis que le manuscrit a paru, et dans le temps que chacun se mêlait d'en dire son avis. Elle m'a semblé assez propre pour répondre aux principales difficultés que l'on peut opposer aux Réflexions, et pour expliquer les sentiments de leur auteur. Elle suffit pour faire voir que ce qu'elles contiennent n'est autre chose que l'abrégé d'une morale conforme aux pensées de plusieurs Pères de l'Église, et que celui qui les a écrites a eu beaucoup de raison de croire qu'il ne pouvait s'égarer en suivant de si bons guides, et qu'il lui était permis de parler de l'homme comme les Pères en ont parlé. Mais si le respect qui leur est dû n'est pas capable de retenir le chagrin des critiques, s'ils ne font point de scrupule de condamner l'opinion de ces grands hommes en condamnant ce livre, je prie le lecteur de ne les pas imiter, de ne laisser point entraîner son esprit au premier mouvement de son cœur, et de donner ordre, s'il est possible, que l'amour-propre ne se mêle point dans le jugement qu'il en fera ; car il le consulte, il ne faut pas s'attendre qu'il puisse être favorable à ces Maximes : comme elles traitent l'amour-propre de corrupteur de la raison, il ne manquera pas de prévenir l'esprit contre elles. Il faut donc prendre garde que cette prévention ne les justifie, et se persuader qu'il n'y a rien de plus propre à établir la vérité de ces Réflexions que la chaleur et la subtilité que l'on témoignera pour les combattre. En effet il sera difficile de faire croire à tout homme de bon sens que l'on les condamne par d'autre motif que par celui de l'intérêt caché, de l'orgueil et de l'amour-propre. En un mot, le meilleur parti que le lecteur ait à prendre est de se mettre d'abord dans l'esprit qu'il n'y a aucune de ces maximes qui le regarde en particulier, et qu'il en est seul excepté, bien qu'elles paraissent générales ; après cela, je lui réponds qu'il sera le premier à y souscrire, et qu'il croira qu'elles font encore grâce au cœur humain. Voilà ce que j'avais à dire sur cet écrit en général. Pour ce qui est de la méthode que l'on y eût pu observer, je crois qu'il eût été à désirer que chaque maxime eût eu un titre du sujet qu'elle traite, et qu'elles eussent été mises dans un plus grand ordre ; mais je ne l'ai pu faire sans renverser entièrement celui de la copie qu'on m'a donnée ; et comme il y a plusieurs maximes sur une même matière, ceux à qui j'en ai demandé avis ont jugé qu'il était plus expédient de faire une table à laquelle on aura recours pour trouver celles qui traitent d'une même chose.

Discours sur les réflexions ou sentences et maximes morales

Monsieur,

Je ne saurais vous dire au vrai si les Réflexions morales sont de M.***, quoiqu'elles soient écrites d'une manière qui semble approcher de la sienne ; mais en ces occasions-là je me défie presque toujours de l'opinion publique, et c'est assez qu'elle lui en ait fait un présent pour me donner une juste raison de n'en rien croire. Voilà de bonne foi tout ce que je vous puis répondre sur la première chose que vous me demandez. Et pour l'autre, si vous n'aviez bien du pouvoir sur moi, vous n'en auriez guère plus de contentement ; car un homme prévenu, au point que je le suis, d'estime pour cet ouvrage n'a pas toute la liberté qu'il faut pour en bien juger. Néanmoins, puisque vous me l'ordonnez, je vous en dirai mon avis, sans vouloir m'ériger autrement en faiseur de dissertations, et sans y mêler en aucune façon l'intérêt de celui que l'on croit avoir fait cet écrit. Il est aisé de voir d'abord qu'il n'était pas destiné pour paraître au jour, mais seulement pour la satisfaction d'une personne qui, à mon avis, n'aspire pas à la gloire d'être auteur ; et si par hasard c'était M.***, je puis vous dire que sa réputation est établie dans le monde par tant de meilleurs titres qu'il n'aurait pas moins de chagrin de savoir que ces Réflexions sont devenues publiques qu'il en eut lorsque les Mémoires qu'on lui attribue furent imprimés. Mais vous savez, Monsieur, l'empressement qu'il y a dans le siècle pour publier toutes les nouveautés, et s'il y a moyen de l'empêcher quand on le voudrait, surtout celles qui courent sous des noms qui les rendent recommandables. Il n'y a rien de plus vrai, Monsieur : les noms font valoir les choses auprès de ceux qui n'en sauraient connaître le véritable prix ; celui des Réflexions est connu de peu de gens, quoique plusieurs se soient mêlés d'en dire leur avis. Pour moi, je ne me pique pas d'être assez délicat et assez habile pour en bien juger ; je dis habile et délicat, parce que je tiens qu'il faut être pour cela l'un et l'autre ; et quand je me pourrais flatter de l'être, je m'imagine que j'y trouverais peu de choses à changer. J'y rencontre partout de la force et de la pénétration, des pensées élevées et hardies, le tour de l'expression noble, et accompagné d'un certain air de qualité qui n'appartient pas à tous ceux qui se mêlent d'écrire. Je demeure d'accord qu'on n'y trouvera pas tout l'ordre ni tout l'art que l'on y pourrait souhaiter, et qu'un savant qui aurait un plus grand loisir y aurait pu mettre plus d'arrangement ; mais un homme qui n'écrit que pour soi, et pour délasser son esprit, qui écrit les choses à mesure qu'elles lui viennent dans la pensée, n'affecte pas tant de suivre les règles que celui qui écrit de profession, qui s'en fait une affaire, et qui songe à s'en faire honneur. Ce désordre néanmoins a ses grâces, et des grâces que l'art ne peut imiter. Je ne sais pas si vous êtes de mon goût, mais quand les savants m'en devraient vouloir du mal, je ne puis m'empêcher de dire que je préférerai toute ma vie la manière d'écrire négligée d'un courtisan qui a de l'esprit à la régularité gênée d'un docteur qui n'a jamais rien vu que ses livres. Plus ce qu'il dit et ce qu'il écrit paraît aisé, et dans un certain air d'un homme qui se néglige, plus cette négligence, qui cache l'art sous une expression simple et naturelle, lui donne d'agrément. C'est de Tacite que je tiens ceci, je vous mets à la marge le passage latin, que vous lirez si vous en avez envie ; et j'en userai de même de tous ceux dont je me souviendrai, n'étant pas assuré si vous aimez cette langue qui n'entre guère dans le commerce du grand monde, quoique je sache que vous l'entendez parfaitement. N'est-il pas vrai, Monsieur, que cette justesse recherchée avec trop d'étude a toujours un je ne sais quoi de contraint qui donne du dégoût, et qu'on ne trouve jamais dans les ouvrages de ces gens esclaves des règles ces beautés où l'art se déguise sous les apparences du naturel, ce don d'écrire facilement et noblement, enfin ce que le Tasse a dit du palais d'Armide :

Stimi (si misto il culto è col negletto),
Sol naturali gli ornamenti e i siti.
Di natura arte par, che per diletto
L'imitatrice sua scherzando imiti.

Voilà comme un poète français l'a pensé après lui.

L'artifice n'a point de part
Dans cette admirable structure ;
La nature, en formant tous les traits au hasard,
Sait si bien imiter la justesse de l'art
Que l'œil, trompé d'une douce imposture,
Croit que c'est l'art qui suit l'ordre de la nature.

Voilà ce que je pense de l'ouvrage en général ; mais je vois bien que ce n'est pas assez pour vous satisfaire, et que vous voulez que je réponde plus précisément aux difficultés que vous me dites que l'on vous a faites. Il me semble que la première est celle-ci : que les Réflexions détruisent toutes les vertus. On peut dire à cela que l'intention de celui qui les a écrites paraît fort éloignée de les vouloir détruire ; il prétend seulement faire voir qu'il n'y en a presque point de pures dans le monde, et que dans la plupart de nos actions il y a un mélange d'erreur et de vérité, de perfection et d'imperfection, de vice et de vertu ; il regarde le cœur de l'homme corrompu, attaqué de l'orgueil et de l'amour-propre, et environné de mauvais exemples comme le commandant d'une ville assiégée à qui l'argent a manqué : il fait de la monnaie de cuir, et de carton ; cette monnaie a la figure de la bonne, on la débite pour le même prix, mais ce n'est que la misère et le besoin qui lui donnent cours parmi les assiégés. De même la plupart des actions des hommes que le monde prend pour des vertus n'en ont bien souvent que l'image et la ressemblance. Elles ne laissent pas néanmoins d'avoir leur mérite et d'être dignes en quelque sorte de notre estime, étant très difficile d'en avoir humainement de meilleures. Mais quand il serait vrai qu'il croirait qu'il n'y en aurait aucune de véritable dans l'homme, en le considérant dans un état purement naturel, il ne serait pas le premier qui aurait eu cette opinion. Si je ne craignais pas de m'ériger trop en docteur, je vous citerais bien des auteurs, et même des Pères de l'Église, et de grands saints, qui ont pensé que l'amour-propre et l'orgueil étaient l'âme des plus belles actions des païens. Je vous ferais voir que quelques-uns d'entre eux n'ont pas même pardonné à la chasteté de Lucrèce, que tout le monde avait crue vertueuse jusqu'à ce qu'ils eussent découvert la fausseté de cette vertu, qui avait produit la liberté de Rome, et qui s'était attiré l'admiration de tant de siècles. Pensez-vous, Monsieur, que Sénèque, qui faisait aller son sage de pair avec les dieux, fût véritablement sage lui-même, et qu'il fût bien persuadé de ce qu'il voulait persuader aux autres ? Son orgueil n'a pu l'empêcher de dire quelquefois qu'on n'avait point vu dans le monde d'exemple de l'idée qu'il proposait, qu'il était impossible de trouver une vertu si achevée parmi les hommes, et que le plus parfait d'entre eux était celui qui avait le moins de défauts. Il demeure d'accord que l'on peut reprocher à Socrate d'avoir eu quelques amitiés suspectes ; à Platon et Aristote, d'avoir été avares ; à Épicure, prodigue et voluptueux ; mais il s'écrie en même temps que nous serions trop heureux d'être parvenus à savoir imiter leurs vices. Ce philosophe aurait eu raison d'en dire autant des siens, car on ne serait pas trop malheureux de pouvoir jouir comme il a fait de toute sorte de biens, d'honneurs et de plaisirs, en affectant de les mépriser ; de se voir le maître de l'empire, et de l'empereur, et l'amant de l'impératrice en même temps ; d'avoir de superbes palais, des jardins délicieux, et de prêcher, aussi à son aise qu'il faisait, la modération, et la pauvreté, au milieu de l'abondance, et des richesses. Pensez-vous, Monsieur, que ce stoïcien qui contrefaisait si bien le maître de ses passions eut d'autres vertus que celle de bien cacher ses vices, et qu'en se faisant couper les veines il ne se repentit pas plus d'une fois d'avoir laissé à son disciple le pouvoir de le faire mourir ? Regardez un peu de près ce faux brave : vous verrez qu'en faisant de beaux raisonnements sur l'immortalité de l'âme, il cherche à s'étourdir sur la crainte de la mort ; il ramasse toutes ses forces pour faire bonne mine ; il se mord la langue de peur de dire que la douleur est un mal ; il prétend que la raison peut rendre l'homme impassible, et au lieu d'abaisser son orgueil il le relève au-dessus de la divinité. Il nous aurait bien plus obligés de nous avouer franchement les faiblesses et la corruption du cœur humain, que de prendre tant de peine à nous tromper. L'auteur des Réflexions n'en fait pas de même : il expose au jour toutes les misères de l'homme. Mais c'est de l'homme abandonné à sa conduite qu'il parle, et non pas du chrétien. Il fait voir que, malgré tous les efforts de sa raison, l'orgueil et l'amour-propre ne laissent pas de se cacher dans les replis de son cœur, d'y vivre et d'y conserver assez de forces pour répandre leur venin sans qu'il s'en aperçoive dans la plupart de ses mouvements.

La seconde difficulté que l'on vous a faite, et qui a beaucoup de rapport à la première, est que les Réflexions passent dans le monde pour des subtilités d'un censeur qui prend en mauvaise part les actions les plus indifférentes, plutôt que pour des vérités solides. Vous me dites que quelques-uns de vos amis vont ont assuré de bonne foi qu'ils savaient, par leur propre expérience, que l'on fait quelquefois le bien sans avoir d'autre vue que celle du bien, et souvent même sans en avoir aucune, ni pour le bien, ni pour le mal, mais par une droiture naturelle du cœur, qui le porte sans y penser vers ce qui est bon. Je voudrais qu'il me fût permis de croire ces gens-là sur leur parole, et qu'il fût vrai que la nature humaine n'eût que des mouvements raisonnables, et que toutes nos actions fussent naturellement vertueuses ; mais, Monsieur, comment accorderons-nous le témoignage de vos amis avec les sentiments des mêmes Pères de l'Église, qui ont assuré que toutes nos vertus, sans le secours de la foi, n'étaient que des imperfections ; que notre volonté était née aveugle ; que ses désirs étaient aveugles, sa conduite encore plus aveugle, et qu'il ne fallait pas s'étonner si, parmi tant d'aveuglement, l'homme était dans un égarement continuel ? Il en ont parlé encore plus fortement, car ils ont dit qu'en cet état la prudence de l'homme ne pénétrait dans l'avenir et n'ordonnait rien que par rapport à l'orgueil ; que sa tempérance ne modérait aucun excès que celui que l'orgueil avait condamné ; que sa constance ne se soutenait dans les malheurs qu'autant qu'elle était soutenue par l'orgueil ; et enfin que toutes ses vertus, avec cet éclat extérieur de mérite qui les faisait admirer, n'avaient pour but que cette admiration, l'amour d'une vaine gloire, et l'intérêt de l'orgueil. On trouverait un nombre presque infini d'autorités sur cette opinion ; mais si je m'engageais à vous les citer régulièrement, j'en aurais un peu plus de peine, et vous n'en auriez pas plus de plaisir. Je pense donc que le meilleur, pour vous et pour moi, sera de vous en faire voir l'abrégé dans six vers d'un excellent poète de notre temps :

Si le jour de la foi n'éclaire la raison,
Notre goût dépravé tourne tout en poison ;
Toujours de notre orgueil la subtile imposture
Au bien qu'il semble aimer fait changer de nature ;
Et dans le propre amour dont l'homme est revêtu,
Il se rend criminel même par sa vertu.

S'il faut néanmoins demeurer d'accord que vos amis ont le don de cette foi vive qui redresse toutes les mauvaises inclinations de l'amour-propre, si Dieu leur fait des grâces extraordinaires, s'il les sanctifie dès ce monde, je souscris de bon cœur à leur canonisation, et je leur déclare que les Réflexions morales ne les regardent point. Il n'y a pas d'apparence que celui qui les a écrites en veuille à la vertu des saints ; il ne s'adresse, comme je vous ai dit, qu'à l'homme corrompu, il soutient qu'il fait presque toujours du mal quand son amour-propre le flatte qu'il fait le bien, et qu'il se trompe souvent lorsqu'il veut juger de lui-même, parce que la nature ne se déclare pas en lui sincèrement des motifs qui le font agir. Dans cet état malheureux où l'orgueil est l'âme de tous ses mouvements, les saints mêmes sont les premiers à lui déclarer la guerre, et le traitent plus mal sans comparaison que ne fait l'auteur des Réflexions. S'il vous prend quelque jour envie de voir les passages que j'ai trouvés dans leurs écrits sur ce sujet, vous serez aussi persuadé que je le suis de cette vérité ; mais je vous supplie de vous contenter à présent de ces vers, qui vous expliqueront une partie de ce qu'ils ont pensé :

Le désir des honneurs, des biens, et des délices,
Produit seul ses vertus, comme il produit ses vices,
Et l'aveugle intérêt qui règne dans son cœur,
Va d'objet en objet, et d'erreur en erreur ;

Le nombre de ses maux s'accroît par leur remède ;
Au mal qui se guérit un autre mal succède ;
Au gré de ce tyran dont l'empire est caché,
Un péché se détruit par un autre péché.

Montaigne, que j'ai quelque scrupule de vous citer après des Pères de l'Église, dit assez heureusement sur ce même sujet que son âme a deux visages différents, qu'elle a beau se replier sur elle-même, elle n'aperçoit jamais que celui que l'amour-propre a déguisé, pendant que l'autre se découvre par ceux qui n'ont point de part à ce déguisement. Si j'osais enchérir sur une métaphore si hardie, je dirais que l'homme corrompu est fait comme ces médailles qui représentent la figure d'un saint et celle d'un démon dans une seule face et par les mêmes traits. Il n'y a que la diverse situation de ceux qui la regardent qui change l'objet ; l'un voit le saint, et l'autre voit le démon. Ces comparaisons nous font assez comprendre que, quand l'amour-propre a séduit le cœur, l'orgueil aveugle tellement la raison, et répand tant d'obscurité dans toutes ses connaissances, qu'elle ne peut juger du moindre de nos mouvements, ni former d'elle-même aucun discours assuré pour notre conduite. Les hommes, dit Horace, sont sur la terre comme une troupe de voyageurs, que la nuit a surpris en passant dans une forêt : ils marchent sur la foi d'un guide qui les égare aussitôt, ou par malice, ou par ignorance, chacun d'eux se met en peine de retrouver le chemin ; ils prennent tous diverses routes, et chacun croit suivre la bonne ; plus il le croit, et plus il s'en écarte. Mais quoique leurs égarements soient différents, ils n'ont pourtant qu'une même cause : c'est le guide qui les a trompés, et l'obscurité de la nuit qui les empêche de se redresser. Peut-on mieux dépeindre l'aveuglement et les inquiétudes de l'homme abandonné à sa propre conduite, qui n'écoute que les conseils de son orgueil, qui croit aller naturellement droit au bien, et qui s'imagine toujours que le dernier qu'il recherche est le meilleur ? N'est-il pas vrai que, dans le temps qu'il se flatte de faire des actions vertueuses, c'est alors que l'égarement de son cœur est plus dangereux ? Il y a un si grand nombre de roues qui composent le mouvement de cette horloge, et le principe en est si caché, qu'encore que nous voyions ce que marque la montre, nous ne savons pas quel est le ressort qui conduit l'aiguille sur toutes les heures du cadran.

La troisième difficulté que j'ai à résoudre est que beaucoup de personnes trouvent de l'obscurité dans le sens et dans l'expression de ces réflexions. L'obscurité, comme vous savez, Monsieur, ne vient pas toujours de la faute de celui qui écrit. Les Réflexions, ou si vous voulez les Maximes et les Sentences, comme le monde a nommé celles-ci, doivent être écrites dans un style serré, qui ne permet pas de donner aux choses toute la clarté qui serait à désirer. Ce sont les premiers traits du tableau : les yeux habiles y remarquent bien toute la finesse de l'art et la beauté de la pensée du peintre ; mais cette beauté n'est pas faite pour tout le monde, et quoique ces traits ne soient point remplis de couleurs, ils n'en sont pas moins des coups de maître. Il faut donc se donner le loisir de pénétrer le sens et la force des paroles, il faut que l'esprit parcoure toute l'étendue de leur signification avant que de se reposer pour en former le jugement.

La quatrième difficulté est, ce me semble, que les Maximes sont presque partout trop générales. On vous a dit qu'il est injuste d'étendre sur tout le genre humain des défauts qui ne se trouvent qu'en quelques hommes. Je sais, outre ce que vous me mandez des différents sentiments que vous en avez entendus, ce que l'on oppose d'ordinaire à ceux qui découvrent et qui condamnent les vices : on appelle leur censure le portrait du peintre ; on dit qu'ils sont comme les malades de la jaunisse, qu'ils voient tout jaune parce qu'ils le sont eux-mêmes. Mais s'il était vrai que, pour censurer la corruption du cœur en général, il fallût la ressentir en particulier plus qu'un autre, il faudrait aussi demeurer d'accord que ces philosophes, dont Diogène de Laërce nous rapporte les sentences, étaient les hommes les plus corrompus de leur siècle, il faudrait faire le procès à la mémoire de Caton, et croire que c'était le plus méchant homme de la république, parce qu'il censurait les vices de Rome. Si cela est, Monsieur, je ne pense pas que l'auteur des Réflexions, quel qu'il puisse être, trouve rien à redire au chagrin de ceux qui le condamneront, quand, à la religion près, on ne le croira pas plus homme de bien, ni plus sage que Caton. Je dirai encore, pour ce qui regarde les termes que l'on trouve trop généraux, qu'il est difficile de les restreindre dans les sentences sans leur ôter tout le sel et toute la force ; il me semble, outre cela, que l'usage nous fait voir que sous des expressions générales l'esprit ne laisse pas de sous-entendre de lui-même des restrictions. Par exemple, quand on dit : Tout Paris fut au-devant du Roi, toute la cour est dans la joie, ces façons de parler ne signifient néanmoins que la plus grande partie. Si vous croyez que ces raisons ne suffisent pas pour fermer la bouche aux critiques, ajoutons-y que quand on se scandalise si aisément des termes d'une censure générale, c'est à cause qu'elle nous pique trop vivement dans l'endroit le plus sensible du cœur.

Néanmoins il est certain que nous connaissons, vous et moi, bien des gens qui ne se scandalisent pas de celle des Réflexions, j'entends de ceux qui ont l'hypocrisie en aversion, et qui avouent de bonne foi ce qu'ils sentent en eux-mêmes et ce qu'ils remarquent dans les autres. Mais peu de gens sont capables d'y penser, ou s'en veulent donner la peine, et si par hasard ils y pensent, ce n'est jamais sans se flatter. Souvenez-vous, s'il vous plaît, de la manière dont notre ami Guarini traite ces gens-là :

Huomo sono, e mi preggio d'esser humano :

E teco, che sei huomo.
E ch'altro esser non puoi,
Come huomo parlo di cosa humana.
E se di cotal nome forse ti sdegni,
Guarda, garzon superbo,
Che, nel dishumanarti,
Non divenghi una fiera, anzi ch'un dio.

Voilà, Monsieur, comme il faut parler de l'orgueil de la nature humaine ; et au lieu de se fâcher contre le miroir qui nous fait voir nos défauts, au lieu de savoir mauvais gré à ceux qui nous les découvrent, ne vaudrait-il pas mieux nous servir des lumières qu'ils nous donnent pour connaître l'amour-propre et l'orgueil, et pour nous garantir des surprises continuelles qu'ils font à notre raison ? Peut-on jamais donner assez d'aversion pour ces deux vices, qui furent les causes funestes de la révolte de notre premier père, ni trop décrier ces sources malheureuses de toutes nos misères ?

Que les autres prennent donc comme ils voudront les Réflexions morales. Pour moi je les considère comme peinture ingénieuse de toutes les singeries du faux sage ; il me semble que, dans chaque trait, l'amour de la vérité lui ôte le masque, et le montre tel qu'il est. Je les regarde comme des leçons d'un maître qui entend parfaitement l'art de connaître les hommes, qui démêle admirablement bien tous les rôles qu'ils jouent dans le monde, et qui non seulement nous fait prendre garde aux différents caractères des personnages du théâtre, mais encore qui nous fait voir, en levant un coin du rideau, que cet amant et ce roi de la comédie sont les mêmes acteurs qui font le docteur et le bouffon dans la farce. Je vous avoue que je n'ai rien lu de notre temps qui m'ait donné plus de mépris pour l'homme, et plus de honte à ma propre vanité. Je pense toujours trouver à l'ouverture du livre quelque ressemblance aux mouvements secrets de mon cœur ; je me tâte moi-même pour examiner s'il dit vrai, et je trouve qu'il le dit presque toujours, et de moi et des autres, plus qu'on ne voudrait. D'abord j'en ai quelque dépit, je rougis quelquefois de voir qu'il ait deviné, mais je sens bien, à force de le lire, que si je n'apprends à devenir plus sage, j'apprends au moins à connaître que je ne le suis pas ; j'apprends enfin, par l'opinion qu'il me donne de moi-même, à ne me répandre pas sottement dans l'admiration de toutes ces vertus dont l'éclat nous saute aux yeux. Les hypocrites passent mal leur temps à la lecture d'un livre comme celui-là. Défiez-vous donc, Monsieur, de ceux qui vous en diront du mal, et soyez assuré qu'ils n'en disent que parce qu'ils sont au désespoir de voir révéler des mystères qu'ils voudraient pouvoir cacher toute leur vie aux autres et à eux-mêmes.

En ne voulant vous faire qu'une lettre, je me suis engagé insensiblement à vous écrire un grand discours ; appelez-le comme vous voudrez, ou discours ou lettre, il ne m'importe, pourvu que vous en soyez content, et que vous me fassiez l'honneur de me croire,

MONSIEUR,

Votre, etc.

Réflexions morales

I

L'amour-propre est l'amour de soi-même, et de toutes choses pour soi ; il rend les hommes idolâtres d'eux-mêmes, et les rendrait les tyrans des autres si la fortune leur en donnait les moyens ; il ne se repose jamais hors de soi et ne s'arrête dans les sujets étrangers que comme les abeilles sur les fleurs, pour en tirer ce qui lui est propre. Rien n'est si impétueux que ses désirs, rien de si caché que ses desseins, rien de si habile que ses conduites ; ses souplesses ne se peuvent représenter, ses transformations passent celles des métamorphoses, et ses raffinements ceux de la chimie. On ne peut sonder la profondeur, ni percer les ténèbres de ses abîmes. Là il est à couvert des yeux les plus pénétrants, il y fait mille insensibles tours et retours. Là il est souvent invisible à lui-même, il y conçoit, il y nourrit, et il y élève, sans le savoir, un grand nombre d'affections et de haines ; il en forme de si monstrueuses que, lorsqu'il les a mises au jour, il les méconnaît ou il ne peut se résoudre à les avouer. De cette nuit qui le couvre naissent les ridicules persuasions qu'il a de lui-même, de là viennent ses erreurs, ses ignorances, ses grossièretés et ses niaiseries sur son sujet ; de là vient qu'il croit que ses sentiments sont morts lorsqu'ils ne sont qu'endormis, qu'il s'imagine n'avoir plus envie de courir dès qu'il se repose et qu'il pense avoir perdu tous les goûts qu'il a rassasiés. Mais cette obscurité épaisse, qui le cache à lui-même, n'empêche pas qu'il ne voie parfaitement ce qui est hors de lui, en quoi il est semblable à nos yeux, qui découvrent tout, et sont aveugles seulement pour eux-mêmes. En effet dans ses plus grands intérêts, et dans ses plus importantes affaires, où la violence de ses souhaits appelle toute son attention, il voit, il sent, il entend, il imagine, il soupçonne, il pénètre, il devine tout ; de sorte qu'on est tenté de croire que chacune de ses passions a une espèce de magie qui lui est propre. Rien n'est si intime et si fort que ses attachements, qu'il essaye de rompe inutilement à la vue des malheurs extrêmes qui le menacent. Cependant il fait quelquefois en peu de temps, et sans aucun effort, ce qu'il n'a pu faire avec tous ceux dont il est capable dans le cours de plusieurs années ; d'où l'on pourrait conclure assez vraisemblablement que c'est par lui-même que ses désirs sont allumés, plutôt que par la beauté et par le mérite de ses objets ; que son goût est le prix qui les relève et le fard qui les embellit ; que c'est après lui-même qu'il court, et qu'il suit son gré, lorsqu'il suit les choses qui sont à son gré. Il est tous les contraires, il est impérieux et obéissant, sincère et dissimulé, miséricordieux et cruel, timide et audacieux. Il a de différentes inclinations selon la diversité des tempéraments qui le tournent et le dévouent tantôt à la gloire, tantôt aux richesses, et tantôt aux plaisirs ; il en change selon le changement de nos âges, de nos fortunes et de nos expériences ; mais il lui est indifférent d'en avoir plusieurs ou de n'en avoir qu'une, parce qu'il se partage en plusieurs et se ramasse en une quand il le faut, et comme il lui plaît. Il est inconstant, et outre les changements qui viennent des causes étrangères, il y en a une infinité qui naissent de lui et de son propre fonds ; il est inconstant d'inconstance, de légèreté, d'amour, de nouveauté, de lassitude et de dégoût ; il est capricieux, et on le voit quelquefois travailler avec le dernier empressement, et avec des travaux incroyables, à obtenir des choses qui ne lui sont point avantageuses, et qui même lui sont nuisibles, mais qu'il poursuit parce qu'il les veut. Il est bizarre, et met souvent toute son application dans les emplois les plus frivoles ; il trouve tout son plaisir dans les plus fades, et conserve toute sa fierté dans les plus méprisables. Il est dans tous les états de la vie, et dans toutes les conditions ; il vit partout, et il vit de tout, il vit de rien ; il s'accommode des choses, et de leur privation ; il passe même dans le parti des gens qui lui font la guerre, il entre dans leurs desseins ; et ce qui est admirable, il se hait lui-même avec eux, il conjure sa perte, il travaille même à sa ruine. Enfin il ne se soucie que d'être, et pourvu qu'il soit, il veut bien être son ennemi. Il ne faut donc pas s'étonner s'il se joint quelquefois à la plus rude austérité, et s'il entre si hardiment en société avec elle pour se détruire, parce que, dans le même temps qu'il se ruine en un endroit, il se rétablit en un autre ; quand on pense qu'il quitte son plaisir, il ne fait que le suspendre, ou le changer, et lors même qu'il est vaincu et qu'on croit en être défait, on le retrouve qui triomphe dans sa propre défaite. Voilà la peinture de l'amour-propre, dont toute la vie n'est qu'une grande et longue agitation ; la mer en est une image sensible, et l'amour-propre trouve dans le flux et le reflux de ses vagues continuelles une fidèle expression de la succession turbulente de ses pensées, et de ses éternels mouvements.

II

L'amour-propre est le plus grand de tous les flatteurs.

III

Quelque découverte que l'on ait faite dans le pays de l'amour-propre, il reste bien encore des terres inconnues.

IV

L'amour-propre est plus habile que le plus habile homme du monde.

V

La durée de nos passions ne dépend pas plus de nous que la durée de notre vie.

VI

La passion fait souvent du plus habile homme un fol, et rend quasi toujours les plus sots habiles.

VII

Les grandes et éclatantes actions qui éblouissent les yeux sont représentées par les politiques comme les effets des grands intérêts, au lieu que ce sont d'ordinaire les effets de l'humeur et des passions. Ainsi la guerre d'Auguste et d'Antoine, qu'on rapporte à l'ambition qu'ils avaient de se rendre maîtres du monde, était un effet de jalousie.

VIII

Les passions sont les seuls orateurs qui persuadent toujours. Elles sont comme un art de la nature dont les règles sont infaillibles ; et l'homme le plus simple que la passion fait parler persuade mieux que celui qui n'a que la seule éloquence.

IX

Les passions ont une injustice et un propre intérêt qui fait qu'il est dangereux de les suivre, lors même qu'elles paraissent les plus raisonnables.

X

Il y a dans le cœur humain une génération perpétuelle de passions, en sorte que la ruine de l'une est toujours l'établissement d'une autre.

XI

Les passions en engendrent souvent qui leur sont contraires. L'avarice produit quelquefois la libéralité, et la libéralité l'avarice ; on est souvent ferme de faiblesse, et l'audace naît de la timidité.

XII

Quelque industrie que l'on ait à cacher ses passions sous le voile de la piété, et de l'honneur, il y en a toujours quelque endroit qui se montre.

XIII

Toutes les passions ne sont autre chose que les divers degrés de la chaleur, et de la froideur, du sang.

XIV

Les hommes ne sont pas seulement sujets à perdre également le souvenir des bienfaits, et des injures, mais ils haïssent ceux qui les ont obligés, et cessent de haïr ceux qui leur ont fait des outrages. L'application à récompenser le bien, et à se venger du mal, leur paraît une servitude à laquelle ils ont peine à se soumettre.

XV

La clémence des princes est souvent une politique dont ils se servent pour gagner l'affection des peuples.

XVI

La clémence, dont nous faisons une vertu, se pratique tantôt pour la gloire, quelquefois par paresse, souvent par crainte, et presque toujours par tous les trois ensemble.

XVII

La modération, dans la plupart des hommes, n'a garde de combattre et de soumettre l'ambition, puisqu'elles ne se peuvent trouver ensemble, la modération n'étant d'ordinaire qu'une paresse, une langueur, et un manque de courage : de manière qu'on peut justement dire à leur égard que la modération est une bassesse de l'âme, comme l'ambition en est l'élévation.

XVIII

La modération dans la bonne fortune n'est que l'appréhension de la honte qui suit l'emportement, ou la peur de perdre ce que l'on a.

XIX

La modération des personnes heureuses est le calme de leur humeur, adoucie par la possession du bien.

XX

La modération est une crainte de l'envie, et du mépris, qui suivent ceux qui s'enivrent de leur bonheur ; c'est une vaine ostentation de la force de notre esprit ; et enfin, pour la bien définir, la modération des hommes dans leurs plus hautes élévations est une ambition de paraître plus grands que les choses qui les élèvent.

XXI

La modération est comme la sobriété, on voudrait bien manger davantage, mais on craint de se faire mal.

XXII

Nous avons tous assez de force pour supporter les maux d'autrui.

XXIII

La constance des sages n'est qu'un art, avec lequel ils savent enfermer leur agitation dans leur cœur.

XXIV

Ceux qu'on fait mourir affectent quelquefois des constances, de froideurs, et des mépris de la mort, pour ne pas penser à elle, de sorte qu'on peut dire que ces froideurs et ces mépris font à leur esprit ce que le bandeau fait à leurs yeux.

XXV

La philosophie triomphe aisément de maux passés, et de ceux qui ne sont pas prêts d'arriver. Mais les maux présents triomphent d'elle.

XXVI

Peu de gens connaissent la mort. On ne la souffre pas ordinairement par résolution, mais par stupidité et par coutume, et la plupart des hommes meurent parce qu'on meurt.

XXVII

Les grands hommes s'abattent et se démontent à la fin par la longueur de leurs infortunes ; cela fait bien voir qu'ils n'étaient pas forts quand ils les supportaient, mais seulement qu'ils se donnaient la gêne pour le paraître, et qu'ils soutenaient leurs malheurs par la force de leur ambition, et non pas par celle de leur âme, enfin, à une grande vanité près, les héros sont faits comme les autres hommes.

XXVIII

Il faut de plus grandes vertus, et en plus grand nombre, pour soutenir la bonne fortune que la mauvaise.

XXIX

Le soleil ni la mort ne se peuvent regarder fixement.

XXX

Quoique toutes les passions se dussent cacher, elles ne craignent pas néanmoins le jour ; la seule envie est une passion timide et honteuse d'elle-même, qui n'ose se laisser voir.

XXXI

La jalousie est raisonnable, et juste en quelque manière, puisqu'elle ne cherche qu'à conserver un bien qui nous appartient, ou que nous croyons nous appartenir ; au lieu que l'envie est une fureur qui nous fait toujours souhaiter la ruine du bien des autres.

XXXII

Le mal que nous faisons ne nous attire point tant de persécution et de haine que les bonnes qualités que nous avons.

XXXIII

Tout le monde trouve à redire en autrui ce qu'on trouve à redire en lui.

XXXIV

Si nous n'avions point de défauts, nous ne serions pas si aises d'en remarquer aux autres.

XXXV

La jalousie ne subsiste que dans les doutes, l'incertitude est sa matière ; c'est une passion qui cherche tous les jours de nouveaux sujets d'inquiétude, et de nouveaux tourments ; on cesse d'être jaloux dès qu'on est éclairci de ce qui causait la jalousie.

XXXVI

L'orgueil se dédommage toujours, et il ne perd rien lors même qu'il renonce à la vanité.

XXXVII

L'orgueil, comme lassé de ses artifices et de ses différentes métamorphoses, après avoir joué tout seul tous les personnages de la comédie humaine, se montre avec un visage naturel, et se découvre par la fierté ; de sorte qu'à proprement parler la fierté est l'éclat et la déclaration de l'orgueil.

XXXVIII

Si nous n'avions point d'orgueil, nous ne nous plaindrions pas de celui des autres.

XXXIX

L'orgueil est égal dans tous les hommes, et il n'y a de différence qu'aux moyens et à la manière de le mettre au jour.

XL

La nature, qui a si sagement pourvu à la vie de l'homme par la disposition admirable des organes du corps, lui a sans doute donné l'orgueil pour lui épargner la douleur de connaître ses imperfections et ses misères.

XLI

L'orgueil a bien plus de part que la bonté aux remontrances que nous faisons à ceux qui commettent des fautes ; et nous les reprenons bien moins pour les en corriger que pour les persuader que nous en sommes exempts

XLII

Nous promettons selon nos espérances, et nous tenons selon nos craintes.

XLIII

L'intérêt parle toutes sortes de langues, et joue toutes sortes de personnages, et même celui de désintéressé.

XLIV

L'intérêt, à qui on reproche d'aveugler les uns, est tout ce qui fait la lumière des autres.

XLV

Ceux qui s'appliquent trop aux petites choses deviennent ordinairement incapables des grandes.

XLVI

Nous n'avons pas assez de force pour suivre toute notre raison.

XLVII

L'homme est conduit, lorsqu'il croit se conduire, et pendant que par son esprit il vise à un endroit, son cœur l'achemine insensiblement à un autre

XLVIII

Nous ne nous apercevons que des emportements, et des mouvements extraordinaires de nos humeurs, et de notre tempérament, comme de la violence de la colère, mais personne quasi ne s'aperçoit que ces humeurs ont un cours ordinaire et réglé, qui meut et tourne imperceptiblement notre volonté à des actions différentes, elles roulent ensemble, s'il faut ainsi dire, et exercent successivement un empire secret en nous-mêmes ; de sorte qu'elles ont une part considérable en toutes nos actions, sans que nous le puissions reconnaître.

XLIX

La force et la faiblesse de l'esprit sont mal nommées : elles ne sont en effet que la bonne ou la mauvaise disposition des organes du corps.

L

Le caprice de notre humeur est encore plus bizarre que celui de la fortune.

LI

La complexion qui fait le talent pour les petites choses est contraire à celle qu'il faut pour le talent des grandes.

LII

L'attachement ou l'indifférence pour la vie sont des goûts de l'amour-propre, dont on ne doit non plus disputer que de ceux de la langue ou du choix des couleurs.

LIII

C'est une espèce de bonheur de connaître jusques à quel point on doit être malheureux.

LIV

La félicité est dans le goût et non pas dans les choses ; et c'est par avoir ce qu'on aime qu'on est heureux, et non pas par avoir ce que les autres trouvent aimable.

LV

Quand on ne trouve pas son repos en soi-même, il est inutile de le chercher ailleurs.

LVI

On n'est jamais si heureux ni si malheureux que l'on pense.

LVII

Ceux qui se sentent du mérite se piquent toujours d'être malheureux, pour persuader aux autres, et à eux-mêmes, qu'ils sont au-dessus de leurs malheurs, et qu'ils sont dignes d'être en butte à la fortune.

LVIII

Rien ne doit tant diminuer la satisfaction que nous avons de nous-mêmes, que de voir que nous avons été contents dans l'état, et dans les sentiments, que nous désapprouvons à cette heure.

LIX

On n'est jamais si malheureux qu'on croit, ni si heureux qu'on avait espéré.

LX

On se console souvent d'être malheureux par un certain plaisir qu'on trouve à le paraître.

LXI

Quelque différence qu'il y ait entre les fortunes, il y a pourtant une certaine proportion de biens et de maux qui les rend égales.

LXII

Quelques grands avantages que la nature donne, ce n'est pas elle, mais la fortune qui fait les héros.

LXIII

Le mépris des richesses dans les philosophes était un désir caché de venger leur mérite de l'injustice de la fortune par le mépris des mêmes biens dont elle les privait ; c'était un secret qu'ils avaient trouvé pour se dédommager de l'avilissement de la pauvreté ; c'était enfin un chemin détourné pour aller à la considération qu'ils ne pouvaient avoir par les richesses.

LXIV

La haine qu'on a pour les favoris n'est autre chose que l'amour de la faveur. Le dépit de ne la pas posséder se console et s'adoucit un peu par le mépris de ceux qui la possèdent ; c'est enfin une secrète envie de la détruire, qui fait que nous leur ôtons nos propres hommages, ne pouvant pas leur ôter ce qui leur attire ceux de tout le monde.

LXV

Pour s'établir dans le monde on fait tout ce que l'on peut pour y paraître établi.

LXVI

Quoique la grandeur des ministres se flatte de celle de leurs actions, elles sont bien plus souvent les effets du hasard ou de quelque petit dessein.

LXVII

Il semble que nos actions aient des étoiles heureuses ou malheureuses, aussi bien que nous, d'où dépend une grande partie de la louange et du blâme qu'on leur donne.

LXVIII

Il n'y a point d'accidents si malheureux dont les habiles gens ne tirent quelque avantage, ni de si heureux que les imprudents ne puissent tourner à leur préjudice.

LXIX

La fortune ne laisse rien perdre pour les hommes heureux.

LXX

Il faudrait pouvoir répondre de sa fortune, pour pouvoir répondre de ce que l'on fera.

LXXI

La sincérité est une naturelle ouverture de cœur. On la trouve en fort peu de gens ; et celle qui se pratique d'ordinaire n'est qu'une fine dissimulation pour arriver à la confiance des autres.

LXXII

L'aversion du mensonge est une imperceptible ambition de rendre nos témoignages considérables, et d'attirer à nos paroles un respect de religion.

LXXIII

La vérité ne fait pas tant de bien dans le monde que les apparences de la vérité font de mal.

LXXIV

Comment peut-on répondre de ce qu'on voudra à l'avenir, puisque l'on ne sait pas précisément ce que l'on veut dans le temps présent ?

LXXV

On élève la prudence jusqu'au ciel, et il n'est sorte d'éloge qu'on ne lui donne elle est la règle de nos actions et de notre conduite, elle est la maîtresse de la fortune, elle fait le destin des empires, sans elle on a tous les maux, avec elle on a tous les biens, et comme disait autrefois un poète, quand nous avons la prudence, il ne nous manque aucune divinité, pour dire que nous trouvons dans la prudence tout le secours que nous demandons aux dieux. Cependant la prudence la plus consommée ne saurait nous assurer du plus petit effet du monde, parce que travaillant sur une matière aussi changeante et aussi inconnue qu'est l'homme, elle ne peut exécuter sûrement aucun de ses projets : d'où il faut conclure que toutes les louanges dont nous flattons notre prudence ne sont que des effets de notre amour-propre, qui s'applaudit en toutes choses, et en toutes rencontres.

LXXVI

Un habile homme doit savoir régler le rang de ses intérêts et les conduire chacun dans son ordre. Notre avidité le trouble souvent en nous faisant courir à tant de choses à la fois que, pour désirer trop les moins importantes, nous ne les faisons pas assez servir à obtenir les plus considérables.

LXXVII

L'amour est à l'âme de celui qui aime ce que l'âme est au corps qu'elle anime.

LXXVIII

Il est malaisé de définir l'amour ; tout ce qu'on peut dire est que dans l'âme c'est une passion de régner, dans les esprits c'est une sympathie, et dans le corps ce n'est qu'une envie cachée et délicate de jouir de ce que l'on aime après beaucoup de mystères.

LXXIX

Il n'y a point d'amour pur et exempt de mélange de nos autres passions que celui qui est caché au fond du cœur, et que nous ignorons nous-mêmes.

LXXX

Il n'y a point de déguisement qui puisse longtemps cacher l'amour où il est, ni le feindre où il n'est pas.

LXXXI

Comme on n'est jamais en liberté d'aimer, ou de cesser d'aimer, l'amant ne peut se plaindre avec justice de l'inconstance de sa maîtresse, ni elle de la légèreté de son amant.

LXXXII

Si on juge de l'amour par la plupart de ses effets, il ressemble plus à la haine qu'à l'amitié.

LXXXIII

On peut trouver des femmes qui n'ont jamais fait de galanterie ; mais il est rare d'en trouver qui n'en aient jamais fait qu'une.

LXXXIV

Il n'y a que d'une sorte d'amour ; mais il y en a mille différentes copies.

LXXXV

L'amour aussi bien que le feu ne peut subsister sans un mouvement continuel, et il cesse de vivre dès qu'il cesse d'espérer ou de craindre.

LXXXVI

Il est de l'amour comme de l'apparition des esprits : tout le monde en parle, mais peu de gens en ont vu.

LXXXVII

L'amour prête son nom à un nombre infini de commerces qu'on lui attribue, où il n'a non plus de part que le Doge en a à ce qui se fait à Venise.

LXXXVIII

La justice n'est qu'une vive appréhension qu'on ne nous ôte ce qui nous appartient ; de là vient cette considération et ce respect pour tous les intérêts du prochain, et cette scrupuleuse application à ne lui faire aucun préjudice ; cette crainte retient l'homme dans les bornes des biens que la naissance, ou la fortune, lui ont donnés, et sans cette crainte il ferait des courses continuelles sur les autres.

LXXXIX

La justice, dans les juges qui sont modérés, n'est que l'amour de leur élévation.

XC

On blâme l'injustice, non pas par l'aversion que l'on a pour elle, mais pour le préjudice que l'on en reçoit.

XCI

L'amour de la justice n'est que la crainte de souffrir l'injustice.

XCII

Le silence est le parti le plus sûr de celui qui se défie de soi-même.

XCIII

Ce qui rend nos inclinations si légères, et si changeantes, c'est qu'il est aisé de connaître les qualités de l'esprit, et difficile de connaître celles de l'âme.

XCIV

L'amitié la plus désintéressée n'est qu'un trafic où notre amour-propre se propose toujours quelque chose à gagner.

XCV

La réconciliation avec nos ennemis, qui se fait au nom de la sincérité, de la douceur et de la tendresse, n'est qu'un désir de rendre sa condition meilleure, une lassitude de la guerre, et une crainte de quelque mauvais événement.

XCVI

Quand nous sommes las d'aimer, nous sommes bien aises que l'on devienne infidèle, pour nous dégager de notre fidélité.

XCVII

Le premier mouvement de joie que nous avons du bonheur de nos amis ne vient ni de la bonté de notre naturel, ni de l'amitié que nous avons pour eux ; c'est un effet de l'amour-propre qui nous flatte de l'espérance d'être heureux à notre tour ou de retirer quelque utilité de leur bonne fortune.

XCVIII

Nous nous persuadons souvent mal à propos d'aimer les gens plus puissants que nous ; l'intérêt seul produit notre amitié, et nous ne nous donnons pas à eux pour le bien que nous leur voulons faire, mais pour celui que nous en voulons recevoir.

XCIX

Dans l'adversité de nos meilleurs amis, nous trouvons toujours quelque chose qui ne nous déplaît pas.

C

Comment prétendons-nous qu'un autre garde notre secret si nous n'avons pas pu le garder nous-mêmes ?

CI

Comme si ce n'était pas assez à l'amour-propre d'avoir la vertu de se transformer lui-même, il a encore celle de transformer les objets, ce qu'il fait d'une manière fort étonnante ; car non seulement il les déguise si bien qu'il y est lui-même trompé, mais il change aussi l'état et la nature des choses. En effet, lorsqu'une personne nous est contraire, et qu'elle tourne sa haine et sa persécution contre nous, c'est avec toute la sévérité de la justice que l'amour-propre juge de ses actions ; il donne à ses défauts une étendue qui les rend énormes, et il met ses bonnes qualités dans un jour si désavantageux qu'elles deviennent plus dégoûtantes que ses défauts. Cependant, dès que cette même personne nous devient favorable ou que quelqu'un de nos intérêts la réconcilie avec nous, notre seule satisfaction rend aussitôt à son mérite le lustre que notre aversion venait de lui ôter ; les mauvaises qualités s'effacent et les bonnes parassent avec plus d'avantage qu'auparavant ; nous rappelons même toute notre indulgence pour la forcer à justifier la guerre qu'elle nous a faite. Quoique toutes les passions montrent cette vérité, l'amour la fait voir plus clairement que les autres ; car nous voyons un amoureux, agité de la rage où l'a mis l'oubli ou l'infidélité de ce qu'il aime, méditer pour sa vengeance tout ce que cette passion inspire de plus violent ; néanmoins, aussitôt que sa vue a calmé la fureur de ses mouvements, son ravissement rend cette beauté innocente, il n'accuse plus que lui-même, il condamne ses condamnations, et par cette vertu miraculeuse de l'amour-propre il ôte la noirceur aux mauvaises actions de sa maîtresse et en sépare le crime pour s'en charger lui-même.

CII

L'aveuglement des hommes est le plus dangereux effet de leur orgueil : il sert à le nourrir et à l'augmenter, et nous ôte la connaissance des remèdes qui pourraient soulager nos misères et nous guérir de nos défauts.

CIII

On n'a plus de raison, quand on n'espère plus d'en trouver aux autres.

CIV

On a autant de sujet de se plaindre de ceux qui nous apprennent à nous connaître nous-mêmes, qu'en eut ce fou d'Athènes de se plaindre du médecin qui l'avait guéri de l'opinion d'être riche.

CV

Les philosophes, et Sénèque surtout, n'ont point ôté les crimes par leurs préceptes : ils n'ont fait que les employer au bâtiment de l'orgueil.

CVI

Les vieillards aiment à donner de bons préceptes, pour se consoler de n'être plus en état de donner de mauvais exemples.

CVII

Le jugement n'est autre chose que la grandeur de la lumière de l'esprit ; son étendue est la mesure de sa lumière ; sa profondeur est celle qui pénètre le fond des choses ; son discernement les compare et les distingue ; sa justesse ne voit que ce qu'il faut voir ; sa droiture les prend toujours par le bon biais ; sa délicatesse aperçoit celles qui paraissent imperceptibles, et le jugement décide ce que les choses sont. Si on l'examine bien, on trouvera que toutes ces qualités ne sont autre chose que la grandeur de l'esprit, lequel, voyant tout, rencontre dans la plénitude de ses lumières tous les avantages dont nous venons de parler.

CVIII

Chacun dit du bien de son cœur, et personne n'en ose dire de son esprit.

CIX

La politesse de l'esprit est un tour par lequel il pense toujours des choses honnêtes et délicates.

CX

La galanterie de l'esprit est un tour de l'esprit par lequel il entre dans les choses les plus flatteuses, c'est-à-dire celles qui sont le plus capables de plaire aux autres.

CXI

Il y a de jolies choses que l'esprit ne cherche point, et qu'il trouve toutes achevées en lui-même ; il semble qu'elles y soient cachés, comme l'or et les diamants dans le sein de la terre.

CXII

L'esprit est toujours la dupe du cœur.

CXIII

Bien des gens connaissent leur esprit, qui ne connaissent pas leur cœur.

CXIV

Toutes les grandes choses ont leur point de perspective, comme les statues ; il y en a qu'il faut voir de près pour en bien juger, et il y en a d'autres dont on ne juge jamais si bien que quand on en est éloigné.

CXV

Celui-là n'est pas raisonnable à qui le hasard fait trouver la raison, mais celui qui la connaît, qui la discerne, et qui la goûte.

CXVI

Pour bien savoir les choses, il en faut savoir le détail ; et comme il est presque infini, nos connaissances sont toujours superficielles et imparfaites.

CXVII

Il n'y a point de plaisir qu'on fasse plus volontiers à un ami que celui de lui donner conseil.

CXVIII

Rien n'est plus divertissant que de voir deux hommes assemblés, l'un pour demander conseil, et l'autre pour le donner : l'un paraît avec une déférence respectueuse, et dit qu'il vient recevoir des instructions pour sa conduite ; et son dessein, le plus souvent, est de faire approuver ses sentiments, et de rendre celui qu'il vient consulter garant de l'affaire qu'il lui propose. Celui qui conseille paye d'abord la confiance de son ami des marques d'un zèle ardent et désintéressé, et il cherche en même temps, dans ses propres intérêts, des règles de conseiller ; de sorte que son conseil lui est bien plus propre qu'à celui qui le reçoit.

CXIX

On est au désespoir d'être trompé par ses ennemis, et trahi par ses amis ; et on est souvent satisfait de l'être par soi-même.

CXX

Il est aussi aisé de se tromper soi-même sans s'en apercevoir qu'il est difficile de tromper les autres sans qu'ils s'en aperçoivent.

CXXI

La plus déliée de toutes les finesses est de savoir bien faire semblant de tomber dans les pièges que l'on nous tend ; on n'est jamais si aisément trompé que quand on songe à tromper les autres.

CXXII

L'intention de ne jamais tromper nous expose à être souvent trompés.

CXXIII

La coutume que nous avons de nous déguiser aux autres, pour acquérir leur estime, fait qu'enfin nous nous déguisons à nous-mêmes.

CXXIV

L'on fait plus souvent des trahisons par faiblesse que par un dessein formé de trahir.

CXXV

On fait souvent du bien pour pouvoir faire du mal impunément.

CXXVI

Les plus habiles affectent toute leur vie d'éviter les finesses pour s'en servir en quelque grande occasion et pour quelque grand intérêt.

CXXVII

L'usage ordinaire de la finesse est l'effet d'un petit esprit, et il arrive quasi toujours que celui qui s'en sert pour se couvrir en un endroit se découvre en un autre.

CXXVIII

Si on était toujours assez habile, on ne ferait jamais de finesses ni de trahisons.

CXXIX

On est fort sujet à être trompé quand on croit être plus fin que les autres.

CXXX

La subtilité est une fausse délicatesse, et la délicatesse est une solide subtilité.

CXXXI

C'est quelquefois assez d'être grossier pour n'être pas trompé par un habile homme.

CXXXII

Les plus sages le sont dans les choses indifférentes, mais ils ne le sont presque jamais dans leurs plus sérieuses affaires.

CXXXIII

Il est plus aisé d'être sage pour les autres que de l'être assez pour soi-même.

CXXXIV

La plus subtile folie se fait de la plus subtile sagesse.

CXXXV

La sobriété est l'amour de la santé, ou l'impuissance de manger beaucoup.

CXXXVI

On n'est jamais si ridicule par les qualités que l'on a que par celles que l'on affecte d'avoir.

CXXXVII

Chaque homme se trouve quelquefois aussi différent de lui-même qu'il l'est des autres.

CXXXVIII

Chaque talent dans les hommes, de même que chaque arbre, a ses propriétés et ses effets qui lui sont tous particuliers.

CXXXIX

Quand la vanité ne fait point parler, on n'a pas envie de dire grand'chose.

CXL

On aime mieux dire du mal de soi que de n'en point parler.

CXLI

Une des choses qui fait que l'on trouve si peu de gens qui paraissent raisonnables et agréables dans la conversation, c'est qu'il n'y a quasi personne qui ne pense plutôt à ce qu'il veut dire qu'à répondre précisément à ce qu'on lui dit, et que les plus habiles et les plus complaisants se contentent de montrer seulement une mine attentive, au même temps que l'on voit dans leurs yeux et dans leur esprit un égarement pour ce qu'on leur dit, et une précipitation pour retourner à ce qu'ils veulent dire ; au lieu de considérer que c'est un mauvais moyen de plaire aux autres ou de les persuader, que de chercher si fort à se plaire à soi-même, et que bien écouter et bien répondre est une des plus grandes perfections qu'on puisse avoir dans la conversation.

CXLII

Un homme d'esprit serait souvent bien embarrassé sans la compagnie des sots.

CXLIII

On se vante souvent mal à propos de ne se point ennuyer, et l'homme est si glorieux qu'il ne veut pas se trouver de mauvaise compagnie.

CXLIV

On n'oublie jamais mieux les choses que quand on s'est lassé d'en parler.

CXLV

Comme c'est le caractère des grands esprits de faire entendre avec peu de paroles beaucoup de choses, les petits esprits en revanche ont le don de beaucoup parler, et de ne dire rien.

CXLVI

C'est plutôt par l'estime de nos propres sentiments que nous exagérons les bonnes qualités des autres, que par leur mérite ; et nous nous louons en effet, lorsqu'il semble que nous leur donnons des louanges.

CXLVII

La modestie, qui semble refuser les louanges, n'est en effet qu'un désir d'en avoir de plus délicates.

CXLVIII

On n'aime point à louer, et on ne loue jamais personne sans intérêt. La louange est une flatterie habile, cachée, et délicate, qui satisfait différemment celui qui la donne, et celui qui la reçoit. L'un la prend comme une récompense de son mérite ; l'autre la donne pour faire remarquer son équité et son discernement.

CXLIX

Ier état – Nous choisissons souvent des louanges empoisonnées qui font voir par contrecoup en ceux que nous louons des défauts que nous n'osons découvrir autrement.

2e état – Même texte, augmenté de la phrase suivante : Nous élevons la gloire des uns pour abaisser par là celle des autres, et on louerait moins Monsieur le Prince et Monsieur de Turenne si on ne les voulait point blâmer tous deux.

CL

On ne loue que pour être loué.

CLI

On ne blâme le vice et on ne loue la vertu que par intérêt.

CLII

Peu de gens sont assez sages pour aimer mieux le blâme qui leur sert que la louange qui les trahit.

CLIII

Il y a des reproches qui louent, et des louanges qui médisent.

CLIV

Le refus des louanges est un désir d'être loué deux fois.

CLV

La louange qu'on nous donne sert au moins à nous fixer dans la pratique des vertus.

CLVI

L'approbation que l'on donne à l'esprit, à la beauté et à la valeur, les augmente, les perfectionne, et leur fait faire de plus grands effets qu'ils n'auraient été capables de faire d'eux-mêmes.

CLVII

L'amour-propre empêche bien que celui qui nous flatte ne soit jamais celui qui nous flatte le plus.

CLVIII

Si nous ne nous flattions point nous-mêmes, la flatterie des autres ne nous ferait jamais de mal.

CLIX

On ne fait point de distinction dans les espèces de colères, bien qu'il y en ait une légère et quasi innocente, qui vient de l'ardeur de la complexion, et une autre très criminelle, qui est à proprement parler la fureur de l'orgueil.

CLX

La nature fait le mérite, et la fortune le met en œuvre.

CLXI

Les grandes âmes ne sont pas celles qui ont moins de passions et plus de vertu que les âmes communes, mais celles seulement qui ont de plus grands desseins.

CLXII

Ier état – Comme il y a de bonnes viandes qui affadissent le cœur, il y a un mérite fade, et des personnes qui dégoûtent avec des qualités bonnes et inestimables.

2e état – Idem, sauf le dernier mot : estimables.

CLXIII

Il y a des gens dont le mérite consiste à dire et à faire des sottises utilement, et qui gâteraient tout s'ils changeaient de conduite.

CLXIV

L'art de savoir bien mettre en œuvre de médiocres qualités donne souvent plus de réputation que le véritable mérite.

CLXV

Les rois font des hommes comme des pièces de monnaie ; ils les font valoir ce qu'ils veulent, et l'on est forcé de les recevoir selon leur cours, et non pas selon leur véritable prix.

CLXVI

Ce n'est pas assez d'avoir de grandes qualités, il en faut avoir l'économie.

CLXVII

On se mécompte toujours dans le jugement que l'on fait de nos actions, quand elles sont plus grandes que nos desseins.

CLXVIII

Il faut une certaine proportion entre les actions et les desseins si on en veut tirer tous les effets qu'elles peuvent produire.

CLXIX

La gloire des grands hommes se doit mesurer aux moyens qu'ils ont eus pour l'acquérir.

CLXX

Il y a une infinité de conduites qui ont un ridicule apparent, et qui sont, dans leurs raisons cachées, très sages et très solides.

CLXXI

Il est plus aisé de paraître digne des emplois qu'on n'a pas que de ceux qu'on exerce.

CLXXII

Notre mérite nous attire l'estime des honnêtes gens, et notre étoile celle du public.

CLXXIII

Le monde récompense plus souvent les apparences du mérite que le mérite même.

CLXXIV

La férocité naturelle fait moins de cruels que l'amour-propre.

CLXXV

L'espérance, toute trompeuse qu'elle est, sert au moins à nous mener à la fin de la vie par un chemin agréable.

CLXXVI

On peut dire de toutes nos vertus ce qu'un poète italien a dit de l'honnêteté des femmes, que ce n'est souvent autre chose qu'un art de paraître honnête.

CLXXVII

Pendant que la paresse et la timidité ont seules le mérite de nous tenir dans notre devoir, notre vertu en a souvent tout l'honneur.

CLXXVIII

Il n'y a personne qui sache si un procédé net, sincère et honnête, est plutôt un effet de probité que d'habileté.

CLXXIX

Ce que le monde nomme vertu n'est d'ordinaire qu'un fantôme formé par nos passions, à qui on donne un nom honnête, pour faire impunément ce qu'on veut.

CLXXX

Toutes les vertus se perdent dans l'intérêt, comme les fleuves se perdent dans la mer.

CLXXXI

Nous sommes préoccupés de telle sorte en notre faveur que ce que nous prenons souvent pour des vertus n'est en effet qu'un nombre de vices qui leur ressemblent, et que l'orgueil et l'amour-propre nous ont déguisés.

CLXXXII

La curiosité n'est pas comme l'on croit un simple amour de la nouveauté ; il y en a une d'intérêt, qui fait que nous voulons savoir les choses pour nous en prévaloir ; il y en a une autre d'orgueil, qui nous donne envie d'être au-dessus de ceux qui ignorent les choses, et de n'être pas au-dessous de ceux qui les savent.

CLXXXIII

Il vaut mieux employer son esprit à supporter les infortunes qui arrivent qu'à pénétrer celles qui peuvent arriver.

CLXXXIV

La constance en amour est une inconstance perpétuelle, qui fait que notre cœur s'attache successivement à toutes les qualités de la personne que nous aimons, donnant tantôt la préférence à l'une, tantôt à l'autre ; de sorte que cette constance n'est qu'une inconstance arrêtée et renfermée dans un même sujet.

CLXXXV

Il y a deux sortes de constance en amour : l'une vient de ce que l'on trouve sans cesse dans la personne que l'on aime (comme dans une source inépuisable) de nouveaux sujets d'aimer, et l'autre vient de ce qu'on se fait un honneur de tenir sa parole.

CLXXXVI

La persévérance n'est digne ni de blâme ni de louange, parce qu'elle n'est que la durée des goûts et des sentiments qu'on ne s'ôte et qu'on ne se donne point.

CLXXXVII

Ce qui nous fait aimer les connaissances nouvelles n'est pas tant la lassitude que nous avons des vieilles ou le plaisir de changer, que le dégoût que nous avons de n'être pas assez admirés de ceux qui nous connaissent trop, et l'espérance que nous avons de l'être davantage de ceux qui ne nous connaissent guère.

CLXXXVIII

Nous nous plaignons quelquefois légèrement de nos amis pour justifier par avance notre légèreté.

CLXXXIX

Notre repentir n'est pas une douleur du mal que nous avons fait ; c'est une crainte de celui qui nous en peut arriver.

CXC

Il y a une inconstance qui vient de la légèreté de l'esprit, qui change à tout moment d'opinion, ou de sa faiblesse, qui lui fait recevoir toutes les opinions d'autrui ; il y en a une autre qui est plus excusable, qui vient de la fin du goût des choses.

CXCI

Les vices entrent dans la composition des vertus comme les poisons entrent dans la composition des remèdes de la médecine. La prudence les assemble et les tempère, et elle s'en sert utilement contre les maux de la vie.

CXCII

Il y a des crimes qui deviennent innocents et même glorieux par leur éclat, leur nombre et leur excès. De là vient que les voleries publiques sont des habiletés, et que prendre des provinces injustement s'appelle faire des conquêtes.

CXCIII

Nous avouons nos défauts, afin qu'en donnant bonne opinion de la justice de notre esprit, nous réparions le tort qu'ils nous ont fait dans l'esprit des autres.

CXCIV

Il y a des héros en mal comme en bien.

CXCV

On peut haïr et mépriser les vices, sans haïr ni mépriser les vicieux ; mais on a toujours du mépris pour ceux qui manquent de vertu.

CXCVI

Le nom de la vertu sert à l'intérêt aussi utilement que les vices.

CXCVII

La santé de l'âme n'est pas plus assurée que celle du corps ; et quoique l'on paraisse éloigné des passions, on n'y est pas moins exposé qu'à tomber malade quand on se porte bien.

CXCVIII

Il n'appartient qu'aux grands hommes d'avoir de grands défauts.

CXCIX

La nature a prescrit à chaque homme dès sa naissance des bornes pour les vertus et pour les vices.

CC

Nous n'avouons jamais nos défauts que par vanité.

CCI

On ne trouve point dans l'homme le bien ni le mal dans l'excès.

CCII

On pourrait dire que les vices nous attendent dans le cours de la vie comme des hôtes chez lesquels il faut successivement loger ; et je doute que l'expérience nous les fît éviter s'il nous était permis de faire deux fois le même chemin.

CCIII

Quand les vices nous quittent, nous voulons nous flatter que c'est nous qui les quittons.

CCIV

Il y a des rechutes dans les maladies de l'âme comme dans celles du corps. Ce que nous prenons pour notre guérison n'est le plus souvent qu'un relâche ou un changement de mal.

CCV

Les défauts de l'âme sont comme les blessures du corps : quelque soin qu'on prenne de les guérir, la cicatrice paraît toujours, et elles sont à tout moment en danger de se rouvrir.

CCVI

Ce qui nous empêche souvent de nous abandonner à un seul vice est que nous en avons plusieurs.

CCVII

Quand il n'y a que nous qui savons nos crimes, ils sont bientôt oubliés.

CCVIII

Ceux qui sont incapables de commettre de grands crimes n'en soupçonnent pas facilement les autres.

CCIX

Il y a des gens de qui l'on peut ne jamais croire de mal sans l'avoir vu ; mais il n'y en a point en qui il nous doive surprendre en le voyant.

CCX

Le désir de paraître habile empêche souvent de le devenir.

CCXI

La vertu n'irait pas loin si la vanité ne lui tenait pas compagnie.

CCXII

Celui qui croit pouvoir trouver en soi-même de quoi se passer de tout le monde se trompe fort ; mais celui qui croit qu'on ne peut se passer de lui se trompe encore davantage.

CCXIII

La pompe des enterrements regarde plus la vanité des vivants que l'honneur des morts.

CCXIV

Les faux honnêtes gens sont ceux qui déguisent la corruption de leur cœur aux autres et à eux-mêmes. Les vrais honnêtes gens sont ceux qui la connaissent parfaitement et la confessent aux autres.

CCXV

Le vrai honnête homme est celui qui ne se pique de rien.

CCXVI

La sévérité des femmes est un ajustement et un fard qu'elles ajoutent à leur beauté. C'est un attrait fin et délicat, et une douceur déguisée.

CCXVII

L'honnêteté des femmes est l'amour de leur réputation et de leur repos.

CCXVIII

C'est être véritablement honnête homme que de vouloir être toujours exposé à la vue des honnêtes gens.

CCXIX

La folie nous suit dans tous les temps de la vie Si quelqu'un paraît sage, c'est seulement parce que ses folies sont proportionnées à son âge et à sa fortune

CCXX

Il y a des gens niais qui se connaissent, et qui emploient habilement leur niaiserie.

CCXXI

Qui vit sans folie n'est pas si sage qu'il croit.

CCXXII

En vieillissant on devient plus fou, et plus sage.

CCXXIII

Il y a des gens qui ressemblent aux vaudevilles que tout le monde chante un certain temps, quelque fades et dégoûtants qu'ils soient.

CCXXIV

La plupart des gens ne voient dans les hommes que la vogue qu'ils ont, ou bien le mérite de leur fortune.

CCXXV

Quelque incertitude et quelque variété qui paraisse dans le monde, on y remarque néanmoins un certain enchaînement secret, et un ordre réglé de tout temps par la Providence, qui fait que chaque chose marche en son rang, et suit le cours de sa destinée.

CCXXVI

L'amour de la gloire et plus encore la crainte de la honte, le dessein de faire fortune, le désir de rendre notre vie commode et agréable, et l'envie d'abaisser les autres, font naître cette valeur qui est si célèbre parmi les hommes.

CCXXVII

La valeur dans les simples soldats est un métier périlleux qu'ils ont pris pour gagner leur vie

CCXXVIII

Ier état (et le deuxième, pour chaque variante, entre parenthèses). La parfaite valeur et la poltronnerie complète sont des (deux) extrémités où on en arrive rarement. L'espace qui est entre le deux (entre-deux) est vaste, et contient toutes les autres espèces de courage : il n'y a pas moins de différence entre eux (elles) qu'il y en a entre les visages et les humeurs ; cependant ils (elles) conviennent en beaucoup de choses. Il y a des hommes qui s'exposent volontiers au commencement d'une action, et qui se relâchent et se rebutent aisément par sa durée. Il y en a qui sont assez contents quand ils ont satisfait à l'honneur du monde, et qui font fort peu de choses au-delà. On en voit qui ne sont pas (pas toujours) également maîtres de leur peur. D'autres se laissent quelquefois entraîner à des épouvantes générales. D'autres vont à la charge pour n'oser demeurer dans leurs postes ; enfin il s'en trouve à qui l'habitude des moindres périls affermit le courage et les prépare à s'exposer à de plus grands. (Ici, une phrase ajoutée dans le 2e état : Il y en a encore qui sont braves à coups d'épée, qui ne peuvent souffrir les coups de mousquets ; et d'autres y sont assurés, qui craignent de se battre à coups d'épée.) Outre cela il y a un rapport général que l'on remarque entre tous les courages de différentes espèces dont nous venons de parler, qui est que la nuit, augmentant la crainte et cachant les bonnes et les mauvaises actions, leur donne la liberté de se ménager. Il y a encore un autre ménagement plus général qui, à parler absolument, s'étend sur toutes sortes d'hommes : c'est qu'il n'y en a point qui fassent tout ce qu'ils seraient capables de faire dans une occasion (action) s'ils avaient une certitude d'en revenir. De sorte (De sorte qu'il est visible) que la crainte de la mort ôte quelque chose à leur valeur et diminue son effet.

CCXXIX

La pure valeur (s'il y en avait) serait de faire sans témoins ce qu'on est capable de faire devant le monde.

CCXXX

L'intrépidité est une force extraordinaire de l'âme par laquelle elle empêche les troubles, les désordres et les émotions que la vue des grands périls a accoutumé d'élever en elle ; par cette force les héros se maintiennent en un état paisible, et conservent l'usage libre de toutes leurs fonctions dans les accidents les plus terribles et les plus surprenants.

CCXXXI

L'intrépidité doit soutenir le cœur dans les conjurations, au lieu que la seule valeur lui fournit toute la fermeté qui lui est nécessaire dans les périls de la guerre.

CCXXXII

Ceux qui voudraient définir la victoire par sa naissance seraient tentés comme les poètes de l'appeler la fille du Ciel, puisqu'on ne trouve point son origine sur la terre. En effet, elle est produite par une infinité d'actions qui, au lieu de l'avoir pour but, regardent seulement les intérêts particuliers de ceux qui les font, puisque tous ceux qui composent une armée, allant à leur propre gloire et à leur élévation, procurent un bien si grand et si général.

CCXXXIII

La plupart des hommes s'exposent assez dans la guerre pour sauver leur honneur. Mais peu se veulent toujours exposer autant qu'il est nécessaire pour faire réussir le dessein pour lequel ils s'exposent.

CCXXXIV

La vanité, la honte, et surtout le tempérament, font la valeur des hommes.

CCXXXV

On ne veut point perdre la vie, et on veut acquérir de la gloire ; de là vient que les braves ont plus d'adresse et d'esprit pour éviter la mort que les gens de chicane pour conserver leur bien.

CCXXXVI

On ne peut répondre de son courage quand on n'a jamais été dans le péril.

CCXXXVII

Il est de la reconnaissance comme de la bonne foi de marchands : elle soutient le commerce ; et nous ne payons pas pour la justice qu'il y a de nous acquitter, mais pour trouver plus facilement des gens qui nous prêtent.

CCXXXVIII

Tous ceux qui s'acquittent des devoirs de la reconnaissance ne peuvent pas pour cela se flatter d'être reconnaissants.

CCXXXIX

Ce qui fait tout le mécompte dans la reconnaissance qu'on attend des grâces qu'on a faites, c'est que l'orgueil de celui qui donne, et l'orgueil de celui qui reçoit, ne peuvent convenir du prix du bienfait.

CCXL

Le trop grand empressement qu'on a de s'acquitter d'une obligation est une espèce d'ingratitude.

CCXLI

On donne plus souvent des bornes à sa reconnaissance qu'à ses désirs et à ses espérances.

CCXLII

L'orgueil ne veut pas devoir, et l'amour-propre ne veut pas payer.

CCXLIII

Le bien qu'on nous a fait veut que nous respections le mal que l'on nous a fait après.

CCXLIV

Rien n'est si contagieux que l'exemple, et nous ne faisons jamais de grands biens ni de grands maux qui ne produisent infailliblement leurs pareils. Nous imitons les bonnes actions par l'émulation, et les mauvaises par la malignité de notre nature qui étant retenue en prison par la honte est mise en liberté par l'exemple.

CCXLV

L'imitation est toujours malheureuse, et tout ce qui est contrefait déplaît avec les mêmes choses qui charment lorsqu'elles sont naturelles.

CCXLVI

Quelque prétexte que nous donnions à nos afflictions, ce n'est que l'intérêt et la vanité qui les causent.

CCXLVII

Il y a une espèce d'hypocrisie dans les afflictions, car sous prétexte de pleurer la perte d'une personne qui nous est chère nous nous pleurons nous-mêmes ; nous pleurons la diminution de notre bien, de notre plaisir, de notre considération, en la personne que nous pleurons. De cette manière les morts ont l'honneur des larmes qui ne coulent que pour ceux qui les versent. J'ai dit que c'était une espèce d'hypocrisie, parce que, par elle, l'homme se trompe seulement soi-même. Il y en a une autre qui n'est pas si innocente, et qui impose à tout le monde : c'est l'affliction de certaines personnes qui aspirent à la gloire d'une belle et immortelle douleur, car le temps, qui consume tout, l'ayant consumée, elles ne laissent pas d'opiniâtrer leurs pleurs, leurs plaintes, et leurs soupirs ; elles prennent un personnage lugubre, et travaillent à persuader par toutes leurs actions qu'elles égaleront la durée de tous leurs déplaisirs à leur propre vie. Cette triste et fatigante vanité se trouve d'ordinaire dans les femmes ambitieuses, parce que, leur sexe leur fermant tous les chemins qui mènent à la gloire, elles se jettent dans celui-ci, et s'efforcent à se rendre célèbres par la montre d'une inconsolable douleur. Il y a encore une autre espèce de larmes qui n'ont que de petites sources, qui coulent facilement et qui s'écoulent aussitôt : on pleure pour avoir la réputation d'être tendre, on pleure pour être plaint, ou pour être pleuré, et on pleure quelquefois de honte de ne pleurer pas.

CCXLVIII

Nous ne regrettons pas la perte de nos amis selon leur mérite, mais selon nos besoins et selon l'opinion que nous croyons leur avoir donnée de ce que nous valons.

CCXLIX

Nous ne sommes pas difficiles à consoler des disgrâces de nos amis lorsqu'elles servent à signaler la tendresse que nous avons pour eux.

CCL

Qui considérera superficiellement tous les effets de la bonté qui nous fait sortir hors de nous-mêmes, et qui nous immole continuellement à l'avantage de tout le monde, sera tenté de croire que lorsqu'elle agit, l'amour-propre s'oublie et s'abandonne lui-même, ou se laisse dépouiller et appauvrir sans s'en apercevoir, de sorte qu'il semble que l'amour-propre soit la dupe de la bonté. Cependant c'est le plus utile de tous les moyens dont l'amour-propre se sert pour arriver à ses fins ; c'est un chemin dérobé, par où il revient à lui-même, plus riche et plus abondant ; c'est un désintéressement qu'il met à un furieuse usure ; c'est enfin un ressort délicat avec lequel il réunit, il dispose et tourne tous les hommes en sa faveur.

CCLI

Nul ne mérite d'être loué de bonté s'il n'a la force, et la hardiesse, d'être méchant toute autre bonté n'est le plus souvent qu'une paresse ou une impuissance de la mauvaise volonté.

CCLII

Il est bien malaisé de distinguer la bonté générale, et répandue sur tout le monde, de la grande habileté.

CCLIII

Il n'est pas si dangereux de faire du mal à la plupart des hommes que de leur faire trop de bien.

CCLIV

Pour pouvoir être toujours bon, il faut que les autres croient qu'ils ne peuvent jamais nous être impunément méchants.

CCLV

Rien ne nous plaît tant que la confiance des grands, et des personnes considérables par leurs emplois, par leurs esprits, ou par leur mérite ; elle nous fait sentir un plaisir exquis et élève merveilleusement notre orgueil parce que nous le regardons comme un effet de notre fidélité ; cependant, nous serions remplis de confusion si nous considérions l'imperfection et la bassesse de sa naissance, car elle vient de la vanité, de l'envie de parler, et de l'impuissance de retenir le secret : de sorte qu'on peut dire que la confiance est comme un relâchement de l'âme causé par le nombre et par le poids des choses dont elle est pleine.

CCLVI

La confiance de plaire est souvent un moyen de déplaire infailliblement.

CCLVII

Nous ne croyons pas aisément ce qui est au-delà de ce que nous voyons.

CCLVIII

La confiance que l'on a en soi fait naître la plus grande partie de celle que l'on a aux autres.

CCLIX

Ier état – La sobriété est l'amour de la santé, ou l'impuissance de manger beaucoup.

2e état – Il y a une révolution générale qui change le goût des esprits, aussi bien que les fortunes du monde.

CCLX

La vérité est le fondement et la raison de la perfection, et de la beauté ; une chose, de quelque nature qu'elle soit, ne saurait être belle, et parfaite, si elle n'est véritablement tout ce qu'elle doit être, et si elle n'a tout ce qu'elle doit avoir.

CCLXI

On peut dire de l'agrément séparé de la beauté que c'est une symétrie dont on ne sait point les règles, et un rapport secret des traits ensemble, et des traits avec les couleurs et avec l'air de la personne.

CCLXII

Il y a de belles choses qui ont plus d'éclat quand elles demeurent imparfaites que quand elles sont trop achevées.

CCLXIII

Ier état – La coquetterie est le fonds de l'humeur de toutes les femmes ; mais toutes ne coquettent pas, parce que la coquetterie de quelques-unes est retenue par leur tempérament et par leur raison.

2e état – La coquetterie est le fonds et l'humeur de toutes les femmes ; mais toutes ne la mettent pas en pratique, parce que la coquetterie de quelques-unes est retenue par leur tempérament et par leur raison.

CCLXIV

On incommode toujours les autres quand on croit ne les pouvoir jamais incommoder.

CCLXV

Il y a peu de choses impossibles d'elles-mêmes ; et l'application pour les faire réussir nous manque bien plus que les moyens.

CCLXVI

La souveraine habileté consiste à bien connaître le prix de chaque chose.

CCLXVII

Le plus grand art d'un habile homme est celui de savoir cacher son habileté.

CCLXVIII

La générosité est un industrieux emploi du désintéressement pour aller plus tôt à un plus grand intérêt.

CCLXIX

La fidélité est une invention rare de l'amour-propre, par laquelle l'homme, s'érigeant en dépositaire des choses précieuses, se rend lui-même infiniment précieux ; de tous les trafics de l'amour-propre, c'est celui où il fait le moins d'avances et de plus grands profits ; c'est un raffinement de sa politique, avec lequel il engage les hommes par leurs biens, par leur honneur, par leur liberté, et par leur vie, qu'ils sont forcés de confier en quelques occasions, à élever l'homme fidèle au-dessus de tout le monde.

CCLXX

La magnanimité méprise tout pour avoir tout.

CCLXXI

La magnanimité est un noble effort de l'orgueil par lequel il rend l'homme maître de lui-même pour le rendre maître de toutes choses.

CCLXXII

Ier état – Il y a peu de choses impossibles d'elles-mêmes, et l'on trouve plus de voies que l'on ne pense pour y arriver. Et si nous avions assez d'application et de volonté, nous aurions toujours assez de moyens.

2e état – Il n'y a pas moins d'éloquence dans le ton de la voix que dans le choix des paroles.

CCLXXIII

La véritable éloquence consiste à dire tout ce qu'il faut et à ne dire que ce qu'il faut.

CCLXXIV

Il y a une éloquence dans les yeux et dans l'air de la personne qui ne persuade pas moins que celle de la parole.

CCLXXV

Il est aussi ordinaire de voir changer les goûts qu'il est rare de voir changer les inclinations.

CCLXXVI

L'intérêt donne toutes sortes de vertus et de vices.

CCLXXVII

L'humilité n'est souvent qu'une feinte soumission que nous employons pour soumettre effectivement tout le monde ; c'est un mouvement de l'orgueil, par lequel il s'abaisse devant les hommes pour s'élever sur eux ; c'est un déguisement, et son premier stratagème ; mais quoique ces changements soient presque infinis, et qu'il soit admirable sous toutes sortes de figures, il faut avouer néanmoins qu'il n'est jamais si rare ni si extraordinaire que lorsqu'il se cache sous la forme et sous l'habit de l'humilité ; car alors on le voir les yeux baissés, dans une contenance modeste et reposée ; toutes ses paroles sont douces et respectueuses, pleines d'estime pour les autres et de dédain pour lui-même ; si on l'en veut croire, il est indigne de tous les honneurs, il n'est capable d'aucun emploi, il ne reçoit les charges où on l'élève que comme un effet de la bonté des hommes, et de la faveur aveugle de la fortune. C'est l'orgueil qui joue tous ces personnages que l'on prend pour l'humilité.

CCLXXVIII

Tous les sentiments ont chacun un ton de voix, un geste et des mines qui leur sont propres ; ce rapport bon, ou mauvais, fait les bons, ou les mauvais, comédiens, et c'est ce qui fait aussi que les personnes plaisent ou déplaisent.

CCLXXIX

Dans toutes les professions, et dans tous les arts, chacun se fait une mine et un extérieur qu'il met en la place de la chose dont il veut avoir le mérite, de sorte que tout le monde n'est composé que de mines, et c'est inutilement que nous travaillons à y trouver rien de réel.

CCLXXX

La gravité est un mystère du corps inventé pour cacher les défauts de l'esprit.

CCLXXXI

Il y a des personnes à qui les défauts siéent bien, et d'autres qui sont disgraciées avec leurs bonnes qualités.

CCLXXXII

Le luxe et la trop grande politesse dans les États sont le présage assuré de leur décadence parce que, tous les particuliers s'attachant à leurs intérêts propres, ils se détournent du bien public.

CCLXXXIII

La civilité est une envie d'en recevoir ; c'est aussi un désir d'être estimé poli.

CCLXXXIV

Ier état – L'éducation que l'on donne aux princes est un second amour-propre qu'on leur inspire.

2e état – L'éducation que l'on donne d'ordinaire aux jeunes gens est un second orgueil qu'on leur inspire.

CCLXXXV

Ier état – Rien ne prouve tant que les philosophes ne sont pas si persuadés qu'ils disent que la mort n'est pas un mal, que le tourment qu'ils se donnent pour établir l'immortalité de leur nom par la perte de la vie.

2e état – Il n'y a point de passion où l'amour de soi-même règne si puissamment que dans l'amour ; et on est toujours plus disposé de sacrifier tout le repos de ce qu'on aime que de perdre la moindre partie du sien.

CCLXXXVI

Il n'y a point de libéralité ; ce n'est que la vanité de donner, que nous aimons mieux que ce que nous donnons.

CCLXXXVII

La pitié est un sentiment de nos propres maux dans un sujet étranger, c'est une prévoyance habile des malheurs où nous pouvons tomber, qui nous fait donner du secours aux autres pour les engager à nous le rendre dans de semblables occasions, de sorte que les services que nous rendons à ceux qui en ont besoin sont à proprement parler des biens anticipés que nous nous faisons à nous-mêmes.

CCLXXXVIII

La petitesse de l'esprit fait souvent l'opiniâtreté ; et nous ne croyons pas aisément ce qui est au delà de ce que nous voyons

CCLXXXIX

On s'est trompé quand on a cru qu'il n'y avait que les violentes passions, comme l'ambition et l'amour, qui pussent triompher des autres. La paresse, toute languissante qu'elle est, ne laisse pas d'en être souvent la maîtresse ; elle usurpe sur tous les desseins et sur toutes les actions de la vie ; elle y détruit et y consomme insensiblement toutes les passions et toutes les vertus.

CCXC

De toutes les passions celle qui est la plus inconnue à nous-mêmes, c'est la paresse ; elle est la plus ardente et la plus maligne de toutes, quoique sa violence soit insensible, et que les dommages qu'elle cause soient très cachés ; si nous considérons attentivement son pouvoir, nous verrons qu'elle se rend en toutes rencontres maîtresse de nos sentiments, de nos intérêts et de nos plaisirs ; c'est la rémore qui a la force d'arrêter les plus grands vaisseaux, c'est une bonace plus dangereuse aux plus importantes affaires que les écueils, et que les plus grandes tempêtes, le repos de la paresse est un charme secret de l'âme qui suspend soudainement les plus ardentes poursuites et les plus opiniâtres résolutions ; pour donner enfin la véritable idée de cette passion, il faut dire que la paresse est comme une béatitude de l'âme, qui la console de toutes ses pertes, et qui lui tient lieu de tous les biens.

CCXCI

La promptitude avec laquelle nous croyons le mal sans l'avoir assez examiné est un effet de la paresse et de l'orgueil. On veut trouver des coupables, et on ne veut pas se donner la peine d'examiner les crimes.

CCXCII

Nous récusons tous les jours des juges pour les plus petits intérêts ; et nous faisons dépendre notre gloire et notre réputation, qui sont les plus grands biens du monde, du jugement des hommes, qui nous sont tous contraires, ou par leur jalousie, ou par leur malignité, ou par leur préoccupation, ou par leur sottise ; et c'est pour obtenir d'eux un arrêt en notre faveur que nous exposons notre repos et notre vie en cent manières, et que nous la condamnons à une infinité de soucis, de peines et de travaux.

CCXCIII

De plusieurs actions différentes que la Fortune arrange comme il lui plaît, il s'en fait plusieurs vertus.

CCXIV

L'honneur acquis est caution de celui qu'on doit acquérir.

CCXCV

La jeunesse est une ivresse continuelle ; c'est la fièvre de la santé, c'est la folie de la raison.

CCXCVI

On aime bien à deviner les autres ; mais l'on n'aime pas être deviné.

CCXCVII

Il y a des gens qu'on approuve dans le monde, qui n'ont pour tout mérite que les vices qui servent au commerce de la vie.

CCXCVIII

C'est une ennuyeuse maladie que de conserver sa santé par un trop grand régime.

CCXCIX

Le bon naturel, qui se vante d'être toujours sensible, est dans la moindre occasion étouffé par l'intérêt.

CCC

Ier état – Il est moins impossible de prendre de l'amour quand on n'en a pas, que de s'en défaire quand on en a.

2e état – Il est plus facile de prendre de l'amour quand on n'en a pas, que de s'en défaire quand on en a.

CCCI

Ier état – La plupart des femmes se rendent plutôt par faiblesse que par passion ; de là vient que pour l'ordinaire les femmes entreprenantes réussissent mieux que les autres, quoiqu'elles ne soient pas plus aimables.

2e état – La plupart des femmes se rendent plutôt par faiblesse que par passion ; de là vient que pour l'ordinaire les hommes entreprenants réussissent mieux que les autres, quoiqu'ils ne soient pas plus aimables.

CCCII

N'aimer guère en amour est un moyen assuré pour être aimé.

CCCII [bis]

L'absence diminue les médiocres passions, et augmente les grandes, comme le vent éteint les bougies et allume le feu.

CCCIII

La sincérité que se demandent les amants et les maîtresses, pour savoir l'un et l'autre quand ils cesseront de s'aimer, est biens moins pour vouloir être avertis quand on ne les aimera plus que pour être mieux assurés qu'on les aime, lorsqu'on ne dit point le contraire.

CCCIV

Les femmes croient souvent aimer quoiqu'elles n'aiment pas. L'occupation d'une intrigue, l'émotion d'esprit que donne la galanterie, la pente naturelle au plaisir d'être aimées, et la peine de refuser, leur persuadent qu'elles ont de la passion lorsqu'elles n'ont tout au plus que de la coquetterie.

CCCV

La plus juste comparaison qu'on puisse faire de l'amour, c'est celle de la fièvre ; nous n'avons non plus de pouvoir sur l'un que sur l'autre, soit pour sa violence ou pour sa durée.

CCCVI

Ce qui fait que l'on est souvent mécontent de ceux qui négocient, est qu'ils abandonnent quasi toujours l'intérêt de leurs amis pour l'intérêt du fond de la négociation, qui devient le leur par la gloire d'avoir réussi à ce qu'ils avaient entrepris.

CCCVII

Le plus souvent, quand nous exagérons la tendresse que nos amis ont pour nous, c'est moins par reconnaissance que par un désir habile de faire juger de notre mérite.

CCCVIII

L'approbation que l'on donne à ceux qui entrent dans le monde est bien souvent une envie secrète que l'on a contre ceux qui y sont établis.

CCCIX

La plus grande habileté des moins habiles est de se savoir soumettre à la bonne conduite d'autrui.

CCCX

Il y a des faussetés déguisées qui représentent si bien la vérité que ce serait mal juger que de ne s'y pas laisser tromper.

CCCXI

Il n'y a quelquefois pas moins d'habileté à savoir profiter d'un bon conseil qu'on nous donne, qu'à se bien conseiller soi-même.

CCCXII

Il y a de méchants hommes qui seraient moins dangereux s'ils n'avaient aucune bonté.

CCCXIII

La magnanimité est assez définie par son nom ; on pourrait dire toutefois que c'est le bon sens de l'orgueil, et la voie la plus noble pour recevoir des louanges.

CCCXIV

Il est impossible d'aimer une seconde fois ce qu'on a véritablement cessé d'aimer.

CCCXV

Ce n'est pas la fertilité de l'esprit qui fait trouver plusieurs expédients sur une même affaire ; c'est plutôt le défaut de lumière qui nous fait arrêter à tout ce qui se présente à l'imagination, et qui nous empêche de discerner d'abord ce qui nous est propre.

CCCXVI

Il est des affaires et des maladies que les remèdes aigrissent, et on peut dire que la grande habileté consiste à savoir connaître les temps où il est dangereux d'en faire.

Après avoir parlé de la fausseté des vertus, il est raisonnable de dire quelque chose de la fausseté du mépris de la mort. J'entends parler de ce mépris de la mort que les païens se vantent de tirer de leurs propres forces, sans l'espérance d'une meilleure vie. Il y a différence entre souffrir la mort constamment, et la mépriser. Le premier sentiment est assez ordinaire ; mais je crois que l'autre n'est jamais sincère. On a écrit néanmoins tout ce qui peut le plus persuader que la mort n'est point un mal ; et les plus faibles hommes aussi bien que les héros ont donné mille célèbres exemples pour établir cette opinion. Cependant je doute que personne de bon sens en ait jamais été véritablement persuadé, et toute la peine qu'on se donne pour en venir à bout fait assez paraître que cette entreprise n'est pas aisée. On a mille sujets de mépriser la vie, mais on n'en peut avoir de mépriser la mort ; ceux mêmes qui se la donnent volontairement ne la comptent pas pour si peu de chose, et ils la rejettent et s'en étonnent comme les autres, lorsqu'elle vient à eux par une autre voie que celle qu'ils ont choisie. L'inégalité que l'on remarque dans le courage d'un nombre infini de vaillants hommes vient de ce que la mort se découvre à leur imagination et y paraît plus présente en un temps qu'en un autre. Et ainsi il arrive qu'après avoir méprisé ce qu'ils ne connaissaient pas, ils craignent enfin ce qu'ils connaissent. Il faut éviter de la voir avec toutes ses circonstances, si on ne veut pas croire qu'elle soit le plus grand de tous les maux. Les plus habiles et les plus braves sont ceux qui prennent de plus honnêtes prétextes pour s'empêcher de la considérer. Mais tout homme qui la sait voir telle qu'elle est, trouve que la cessation d'être comprend tout ce qu'il y a d'épouvantable. La nécessité inévitable de mourir fait toute la constance des philosophes : ils croient qu'il faut aller de bonne grâce où l'on ne se peut empêcher d'aller ; et, ne pouvant éterniser leur vie, il n'y a rien qu'ils ne fassent pour éterniser leur gloire, et pour sauver ainsi du naufrage ce qui en peut être garanti. Contentons-nous pour faire bonne mine de ne nous pas dire à nous-mêmes tout ce que nous en pensons, et espérons plus de notre tempérament que des faibles raisonnements à l'abri desquels nous croyons pouvoir approcher de la mort avec indifférence. La gloire de mourir avec fermeté, la satisfaction d'être regretté de ses amis et de laisser une belle réputation, l'espérance de ne plus souffrir de douleurs, et d'être à couvert des autres misères de la vie et des caprices de la fortune, sont des remèdes qu'on ne doit pas rejeter. Mais on ne doit pas croire aussi qu'ils soient infaillibles. Ils font pour nous assurer ce qu'une simple haie fait souvent à la guerre, pour couvrir ceux qui doivent approcher d'un lieu d'où l'on tire. Quand on en est éloigné, on croit qu'elle peut être d'un grand secours ; mais quand on en est proche, on voit que tout la peut percer. Nous nous flattons de croire que la mort nous paraisse de près ce que nous en avons jugé de loin, et que nos sentiments, qui ne sont que faiblesse, que variété et que confusion, soient d'une trempe assez forte pour ne point souffrir d'altération par la plus rude de toutes les épreuves. C'est mal connaître les effets de l'amour-propre, que de croire qu'il puisse nous aider à compter pour rien ce qui le doit nécessairement détruire, et la raison, dans laquelle on croit trouver tant de ressources, n'est que trop faible en cette rencontre pour nous persuader ce que nous voulons. C'est elle qui nous trahit le plus souvent et, au lieu de nous inspirer le mépris de la mort, elle sert à nous découvrir ce qu'elle a d'affreux et de terrible. Tout ce qu'elle peut faire pour nous est de nous conseiller d'en détourner les yeux de les arrêter sur d'autres objets. Caton et Brutus en choisissent d'illustres et d'éclatants ; un laquais se contenta dernièrement de danser les tricotets sur l'échafaud où il devait être roué. Ainsi, bien que les motifs soient différents, ils produisent souvent les mêmes effets. De sorte qu'il est vrai de dire que, quelque disproportion qu'il y ait entre les grands hommes et les gens du commun, les uns et les autres ont mille fois reçu la mort d'un même visage ; mais ç'a toujours été avec cette différence que c'est l'amour de la gloire qui ôte aux grands hommes la vue de la mort dans le mépris qu'ils font paraître quelquefois pour elle, et dans les gens du commun ce n'est qu'un effet de leur peu de lumière qui, les empêchant de connaître toute la grandeur de leur mal, leur laisse la liberté de songer à autre chose.

Manuscrit de Liancourt

[1] L'enfance nous suit dans tous les temps de la vie ; si quelqu'un paraît sage, c'est seulement parce que ses folies sont proportionnées à son âge et à sa fortune (max. 207, I 219).

[2] L'orgueil a bien plus de part que la charité aux remontrances que nous faisons à ceux qui commettent des fautes, et nous les en reprenons bien moins pour les en corriger que pour persuader que nous en sommes exempts (max. 37, I 41).

[3] Nous sommes préoccupés de telle sorte en notre faveur que ce que nous prenons le plus souvent pour des vertus ne sont en effet que des vices qui leur ressemblent et que l'orgueil et l'amour-propre nous ont déguisés (épigraphe de 1678, I 181).

[4] Nous promettons selon nos espérances, et nous tenons selon nos craintes (max. 38. I 42).

[5] Nous avons tous assez de force pour supporter les maux d'autrui (max. 19, I 22).

[6] Ce qui rend nos amitiés si légères et si changeantes, c'est qu'il est aisé de connaître les qualités de l'esprit, et difficile de connaître celles de l'âme (max. 80, I 93).

[7] Nous nous persuadons souvent d'aimer les gens plus puissants que nous ; l'intérêt seul produit notre amitié, et nous ne leur promettons pas selon ce que nous leur voulons donner, mais selon ce que nous voulons qu'ils nous donnent (max 85, I 98).

[8] Les Français ne sont pas seulement sujets, comme la plupart des hommes, à perdre également le souvenir des bienfaits et des injures, mais ils haïssent ceux qui les ont obligés ; l'orgueil et l'intérêt produit partout l'ingratitude ; l'application à récompenser le bien et à se venger du mal leur paraît une servitude à laquelle ils ont peine de s'assujettir (max. 14, I 14).

[9] Les faux honnêtes gens sont ceux qui déguisent la corruption de leur cœur aux autres et à eux-mêmes ; les vrais honnêtes gens sont ceux qui la connaissent parfaitement et la confessent aux autres (max. 202, I 214).

[10] On est au désespoir d'être trompé par ses ennemis et trahi par ses amis, et on est toujours satisfait de l'être par soi-même (max. 114, I 119).

[11] Les plus sages le sont dans les choses indifférentes, mais ils ne le sont presque jamais dans leurs plus sérieuses affaires (MS 22, I 132).

[12] L'amour-propre est plus habile que le plus habile homme du monde (max. 4, I 4).

[13] Il est aussi aisé de se tromper soi-même sans s'en apercevoir qu'il est difficile de tromper les autres sans qu'ils s'en aperçoivent (max. 115, I 120).

[14] Rien n'est impossible de soi ; il y a des voies qui conduisent à toutes choses, et si nous avions assez de volonté, nous aurions toujours assez de moyens (max. 243, I 265 et 272 1er état).

[15] L'intérêt fait jouer toute sorte de personnages, et même celui de désintéressé (max. 39, I 43).

[16] La constance des sages n'est qu'un art avec lequel ils savent enfermer dans leur cœur leur agitation (max. 20, I 23).

[17] Quelque prétexte que nous donnions à nos afflictions, ce n'est que l'intérêt et la vanité qui les causent (max. 232, I 246).

[18] C'est plutôt par l'estime de nos sentiments que nous exagérons les bonnes qualités des autres que par leur mérite, et nous nous louons en effet lorsqu'il semble que nous leur donnons des louanges (max. 143, I 146).

[19] L'homme est conduit lorsqu'il croit se conduire, et pendant que par son esprit il vise à un endroit, son cœur l'achemine insensiblement à un autre (max. 43, I 47).

[20] La modestie, qui semble refuser les louanges, n'est en effet qu'un désir d'en avoir de plus délicates (MS 27, I 147).

[21] L'orgueil se dédommage toujours, et il ne perd rien lors même qu'il renonce à la vanité (max. 33, I 36).

[22] L'amitié la plus sainte et la plus sacrée n'est qu'un trafic où nous croyons toujours gagner quelque chose (max. 83, I 94).

[23] La félicité est dans le goût, et non pas dans les choses, et c'est par avoir ce qu'on aime qu'on est heureux, et non pas par avoir ce que les autres trouvent aimable (max. 48, I 54).

[24] Quand on ne trouve point son repos en soi-même, il est inutile de le chercher ailleurs (MS 61, I 55).

[25] On ne fait point de distinction dans la colère, bien qu'il y en ait une légère et quasi innocente, qui vient de l'ardeur de la complexion, et une autre très criminelle, qui est à proprement parler la fureur de l'orgueil et de l'amour-propre (MS 30, I 159).

[26] Quoique toutes les passions se dussent cacher, elles ne craignent pas néanmoins le jour ; la seule envie est une passion timide et honteuse qu'on ne peut jamais avouer (max. 27, I 30).

[27] La jalousie est raisonnable en quelque manière puisqu'elle ne cherche qu'à conserver un bien qui nous appartient, ou que nous croyons nous devoir appartenir, au lieu que l'envie est une fureur qui nous fait toujours souhaiter la ruine du bien des autres (max. 28, I 31).

[28] Quelque différence qu'il y ait entre les fortunes, il y a pourtant une certaine proportion de biens et de maux qui les rend égales (max. 52, I 61).

[29] On n'aime point à louer, et on ne loue jamais personne sans intérêt ; la louange est une flatterie habile, cachée et délicate qui satisfait différemment celui qui la donne et celui qui la reçoit. L'un la prend comme la récompense de son mérite, l'autre la donne pour faire remarquer son équité et son discernement Nous choisissons souvent des louanges empoisonnées qui découvrent par contre-coup des défauts en nos amis, que nous n'osons divulguer. Nous élevons même la gloire des uns pour abaisser par là celle des autres, et on louerait moins Monsieur le Prince et Monsieur de Turenne si on ne voulait pas les blâmer tous les deux (max. 144, 145 et 198, I 148 et 149, 2e état).

[30] Il est malaisé de définir l'amour, et tout ce qu'on en peut dire c'est que dans l'âme c'est une passion de régner, dans les esprits c'est une sympathie, et dans le corps ce n'est qu'une envie cachée et délicate de jouir de ce que l'on aime après beaucoup de mystères (max. 68, I 78).

[31] Quelques grands avantages que la nature donne, ce n'est pas elle, mais la fortune, qui fait les héros (max. 53, I 62).

[32] Il n'y a point de libéralité et ce n'est que la vanité de donner que nous aimons mieux que ce que nous donnons (max. 263, I 286).

[33] L'amour de la gloire et plus encore la crainte de la honte, le dessein de faire fortune, le désir de rendre notre vie commode et agréable et l'envie d'abaisser les autres font cette valeur qui est si célèbre parmi les hommes (max. 213. I 226).

[34] On pourrait dire qu'il n'y a point d'heureux ni de malheureux accidents parce que les habiles gens savent profiter des mauvais, et que les imprudents tournent bien souvent les plus avantageux à leur préjudice (max. 59. I 68).

[35] On ne veut point perdre la vie, et on veut acquérir de la gloire ; de là vient que, quelque chicane qu'on remarque dans la justice, elle n'est point égale à la chicane des braves (max. 221, I 235).

[36] La valeur dans les simples soldats est un métier périlleux qu'ils ont pris pour gagner leur vie (max. 214, I 227).

[37] Les crimes deviennent innocents et même glorieux par leur nombre et par leur excès ; de là vient que les voleries publiques sont des habiletés, et que les massacres des provinces entières sont des conquêtes (MS 68, I 192).

[38] Comme la plus heureuse personne du monde est celle à qui peu de choses suffit, les grands et les ambitieux sont en ce point les plus misérables qu'il leur faut l'assemblage d'une infinité de biens pour les rendre heureux (MP I).

[39] Le vrai honnête homme c'est celui qui ne se pique de rien (max. 203, I 215).

[40] La générosité c'est un désir de briller par des actions extraordinaires, c'est un habile et industrieux emploi du désintéressement, de la fermeté en amitié, et de la magnanimité, pour aller promptement à une grande réputation (max. 246, I 268).

[41] Le jugement n'est autre chose que la grandeur de la lumière de l'esprit, on peut dire la même chose de son étendue, de sa profondeur, de son discernement, de sa justesse, de sa droiture, et de sa délicatesse.

L'étendue de l'esprit est la mesure de sa lumière.

La profondeur est celle qui découvre le fond des choses

Le discernement les compare et les distingue.

La justesse ne voit que ce qu'il faut voir.

La droiture prend toujours le bon biais des choses.

La délicatesse aperçoit les imperceptibles.

Et le jugement prononce ce qu'elles sont.

Si on l'examine bien, on trouvera que toutes ces qualités ne sont autres chose que la grandeur de l'esprit, lequel, voyant tout, rencontre dans la plénitude de ses lumières tous les avantages dont nous venons de parler (max. 97, I 107).

[42] Quand la vanité ne fait point parler, on n'a pas envie de dire grand'chose (max. 137, I 139).

[43] La sincérité c'est une naturelle ouverture de cœur ; on la trouve en fort peu de gens et celle qui se pratique d'ordinaire n'est qu'une fine dissimulation pour arriver à la confiance des autres (max. 62, I 71).

[44] La finesse n'est qu'une pauvre habileté (MP 2).

[45] Dieu seul fait les gens de bien et on peut dire de toutes nos vertus ce qu'un poète a dit de l'honnêteté des femmes. *L'essere honesta non é se non un arte de parer honesta* (MS 33, I 176).

[46] Nous récusons tous les jours des juges pour les plus petits intérêts, et nous commettons notre gloire et notre réputation, qui est la plus importante affaire de notre vie, aux hommes qui nous sont tous contraires, ou par leur jalousie, ou par leur malignité, ou par leur préoccupation, ou par leur sottise, ou par leur injustice, et c'est pour obtenir d'eux un arrêt en notre faveur que nous exposons notre vie et que nous la condamnons à une infinité de soucis, de peines et de travaux (max. 268, I 292).

[47] Rien n'est si dangereux que l'usage des finesses que tant de gens d'esprit emploient communément ; les plus habiles affectent de les éviter toute leur vie pour s'en servir en quelque grande occasion et pour quelque grand intérêt (max. 124, I 126).

[48] Comme la finesse est l'effet d'un petit esprit, il arrive quasi toujours que celui qui s'en sert pour se couvrir en un endroit se découvre en un autre (max. 125, I 127).

[49] Rien ne nous plaît tant que la confiance des grands et des personnes considérables par leurs emplois, par leur esprit ou par leur mérite ; elle nous fait sentir un plaisir exquis et élève merveilleusement notre orgueil parce que nous la regardons comme un effet de notre fidélité ; cependant nous serons remplis de confusion si nous considérons l'imperfection et la bassesse de sa naissance, car elle vient de la vanité, de l'envie de parler et de l'impuissance de retenir les secrets, de sorte qu'on peut dire que la confiance est comme un relâchement de l'âme causé par le nombre et par le poids des choses dont elle est pleine (max. 239, I 255).

[50] Nous ne nous apercevons que des emportements et des mouvements extraordinaires de nos humeurs, comme de la violence, de la colère, etc., mais personne quasi ne s'aperçoit que ces humeurs ont un cours ordinaire et réglé qui meut et tourne doucement et imperceptiblement notre volonté à des actions différentes ; elles roulent ensemble, s'il faut ainsi dire, et exercent successivement leur empire, de sorte qu'elles ont une part considérable à toutes nos actions, dont nous croyons être les seuls auteurs (max. 297, I 48).

[51] La pitié est un sentiment de nos propre maux dans un sujet étranger ; c'est une prévoyance habile des malheurs où nous pouvons tomber, qui nous fait donner des secours aux autres pour les engager à nous les rendre dans de semblables occasions, de sorte que les services que nous rendons à ceux qui sont accueillis de quelque infortune sont à proprement parler des biens anticipés que nous nous faisons (max. 264, I 287).

[52] Qui considérera superficiellement tous les effets de la bonté qui nous fait sortir de nous-mêmes, et qui nous immole continuellement à l'avantage de tout le monde, sera tenté de croire que, lorsqu'elle agit, l'amour-propre s'oublie et s'abandonne lui-même, et même qu'il se laisse dépouiller et appauvrir sans s'en apercevoir, en sorte qu'il semble que la bonté soit la niaiserie et l'innocence de l'amour-propre. Cependant la bonté est en effet le plus prompt de tous les moyens dont l'amour-propre se sert pour arriver à ses fins ; c'est un chemin dérobé par où il revient à lui-même plus riche et plus abondant ; c'est un désintéressement qu'il met à une furieuse usure, c'est enfin un ressort délicat avec lequel il remue, il dispose et tourne tous les hommes en sa faveur (max. 236, I 250).

[53] L'humilité est une feinte soumission que nous employons pour soumettre effectivement tout le monde ; c'est un mouvement de l'orgueil par lequel il s'abaisse devant les hommes pour s'élever sur eux ; c'est son plus grand déguisement, et son premier stratagème ; certes, comme il est sans doute que le Protée des fables n'a jamais été, il est un véritable dans la nature, car il prend toutes les formes comme il lui plaît ; mais, quoiqu'il soit merveilleux et agréable à voir sur toutes ses figures et dans toutes ses industries, il faut pourtant avouer qu'il n'est jamais si rare ni si plaisant que lorsqu'on le voit sous la forme et sous l'habit de l'humilité ; car alors on le voit les yeux baissés, sa contenance est modeste et reposée, ses paroles douces et respectueuses, pleines de l'estime des autres et de dédain pour lui-même ; il est indigne de tous les honneurs, il est incapable d'aucun emploi, et ne reçoit les charges où on l'élève que comme un effet de la bonté des hommes et de la faveur aveugle de la fortune (max. 254, I 277).

[54] La parfaite valeur et la poltronnerie complète sont des extrémités où on arrive rarement ; l'espace qui est entre deux est vaste, et contient toutes les autres espèces de courages, il n'y a pas moins de différence entre eux qu'il y en a entre les visages et les humeurs ; cependant ils conviennent en beaucoup de choses. Il y a des hommes qui s'exposent volontiers au commencement d'une action, et qui se relâchent et se rebutent aisément par sa durée ; il y en a qui sont assez contents quand ils ont satisfait à l'honneur du monde et qui font fort peu de choses au delà. On en voit qui ne sont pas toujours également maîtres d'eux-mêmes. D'autres se laissent quelquefois entraîner à des épouvantes générales. D'autres vont à la charge pour n'oser demeurer dans leurs postes Enfin il s'en trouve à qui l'habitude des moindres périls affermit le courage, et les prépare à s'exposer à de plus grands. Outre cela, il y a un rapport général que l'on remarque entre tous les courages des différentes espèces dont nous venons de parler, qui est que la nuit, augmentant la crainte et cachant les bonnes et les mauvaises actions, leur donne la liberté de se ménager. Il y a encore un autre ménage plus général qui, à parler absolument, s'étend sur toute sorte d'hommes : c'est qu'il n'y en a point qui fassent tout ce qu'ils seraient capables de faire dans une occasion s'ils avaient une certitude d'en revenir ; de sorte qu'il est visible que la crainte de la mort ôte quelque chose à leur valeur et diminue son effet (max. 215, I 228).

[55] On élève la prudence jusqu'au ciel et il n'est sorte d'éloge qu'on ne lui donne ; elle est la règle de nos actions et de nos conduites, elle est la maîtresse de la fortune, elle fait le destin des empires ; sans elle on a tous les maux, avec elle on a tous les biens ; et, comme disait autrefois un poète, quand nous avons la prudence, il ne nous manque aucune divinité, pour dire que nous trouvons dans la prudence tous les secours que nous demandons aux dieux. Cependant la prudence la plus consommée ne saurait nous assurer du plus petit effet du monde, parce que, travaillant sur une matière aussi changeante et inconnue qu'est l'homme, elle ne peut exécuter sûrement aucun de ses projets ; Dieu seul, qui tient tous les cœurs des hommes entre ses mains, et qui, quand il lui plaît, en accorde les mouvement, fait aussi réussir les choses qui en dépendent ; d'où il faut conclure que toutes les louanges dont notre ignorance et notre vanité flatte notre prudence sont autant d'injures que nous faisons à sa providence (max. 65, I 75).

[56] Rien n'est plus divertissant que de voir deux hommes assemblés, l'un pour demander conseil, et l'autre pour le donner ; l'un paraît avec une déférence respectueuse et dit qu'il vient recevoir les conduites et soumettre ses sentiments, et son dessein le plus souvent est de faire passer les siens et de rendre celui qu'il fait maître de son avis garant de l'affaire qu'il lui propose. Quant à celui qui conseille, il paye d'abord la sincérité de son ami d'un zèle ardent et désintéressé qu'il lui montre, et cherche en même temps dans ses propres intérêts des règles de conseiller, de sorte que son conseil lui est bien plus propre qu'à celui qui le reçoit (max. 116, I 118).

[57] Il y a une espèce d'hypocrisie dans les afflictions, car, sous prétexte de pleurer une personne qui nous est chère, nous pleurons les nôtres, c'est-à-dire la diminution de notre bien, de notre plaisir ou de notre considération. De cette manière les morts ont l'honneur des larmes qui coulent pour les vivants. J'ai dit que c'est une espèce d'hypocrisie parce que par elle l'homme se trompe seulement lui-même. Il y en a une autre qui n'est pas si innocente et qui impose à tout le monde : c'est l'affliction de certaines personnes qui aspirent à la gloire d'une belle et immortelle douleur ; car le temps, qui consomme tout, l'ayant consommée, elles ne laissent pas d'opiniâtrer leurs pleurs, leurs plaintes et leurs soupirs ; elles prennent un personnage lugubre et travaillent à persuader par toutes leurs actions qu'elles égaleront la durée de leur déplaisir à leur propre vie. Cette triste et fatigante vanité se trouve pour l'ordinaire dans les femmes ambitieuses, parce que, leur sexe leur fermant tous les chemins à la gloire, elles se jettent dans celui-ci, et s'efforcent à se rendre célèbres par la montre d'une inconsolable douleur (cf. la maxime suivante).

[58] Outre ce que nous avons dit, il y encore quelques autres espèces de larmes qui coulent de certaines petites sources et qui par conséquent s'écoulent incontinent ; on pleure pour avoir la réputation d'être tendre, on pleure pour être pleuré, et on pleure enfin de honte de ne pas pleurer (pour cette maxime et la précédente. max. 233, I 247).

[59] Les philosophes, et Sénèque surtout, n'ont point ôté les crimes par leurs préceptes, ils n'ont fait que les employer au bâtiment de l'orgueil (MS 21, I 105).

[60] Les affaires et les actions des grands hommes ont comme les statues leur point de perspective il y en a qu'il faut voir de près pour en discerner toutes les circonstances, et il y en a d'autres dont on ne juge jamais si bien que quand on en est éloigné (max 104, I 114)

[61] Comment prétendons-nous qu'un autre garde notre secret si nous n'avons pu le garder nous-même ? (MS 64, I 100.)

[62] Les philosophes ne condamnent les richesse que par le mauvais usage que nous en faisons ; il dépend de nous de les acquérir et de nous en servir sans crime et, au lieu qu'elles nourrissent et accroissent les vices comme le bois entretient et augmente le feu, nous pouvons les consacrer à toutes les vertus, et les rendre même par là plus agréables et plus éclatantes (MP 3)

[63] Celui-là n'est pas raisonnable qui trouve la raison, mais celui qui la connaît, qui la goûte et qui la discerne (max. 105, I 115).

[64] La plus déliée de toutes les finesses est de savoir bien faire semblant de tomber dans les pièges que l'on nous tend ; on n'est jamais si aisément trompé que quand on songe à tromper les autres (max. 117, I 121).

[65] La pure valeur (s'il y en avait) serait de faire sans témoins ce qu'on est capable de faire devant le monde (max. 216, I 229).

[66] L'intrépidité est une force extraordinaire de l'âme par laquelle elle empêche les troubles, les désordres et les émotions que la vue des grands périls a accoutumé d'élever en elle, par cette force les héros se maintiennent dans un état paisible et conservent l'usage libre de toutes leurs fonctions dans les accidents les plus terribles et les plus surprenants. Cette intrépidité doit soutenir le cœur dans les conjurations, au lieu que la seule valeur lui fournit toute la fermeté qui lui est nécessaire dans les périls de la guerre (max. 217 et MS 40, I 230 et 231).

[67] Enfin l'orgueil, comme lassé de ses artifices et de ses métamorphoses, après avoir joué tout seul les personnages de la comédie humaine, se montre avec son visage naturel et se découvre par la fierté, de sorte qu'à proprement parler la fierté est l'éclat et la déclaration de l'orgueil (MS 6, I 37).

[68] La politesse de l'esprit est un tout de l'esprit par lequel il pense toujours des choses agréables, honnêtes et délicates (max 99. I 109).

[69] La galanterie de l'esprit est un tour de l'esprit par lequel il pénètre et conçoit les choses les plus flatteuses, c'est-à-dire celles qui sont le plus capables de plaire aux autres (max 100. I 110).

[70] Qui ne rirait de la modération, et de l'opinion qu'on a conçue d'elle ? Elle n'a garde (ainsi qu'on croit) de combattre et de soumettre l'ambition, puisque jamais elles ne se peuvent trouver ensemble, la modération n'étant véritablement qu'une paresse, une langueur et un manque de courage, de manière qu'on peut justement dire que la modération est la bassesse de l'âme comme l'ambition en est l'élévation (max. 293. I 17)

[71] La modération dans la bonne fortune n'est que la crainte de la honte qui suit l'emportement, ou la peur de perdre ce que l'on a (MS 3. I 18).

[72] La politesse des États est le commencement de leur décadence, parce qu'elle applique tous les particuliers à leurs intérêts propres et les détourne du bien public (MS 52. I 282).

[73] La faiblesse de l'esprit est mal nommée ; c'est en effet la faiblesse du cœur, qui n'est autre chose qu'une impuissance d'agir et un manque de principe de vie (max. 44. I 49).

[74] La gravité est un mystère du corps inventé pour cacher les défauts de l'esprit (max. 257. I 280).

[75] La sévérité des femmes c'est un ajustement et un fard qu'elles ajoutent à leur beauté, c'est comme un prix dont elles augmentent le leur, c'est enfin un attrait fin et délicat et une douceur déguisée (max. 204, I 216).

[76] Ceux qui voudraient définir la victoire par sa naissance seraient tentés, comme les poètes, de l'appeler la fille du Ciel puisqu'on ne trouve point son origine sur la terre ; en effet elle est produite par une infinité d'actions qui, au lieu de l'avoir pour but, regardent seulement les intérêts particuliers de ceux qui les font, puisque tous ceux qui composent une armée, allant à leur propre gloire et à leur élévation, procurent un bien si grand et si général (MS. 41. I 232).

[77] La modération dans la bonne fortune est le calme de notre humeur adoucie par la satisfaction de l'esprit ; c'est aussi la crainte du blâme et du mépris qui suivent ceux qui s'enivrent de leur bonheur, c'est une vaine ostentation de la force de notre esprit, et enfin, pour la définir intimement, la modération des hommes dans leurs plus hautes élévations est une ambition de paraître plus grands que les choses qui les élèvent (max. 17 et 18, I 19 et 20).

[78] La persévérance n'est digne de blâme ni de louange parce qu'elle n'est que la durée des goûts et des sentiments qu'on ne s'ôte ni qu'on ne se donne (max. 177, I 186)

[79] La nature fait le mérite, et la fortune le met en œuvre (max. 153, I 160).

[80] La civilité est une envie d'en recevoir ; c'est aussi un désir d'être estimé poli (max. 260, I 283).

[81] La vérité qui fait les gens véritables est une imperceptible ambition qu'ils ont de rendre leur témoignage considérable et d'attirer à leurs paroles un respect de religion (max. 63, I 72).

[82] Nous avouons nos défauts pour réparer le préjudice qu'ils nous font dans l'esprit des autres par l'impression que nous leur donnons de la justice du nôtre (max. 184, I 193).

[83] La clémence des princes est une politique dont ils se servent pour gagner l'affection des peuples (max. 15, I 15).

[84] On s'est trompé quand on a cru, après tant de grands exemples, que l'ambition et l'amour triomphaient toujours des autres passions ; c'est la paresse, toute languissante qu'elle est, qui en est le plus souvent la maîtresse : elle usurpe insensiblement sur tous les desseins et sur toutes les actions de la vie, et enfin elle émousse et éteint toutes les passions et toutes les vertus (max. 266, I 289).

[85] Ceux qui s'appliquent trop aux petites choses peuvent difficilement s'appliquer assez aux grandes, parce qu'ils consomment toute leur application pour les petites, et même, en la plupart des hommes, c'est une marque qu'ils n'ont aucun talent pour les grandes (max. 41 et MS 7, I 45 et 51).

[86] Il y a deux sortes d'inconstances : l'une qui vient de la légèreté de l'esprit qui à tout moment change d'opinion, ou plutôt de la pauvreté de l'esprit qui reçoit toutes les opinions des autres ; l'autre qui est plus excusable, vient de la [fin] du goût des choses que l'on aimait (max. 181, I 190).

[87] La sobriété est l'amour de la santé ou l'impuissance de manger beaucoup (MS 24, I 135).

[88] La chasteté des femmes est l'amour de leur réputation et de leur repos (max. 205, I 217).

[89] Le mépris des richesses, dans les philosophes, était un désir caché de venger leur mérite de l'injustice de la fortune par le mépris des mêmes biens dont elle les privait ; c'était un secret qu'ils avaient trouvé pour se dédommager de l'avilissement de la pauvreté ; c'était enfin un chemin détourné pour aller à la considération que les richesses donnent (max. 54, I 63).

[90] La fidélité est une invention rare de l'amour-propre par laquelle l'homme, s'érigeant en dépositaire des choses précieuses, se rend à lui-même infiniment précieux ; de tous les trafics de l'amour-propre c'est celui où il fait moins d'avances et de plus grands profits ; c'est un raffinement de sa politique, car il engage les hommes par leurs biens, par leur honneur, par leur liberté et par leur vie qu'ils sont forcés de confier en quelques occasions, à élever l'homme fidèle au-dessus de tout le monde (max. 247, I 269).

[91] L'éducation qu'on donne aux princes est un second amour-propre qu'on leur inspire (max. 261, I 284, Ier état).

[92] Notre repentir ne vient point de nos actions, mais du dommage qu'elles nous causent (max. 180, I 189).

[93] Il y a des héros en mal comme en bien (max. 185, I 194).

[94] L'amour-propre est l'amour de soi-même et de toutes choses pour soi ; il rend les hommes idolâtres d'eux-mêmes, et les rendrait les tyrans des autres si la fortune leur en ouvrait les moyens ; il ne repose jamais hors de soi, et ne s'arrête dans les sujets étrangers que comme les abeilles sur les fleurs pour en tirer ce qui lui est propre. Rien n'est si impétueux que ses désirs, rien de si caché que ses desseins, rien de si habile que ses conduites ; ses souplesses ne se peuvent représenter, ses transformations passent celles de la métamorphose, et ses raffinements ceux de la chimie.

On ne peut sonder la profondeur ni percer les ténèbres de ses abîmes ; là il est à couvert des yeux les plus pénétrants, il y fait mille insensibles tours et retours ; là il est souvent invisible à lui-même, et il y conçoit, il y nourrit, et il y élève, sans le savoir, un grand nombre d'affections et de haines ; il en forme même quelquefois de si monstrueuses que, lorsqu'il les a mises au jour, il les méconnaît ou il ne peut se résoudre à les avouer.

De cette nuit qui le couvre naissent les ridicules persuasions qu'il a de lui-même ; de là viennent ses erreurs, ses ignorances, ses grossièretés et ses niaiseries sur son sujet ; de là vient qu'il croit que ses sentiments sont morts lorsqu'ils ne sont qu'endormis, qu'il s'imagine n'avoir plus d'envie de courir quand il se repose, et qu'il pense avoir perdu tous les goûts qu'il a rassasiés.

Mais cette obscurité épaisse qui le cache à lui-même n'empêche pas qu'il ne voie parfaitement ce qui est hors de lui, en quoi il est semblable à nos yeux qui découvrent tout et sont aveugles seulement pour eux-mêmes. En effet dans ses plus grands intérêts et dans ses plus importantes affaires, où la violence de ses souhaits appelle toute son attention, il voit, il sent, il entend, il imagine, il soupçonne, il pénètre, il devine tout ; de sorte qu'on est tenté de croire que chacune de ses passions a une magie qui lui est propre.

Rien n'est si intime et si fort que ses attachements, qu'il essaie de rompre inutilement à la vue des malheurs extrêmes qui le menacent ; cependant il fait quelquefois en peu de temps et sans aucun effort ce qu'il n'a pu faire avec tous ceux dont il est capable dans le cours de plusieurs années : d'où l'on pourrait conclure assez vraisemblablement que c'est par lui-même que ses désirs sont allumés, plutôt que par la beauté et par le mérite de ses objets, que son goût est le prix qui les relève et le fard qui les embellit, que c'est après lui-même qu'il court, et qu'il suit son gré lorsqu'il suit les choses qui sont à son gré.

Il est tous les contraires ; il est impérieux et obéissant, sincère et dissimulé, miséricordieux et cruel, timide et audacieux, etc.

Il a de différentes inclinations selon la diversité des tempéraments, qui les tournent et le dévouent pour l'ordinaire à la gloire ou aux richesses ou aux plaisirs ; il en change selon le changement de nos âges, de nos fortunes et de nos expériences ; mais il lui est indifférent d'en avoir plusieurs ou de n'en avoir qu'une, parce qu'il se partage en plusieurs et se ramasse en une quand il le faut et comme il lui plaît. Il est inconstant et, outre les changements qui lui viennent des causes étrangères, il en a une infinité qui naissent de lui et de son propre fonds, car il est naturellement inconstant de toutes manières ; il est inconstant d'inconstance, de légèreté, d'amour, de nouveauté, de lassitude et de dégoût.

Il est capricieux, et on le voit quelquefois travailler avec la dernière application, et avec des travaux incroyables, à obtenir des choses qui ne lui sont point avantageuses et qui même lui sont nuisibles, et qu'il poursuit seulement parce qu'il les veut.

Il est bizarre et met souvent toute son application dans les emplois les plus frivoles ; il trouve tout son plaisir dans les plus fades et conserve toute sa fierté dans les plus méprisables.

Il est dans tous les états de la vie et dans toutes les conditions ; il vit partout, il vit de tout, et il vit de rien ; il s'accommode des choses et de leur privation ; il passe même dans le parti des gens de piété qui lui font la guerre ; il entre dans leurs desseins et, ce qui est admirable il se hait lui-même, avec eux il conjure sa perte, il travaille même à sa ruine ; enfin il ne se soucie que d'être, et, pourvu qu'il soit, il veut bien être son ennemi.

Il ne faut donc pas s'étonner s'il se joint à la plus sévère piété, et s'il entre si hardiment en société avec elle pour se détruire, parce que, dans le même temps qu'il se ruine en un endroit, il se rétablit en un autre ; quand on pense qu'il quitte son plaisir, il le change seulement en satisfaction ; et lors même qu'il est vaincu et qu'on croit en être défait, on le retrouve dans le triomphe de sa défaite.

Voilà la peinture de l'amour-propre, dont toute la vie n'est qu'une grande et longue agitation ; la mer en est une image sensible, et l'amour-propre trouve dans la violence de ses vagues continuelles une fidèle expression de la succession turbulente de ses pensées et de ses éternels mouvements (MS I, I I).

[95] L'intention de ne jamais tromper nous expose à être souvent trompés. (max. 118, I 122)

[96] On aime mieux dire du mal de soi que de n'en point parler (max. 138, I 140).

[97] La ruine du prochain plaît aux amis et aux ennemis (MP 4).

[98] La haine qu'on a pour les favoris n'est autre chose que l'amour de la faveur ; c'est aussi la rage de n'avoir point la faveur, qui se console et s'adoucit un peu par le mépris des favoris ; c'est enfin une secrète envie de les détruire qui fait que nous leur ôtons nos propres hommages, ne pouvant pas leur ôter [ce] qui leur attire ceux de tout le monde (max. 55, I 64).

[99] Chaque homme n'est pas plus différent des autres hommes qu'il l'est souvent de lui-même (max. 135, I 137).

[100] Il est de la reconnaissance comme de la bonne foi des marchands : elle soutient le commerce, et nous ne payons pas pour la justice de payer, mais pour trouver plus facilement des gens qui nous prêtent (max. 223, I 237).

[101] La coutume que nous avons de nous déguiser aux autres pour acquérir leur estime fait qu'enfin nous nous déguisons à nous-mêmes (max. 119, I 123).

[102] Les biens et les maux sont plus grands dans notre imagination qu'ils ne le sont en effet, et on n'est jamais si heureux ni si malheureux que l'on pense (max. 49, I 56).

[103] Il y a des personnes à qui leurs défauts siéent bien et d'autres qui sont disgraciées de leurs bonnes qualités (max. 251, I 281).

[104] La réconciliation avec nos ennemis, qui se fait au nom de la sincérité, de la douceur, et de la tendresse, n'est qu'un désir de rendre sa condition meilleure, une lassitude de la guerre et une crainte de quelque mauvais événement (max. 82. I 95).

[105] Le mal que nous faisons aux autres ne nous attire point tant la persécution et leur haine que les bonnes qualités que nous avons (max. 29, I 32).

[106] Une des choses qui fait que l'on trouve si peu de gens qui paraissent raisonnables et agréables dans la conversation, c'est qu'il n'y a quasi personne qui ne pense plutôt à ce qu'il veut dire qu'à répondre précisément à ce qu'on lui dit, et que les plus habiles et les plus complaisants se contentent de montrer seulement une mine attentive au même temps que l'on voit, dans leurs yeux et dans leur esprit, un égarement et une précipitation de retourner à ce qu'ils veulent dire, au lieu de considérer que c'est un mauvais moyen de plaire ou de persuader les autres de chercher si fort à se plaire à soi-même, et que bien écouter et bien répondre est une des plus grandes perfections qu'on puisse avoir (max. 139, I 141).

[107] Comme si ce n'était pas assez à l'amour-propre d'avoir la vertu de se transformer lui-même, il a encore celle de transformer ses objets ; ce qu'il fait d'une manière fort étonnante, car non seulement il les déguise si bien qu'il y est lui-même abusé, mais aussi, comme si ses actions étaient des miracles, il change l'état et la nature des choses soudainement. En effet, lorsqu'une personne nous est contraire, et qu'elle tourne sa haine et sa persécution contre nous, c'est avec toute la sévérité de la justice que notre amour-propre juge ses actions, il donne même une étendue à ses défauts qui les rend énormes, et met ses bonnes qualités dans un jour si désavantageux qu'elles deviennent plus dégoûtantes que ses défauts. Cependant, dès que cette même personne nous devient favorable ou que quelqu'un de nos intérêts l'a réconciliée avec nous, notre seule satisfaction rend aussitôt à son mérite le lustre que notre aversion venait d'effacer. Tous ses avantages en reçoivent un fort grand des biais dont nous les regardons ; toutes ses mauvaises qualités disparaissent, et nous appelons même toute notre indulgence pour la forcer à justifier la guerre qu'elles nous ont faite (cf. la maxime suivante).

[108] Quoique toutes les passions montrent cette vérité, l'amour la fait voir plus clairement que les autres, car nous voyons un amoureux, agité de la rage où l'a mis un visible oubli ou infidélité découverte, conjure[r] le ciel et les enfers contre sa maîtresse et néanmoins, aussitôt qu'elle s'est présentée et que sa vue a calmé la fureur de ses mouvements, son ravissement rend cette beauté innocente, il n'accuse plus que lui-même, il condamne ses condamnations et par cette vertu miraculeuse de l'amour-propre il ôte la noirceur aux actions mauvaises de sa maîtresse et en sépare le crime pour en charger ses soupçons (pour cette maxime et la précédente : max. 88, I 101).

[109] La justice n'est qu'une vive appréhension qu'on nous ôte ce qui nous appartient ; de là vient cette considération et ce respect pour tous les intérêts du prochain et cette scrupuleuse application à ne lui faire aucun préjudice. Sans cette crainte qui retient l'homme dans les bornes des biens que la naissance ou la fortune lui a donnés, pressé par la violente passion de se conserver, comme par une faim enragée, il ferait des courses continuellement sur les autres (MS 14, I. 88).

[110] La justice, dans les bons juges qui sont modérés n'est que l'amour de l'approbation ; dans les ambitieux c'est l'amour de leur élévation (MS 15, I 89).

[111] Rien n'est si contagieux que l'exemple, et nous ne faisons jamais de grands biens ni de grands maux qui ne produisent infailliblement leurs pareils. L'imitation des biens vient de l'émulation et celle des maux de l'excès de la malignité naturelle qui, étant comme tenue en prison par la honte, est mise en liberté par l'exemple (max. 230, I 244).

[112] Nul ne mérite d'être loué de bonté s'il n'a la force et la hardiesse de pouvoir être méchant : toute autre bonté n'est en effet qu'une privation de vice ou plutôt la timidité des vices et leur endormissement (max. 237, I 251).

[113] Chacun pense être plus fin que les autres (MP 5).

[114] L'aveuglement des hommes est le plus dangereux effet de leur orgueil ; il sert encore à le nourrir et à l'augmenter, et c'est pour manquer de lumières que nous ignorons toutes nos misères et tous nos défauts (MS 19, I 102).

[115] La constance en amour est une inconstance perpétuelle qui fait que notre cœur s'attache successivement à toutes les qualités de la personne que nous aimons, donnant tantôt la préférence à l'une, tantôt à l'autre, de sorte que cette constance n'est que notre inconstance arrêtée et renfermée dans un sujet (max. 175. I 184).

[116] Nous ne regrettons pas la perte de nos amis selon leur mérite, mais selon nos besoins et l'opinion que nous croyons leur avoir donnée de ce que nous valons (MS 70, I 248).

[117] Il n'y a point d'amour pure et exempte du mélange de nos autres passions, que celle qui est cachée au fond du cœur et que nous ignorons nous-mêmes (max. 69, I 79).

[118] On hait souvent les vices, mais on méprise toujours le manque de vertu (max. 186, I 195).

[119] La passion fait souvent du plus habile homme un sot et rend quasi toujours les plus sots habiles (max. 6, I 6).

[120] Il y a des gens niais qui se connaissent niais et qui emploient habilement leur niaiserie (max. 208, I 220).

[121] Tout le monde est plein de pelles qui se moquent des fourgons (MS 5. I 33).

[122] On ne saurait compter toutes les espèces de vanité (MP 6).

[123] Pour savoir, il faut savoir le détail des choses, et comme il est presque infini, de là vient que si peu de gens sont savants et que nos connaissances sont superficielles et imparfaites, et qu'on décrit les choses au lieu de les définir. En effet on ne les connaît et on ne les fait connaître qu'en gros et par des marques communes, de même que si quelqu'un disait que le corps humain est droit et composé de différentes parties, sans dire le nombre, la situation, les fonctions, les rapports et les différences de ces parties (max. 106, I 116).

[124] Il est bien malaisé de distinguer la bonté répandue et générale pour tout le monde de la grande habileté (MS 44, I 252).

[125] On incommode toujours les autres quand on est persuadé de ne les pouvoir jamais incommoder (max. 242, I 264).

[126] Les grandes et éclatantes actions qui éblouissent les yeux des hommes sont représentées par les politiques comme les effets des grands intérêts, au lieu que ce sont d'ordinaire les effets de l'humeur et des passions ; ainsi la guerre d'Auguste et d'Antoine, qu'on rapporte à l'ambition qu'ils avaient de se rendre maîtres du monde, était un effet de la jalousie (max. 7, I 7).

[127] Les passions sont les seuls orateurs qui persuadent toujours ; elles sont comme un art de la nature dont les règles sont infaillibles et l'homme le plus simple, qui sent, persuade mieux que celui qui n'a que la seule éloquence (max. 8, I 8).

[128] La vraie éloquence consiste à dire tout ce qu'il faut et à ne dire que ce qu'il faut (max. 250, I 273).

[129] Ceux qui se sentent du mérite se piquent toujours d'être malheureux pour persuader aux autres et à eux-mêmes qu'ils sont de véritables héros, puisque la mauvaise fortune ne s'opiniâtre jamais à persécuter que les personnes qui ont des qualités extraordinaires (max. 50, I 57).

[130] La coquetterie est le fond de l'humeur de toutes les femmes, mais toutes n'en ont pas l'exercice parce que la coquetterie de quelques-unes est arrêtée et enfermée par leur tempérament et par leur raison (max. 241, I 263).

[131] Un homme d'esprit serait souvent embarrassé sans la compagnie des sots (max. 140, I 142).

[132] Les pensées et les sentiments ont chacun un ton de voix, une action et un air de visage qui leur sont propres ; c'est ce qui fait les bons et les mauvais comédiens, et c'est ce qui fait aussi que les personnes plaisent ou déplaisent (max. 255, I 278).

[133] Il y a de jolies choses que l'esprit ne cherche point et qu'il trouve toutes achevées en lui-même, de sorte qu'il semble qu'elles y soient cachées comme l'or et les diamants dans le sein de la terre (max. 101, I 111).

[134] La confiance de plaire est souvent le moyen de plaire infailliblement (MS 46, I 256).

[135] La faiblesse fait commettre plus de trahisons que le véritable dessein de trahir (max. 120, I 124).

[136] L'approbation que l'on donne à l'esprit, à la beauté et à la valeur les augmente et les perfectionne et leur fait faire de plus grands effets qu'ils n'auraient été capables de faire d'eux-mêmes (max. 150, I 156).

[137] Rien ne doit tant diminuer la satisfaction que nous avons de nous-mêmes, que de voir que nous avons été dans des états et dans des sentiments que nous désapprouvons à cette heure (max. 51, I 58).

[138] Nous n'avons pas assez de force pour suivre toute notre raison (max. 42, I 46).

[139] Ce qui nous fait aimer les connaissances nouvelles n'est pas tant la lassitude que l'on a des vieilles, ni le plaisir de changer, que le dégoût que nous avons de n'être pas assez admirés de ceux qui nous connaissent trop et l'espérance de l'être davantage de ceux qui ne nous connaissent guère (max. 178, I 187).

[140] Les grandes âmes ne sont pas celles qui ont moins de passions et plus de vertu que les âmes communes, mais celles qui ont seulement de plus grandes vues (MS 31, I 161).

[141] On n'est jamais si malheureux qu'on craint ni si heureux qu'on espère (MS 9, I 59).

[142] On se vante souvent mal à propos de ne se point ennuyer et l'homme est si glorieux qu'il ne veut pas se trouver de mauvaise compagnie (max. 141, I 143).

[143] Ce qui nous empêche souvent de bien juger des sentences qui prouvent la fausseté des vertus, c'est que nous croyons trop aisément qu'elles sont véritables en nous (MP 7).

[144] La santé de l'âme n'est pas plus assurée que celle du corps, et quelque éloignés que nous paraissions être des passions que nous n'avons point encore ressenties, il faut croire toutefois que l'on n'y est pas moins exposé qu'on l'est à tomber malade quand on se porte bien (max. 188, I 197).

[145] On blâme l'injustice, non pas par la haine qu'on a pour elle, mais par le préjudice qu'on en reçoit (MS 16, I 90).

[146] Un habile homme doit savoir régler le rang de ses intérêts et les conduire chacun dans son ordre ; notre avidité le trouble souvent en nous faisant courir à tant de choses à la fois ; de là vient que pour désirer trop les moins importantes, nous ne les faisons pas assez servir à obtenir les plus considérables (max. 66, I 76).

[147] Le caprice de l'humeur est encore plus bizarre que celui de la fortune (max. 45, I 50).

[148] La honte, la paresse, la timidité ont souvent toutes seules le mérite de nous retenir dans notre devoir, pendant que notre vertu en a tout l'honneur (max. 169, I 177).

[149] On n'a plus de raison quand on n'espère plus d'en trouver aux autres (MS 20, I 103).

[150] Ceux qu'on exécute affectent quelquefois des constances, des froideurs, et des mépris de la mort pour ne pas penser à elle et pour s'étourdir, de sorte qu'on peut dire que ces froideurs et ces mépris font à leur esprit ce que le mouchoir fait à leurs yeux (max. 21, I 24).

[151] L'amour de la justice n'est que la crainte de souffrir l'injustice (max. 78, I 91).

[152] Il n'y a pas moins d'éloquence dans le ton de la voix que dans le choix des paroles (max. 249, I 272, 2e état).

[153] La plupart des hommes s'exposent assez à la guerre pour sauver leur honneur, mais peu se veulent toujours exposer autant qu'il est nécessaire pour faire réussir le dessein pour lequel ils s'exposent (max. 219, I 233).

[154] On ne loue que pour être loué (max. 146, I 150).

[155] Il n'y a que Dieu qui sache si un procédé net, sincère et honnête est plutôt un effet de probité que d'habileté (max. 170, I 178).

[156] La souveraine habileté consiste à bien connaître le prix de chaque chose (max. 244, I 266).

[157] On ne blâme le vice et on ne loue la vertu que par intérêt (MS 28, I 151).

[158] La vérité est le fondement et la justification de la beauté (MS 49, I 260).

[159] Si nous n'avions point d'orgueil, nous ne nous plaindrions pas de celui des autres (max. 34, I 38).

[160] Nous craignons toutes choses comme mortels, et nous désirons toutes choses comme si nous étions immortels (MP 8).

[161] Peu de gens sont assez sages pour aimer mieux le blâme qui leur sert que la louange qui les trahit (max. 147, I 152).

[162] La subtilité est une fausse délicatesse et la délicatesse une solide subtilité (max. 128, I 130).

[163] La vérité est le fondement et la raison de la perfection et de la beauté, car il est certain qu'une chose, de quelque nature qu'elle soit, est belle et parfaite si elle est tout ce qu'elle doit être et si elle a tout ce qu'elle doit avoir. (MS 49, I 260).

[164] Les passions ont une injustice et un propre intérêt qui fait qu'elles offensent et blessent toujours, même lorsqu'elles parlent raisonnablement et équitablement ; la charité a seule le privilège de dire quasi tout ce qui lui plaît et de ne blesser jamais personne (max. 9, I 9).

[165] Le monde, ne connaissant point le véritable mérite, n'a garde de pouvoir le récompenser ; aussi n'élève-t-il à ses grandeurs et à ses dignités que des personnes qui ont de belles qualités apparentes et il couronne généralement tout ce qui luit quoique tout ce qui luit ne soit pas de l'or (max. 166, I 173).

[166] Comme il y a de bonnes viandes qui affadissent le cœur, il y a un mérite fade et des personnes qui dégoûtent avec des qualités bonnes et estimables (max. 155, I 162, 2e état).

[167] Nous ne sommes pas difficiles à consoler des disgrâces de nos amis lorsqu'elles servent à nous faire faire quelque belle action (max. 235, I 249).

[168] Quand il n'y a que nous qui sachions nos crimes, ils sont bientôt oubliés (max. 196, I 207).

[169] L'intérêt donne toute sorte de vertus et de vices (max. 253, I 276).

[170] Plusieurs personnes s'acquittent des devoirs de la reconnaissance, quoiqu'il soit vrai de dire que personne n'en a effectivement (max. 224, I 238).

[171] Pour s'établir dans le monde, on fait tout ce qu'on peut pour y paraître établi (max. 56, I 65).

[172] Dans toutes les professions et dans tous les arts, chacun se fait une mine et un extérieur qu'il met en la place de la chose dont il veut avoir le mérite, de sorte que tout le monde n'est composé que de mines, et c'est inutilement que nous travaillons à y trouver les choses (max. 256, I 279).

[173] Il y a des gens qui ressemblent aux vaudevilles que tout le monde chante un certain temps quelque fades et dégoûtants qu'ils soient (max. 211, I 223).

[174] Comme dans la nature il y a une éternelle génération et que la mort d'une chose est toujours la production d'une autre, de même il y a dans le cœur humain une génération perpétuelle de passions, en sorte que la ruine de l'une est toujours l'établissement d'une autre (max. 10, I 10).

[175] Je ne sais si cette maxime, que chacun produit son semblable, est véritable dans la physique, mais je sais bien qu'elle est fausse dans la morale et que les passions en engendrent souvent qui leur sont contraires ; ainsi l'avarice produit quelquefois la libéralité, et la libéralité l'avarice, on est souvent ferme de faiblesse, et l'audace naît de la timidité (max. 11, I 11).

[176] Peu de gens sont cruels de cruauté, mais tous les hommes sont cruels et inhumains d'amour-propre (MS 32, I 174).

[177] L'intérêt parle toute sorte de langues et joue toute sorte de personnages, même celui de désintéressé (max. 39, I 43).

[178] L'esprit est toujours la dupe du cœur (max. 102, I 112).

[179] Quelque industrie que l'on ait à cacher ses passions sous le voile de la piété et de l'honneur, il y en a toujours quelque coin qui se montre (max. 12, I 12).

[180] La philosophie triomphe aisément des maux passés et de ceux qui ne sont pas prêts d'arriver, mais les maux présents triomphent d'elle (max. 22, I 25).

[181] Ce qui fait tout le mécompte que nous voyons dans la reconnaissance des hommes, c'est que l'orgueil de celui qui donne, et l'orgueil de celui qui reçoit, ne peuvent convenir du prix du bienfait (max. 225, I 239).

[182] La vanité et la honte, et surtout le tempérament, fait la valeur des hommes, et la chasteté des femmes, dont chacun mène tant de bruit (max. 220, I 234).

[183] Il y a des gens dont le mérite consiste à dire et à faire des sottises utilement, et qui gâteraient tout s'ils changeaient de conduite (max. 156, I 163).

[184] On se console souvent d'être malheureux en effet par un certain plaisir qu'on trouve à le paraître (MS 10, I 60).

[185] On admire tout ce qui éblouit, et l'art de savoir bien mettre en œuvre de médiocres qualités dérobe l'estime et donne souvent plus de réputation que le véritable mérite (max. 162, I 164).

[186] Les rois font des hommes comme des pièces de monnaie, ils les font valoir ce qu'ils veulent et on est forcé de les recevoir selon leur cours et non pas selon leur véritable prix (MS 67, I 165).

[187] La vertu est un fantôme formé par nos passions à qui on donne un nom honnête pour faire impunément ce qu'on veut (MS 34, I 179).

[188] Peu de gens connaissent la mort ; on la souffre, non par la résolution, mais par la stupidité et par la coutume, et la plupart des hommes meurent parce qu'on meurt (max. 23, I 26).

[189] L'imitation est toujours malheureuse et tout ce qui est contrefait déplaît avec les mêmes choses qui charment lorsqu'elles sont naturelles (MS 43, I 245).

[190] Dieu a mis des talents différents dans l'homme comme il a planté de différents arbres dans la nature, en sorte que chaque talent de même que chaque arbre a ses propriétés et ses effets qui lui sont tous particuliers ; de là vient que le poirier le meilleur du monde ne saurait porter les pommes les plus communes, et que le talent le plus excellent ne saurait produire les mêmes effets des talents les plus communs ; de là vient encore qu'il est aussi ridicule de vouloir

faire des sentences sans en avoir la graine en soi que de vouloir qu'un parterre produise des tulipes quoiqu'on n'y ait point semé les oignons (MP 9).

[191] L'honneur acquis est caution de celui qu'on doit acquérir (max. 270, I 294).

[192] L'intérêt, à qui on reproche d'aveugler les uns, est ce qui fait toute la lumière des autres (max. 40, I 44).

[193] Il y a des reproches qui louent et des louanges qui médisent (max. 148, I 153).

[194] Ce n'est pas assez d'avoir de grandes qualités, il en faut avoir l'économie (max. 159, I 166).

[195] Une preuve convaincante que l'homme n'a pas été créé comme il est, c'est que plus il devient raisonnable et plus il rougit en soi-même de l'extravagance, de la bassesse et de la corruption de ses sentiments et de ses inclinations (MP 10).

[196] On se mécompte toujours dans le jugement que l'on fait de nos actions quand elles sont plus grandes que nos desseins (max. 160, I 167).

[197] Il faut une certaine proportion entre les actions et les desseins qui les produisent, sans laquelle les actions ne font jamais tous les effets qu'elles doivent faire (max. 161, I 168).

[198] Quoique la vanité des ministres se flatte de la grandeur de leurs actions, elles sont bien souvent les effets du hasard ou de quelque petit dessein (max. 57, I 66).

[199] La nature, qui se vante d'être toujours sensible, est dans la moindre occasion étouffée par l'intérêt (max. 275, I 299).

[200] Qui vit sans folie n'est pas si sage qu'il croit (max. 209, I 221).

[201] Les grands hommes s'abattent et se démontent à la fin par la longueur de leurs infortunes ; cela ne veut pas dire qu'ils fussent forts quand ils les supportaient, mais seulement qu'ils se donnaient la gêne pour le paraître, et qu'ils soutenaient leurs malheurs par la force de leur ambition et non pas par celle de leur âme ; cela fait voir manifestement qu'à une grande vanité près les héros sont faits comme les autres hommes (max. 24, I 27).

[202] La plupart des gens ne voient dans les hommes que la vogue qu'ils ont et le mérite de leur fortune (max. 212, I 224).

[203] Il n'appartient qu'aux grands hommes d'avoir de grands défauts (max. 190, I 198).

[204] Toutes les vertus des hommes se perdent dans l'intérêt, comme les fleuves se perdent dans la mer (max. 171, I 180).

[205] Il y a des hommes que l'on estime, qui n'ont pour toutes vertus que des vices qui sont propres à la société et au commerce de la vie (max. 273, I 297).

[206] Il ne faut pas s'offenser que les autres nous cachent la vérité puisque nous nous la cachons si souvent nous-mêmes (MP II).

[207] Rien ne prouve davantage combien la mort est redoutable que la peine que les philosophes se donnent pour persuader qu'on la doit mépriser (MP 12).

[208] Rien ne prouve tant que les philosophes ne sont pas si bien persuadés qu'ils disent que la mort n'est pas un mal que le tourment qu'ils se donnent pour éterniser leur réputation (MS 53, I 285, Ier état).

[209] Il semble que c'est le diable qui a tout exprès placé la paresse sur la frontière de plusieurs vertus (MP 13).

[210] La fin du bien est un mal, la fin du mal est un bien (MP 14).

[211] L'orgueil est égal dans tous les hommes et il n'y a de différence qu'en la manière de le mettre au jour (max. 35, I 39).

[212] On blâme aisément les défauts des autres, mais on s'en sert rarement à corriger les siens (MP 15).

[213] On n'oublie jamais si bien les choses que quand on s'est lassé d'en parler (MS 26, I 144).

[214] Comment peut-on se répondre si hardiment de soi-même puisqu'il faut auparavant se pouvoir répondre de sa fortune ? (MS II, I 70.)

[215] L'espérance, toute vaine et toute trompeuse qu'elle est d'ordinaire, sert au moins à nous mener à la fin de la vie par un beau chemin (max. 168, I 175).

[216] La magnanimité est assez définie par son nom ; on pourrait dire toutefois que c'est le bon sens de l'orgueil et la voie la plus noble qu'elle ait pour recevoir des louanges (max. 285, I 313).

[217] La clémence c'est un mélange de gloire, de paresse et de crainte dont nous faisons une vertu (max. 16, I 16).

[218] On n'est pas moins exposé aux rechutes des maladies de l'âme que de celles du corps ; nous croyons être guéris bien que le plus souvent ce ne soit qu'un relâche ou un changement de mal ; quand les vices nous quittent, nous voulons croire que c'est nous qui les quittons ; on pourrait presque dire qu'ils nous attendent sur le cours ordinaire de la vie comme des hôtelleries où il faut successivement loger, et je doute que l'expérience même nous en peut [sic] garantir s'il nous était permis de faire deux fois le même chemin (max. 193, 192 et 191, I 204, 203 et 202).

[219] Si l'on juge de l'amour par la plupart de ses effets, il ressemble plus à la haine qu'à l'amitié (max. 72, I 82).

[220] On n'est jamais si ridicule par les qualités que l'on a que par celles qu'on affecte d'avoir (max. 134, I 136).

[221] La durée de nos passions ne dépend pas plus de nous que la durée de notre vie (max. 5, I 5).

[222] Il y a beaucoup de femmes qui n'ont jamais eu de galanteries, mais je ne sais s'il y en a qui n'en aient jamais eu qu'une (max. 73, I 83).

[223] L'amour est à l'âme de celui qui aime ce que l'âme est au corps qu'elle anime (MS 13, I 77).

[224] Il n'y a point de déguisement qui puisse longtemps cacher l'amour où il est, ni le feindre où il n'est pas (max. 70, I 80).

[225] Comme on n'est jamais libre d'aimer ou de cesser d'aimer, on ne peut se plaindre avec justice de la cruauté de sa maîtresse, ni elle de la légèreté de son amant (MS 62, I 81).

[226] La durée de l'amour et ce qu'on appelle ordinairement constance sont deux choses bien différentes : la première vient de ce que l'on trouve sans cesse dans la personne que l'on aime, comme dans une source inépuisable, de nouveaux sujets d'aimer, et l'autre vient de qu'on se fait un honneur de tenir sa parole (max. 176, I 185).

[227] Les vices entrent dans la composition des vertus comme les poisons entrent dans la composition des plus grands remèdes de la médecine, la prudence les assemble, elle les tempère et elle s'en sert utilement contre les maux de la vie (max. 182, I 191).

[228] Les biens et les maux qui nous arrivent ne nous touchent pas selon leur grandeur, mais selon notre sensibilité (MP 16).

[229] La curiosité n'est pas, comme l'on croit, un simple amour de la nouveauté : il y en a d'intérêt, qui fait que nous voulons savoir les choses pour nous en prévaloir ; et il y en a une autre d'orgueil, qui nous donne envie d'être au-dessus de tous ceux qui ignorent les choses, et de n'être pas au-dessous de ceux qui les savent (max. 173, I 182).

[230] On est souvent reconnaissant par principe d'ingratitude (max. 226, I 240).

[231] On fait souvent du bien pour pouvoir faire du mal impunément (max. 121, I 125).

[232] Le refus des louanges est un désir d'être loué deux fois (max. 149, I 154).

[233] On peut connaître son esprit, mais qui peut connaître son cœur ? (max. 103, I 113).

[234] Le vrai ne fait pas tant de bien dans le monde que le vraisemblable y fait de mal (max. 64, I 73).

[235] La petitesse de l'esprit fait l'opiniâtreté (cf. la maxime suivante).

[236] On ne croit pas aisément ce qui est au-delà de ce que nous voyons (pour cette maxime et la précédente : max. 265, I 288).

[237] Ceux qui prisent trop leur noblesse ne prisent d'ordinaire pas assez ce qui en est l'origine (MP 17).

[238] Le désir de paraître habile empêche souvent de le devenir, parce qu'on songe plus à paraître aux autres qu'à être effectivement ce qu'il faut être (max. 199, I 210).

[239] La jalousie ne subsiste que dans les doutes et ne vit que dans de nouvelles inquiétudes ; l'incertitude est sa matière (max. 32, I 35).

[240] Le remède de la jalousie est la certitude de ce qu'on craint, parce qu'elle cause la fin de la vie ou la fin de l'amour ; c'est un cruel remède, mais il est plus doux que les doutes et les soupçons (MP 18).

[241] Il est difficile de comprendre combien est grande la ressemblance et la différence qu'il y a entre tous les hommes (MP 19).

[242] C'est être véritablement honnête homme que de vouloir bien être examiné des honnêtes gens en tous temps et sur tous les sujets qui se présentent (max. 206, I 218).

[243] Le désir de vivre ou de mourir sont des goûts de l'amour-propre dont il ne faut non plus disputer que des goûts de la langue ou du choix des couleurs (max. 46, I 52).

[244] Il n'est pas si dangereux de faire du mal à la plupart des hommes que de leur faire trop de bien (max. 238, I 253).

[245] Ce qui fait tant disputer contre les maximes qui découvrent le cœur de l'homme, c'est que l'on craint d'y être découvert (MP 20).

[246] De plusieurs actions diverses que la fortune arrange comme il lui plaît il s'en fait plusieurs vertus (max. I, I 293).

[247] On est sage pour les autres, personne ne l'est assez pour soi-même (max. 132, I 133).

[248] La confiance que l'on a en soi fait naître la plus grande partie de celle que l'on a aux autres (MS 47, I 258).

[249] On peut toujours ce qu'on veut, pourvu qu'on le veuille bien (max. 243, I 265 et 272, Ier état).

[250] La jeunesse est une ivresse continuelle ; c'est la fièvre de la santé, c'est la folie de la raison (max. 271, I 295).

[251] Toutes les passions ne sont autre chose que les divers degrés de la chaleur et de la froideur du sang (MS 2, I 13).

[252] Comme c'est le caractère des grands esprits de faire entendre avec peu de paroles beaucoup de choses, les petits esprits en revanche ont l'art de parler beaucoup et de ne dire rien (max. 142, I 145).

[253] De toutes les passions celle qui est la plus inconnue c'est la paresse, elle est la plus violente et la plus maligne de toutes, quoique sa violence soit insensible et que les dommages qu'elle cause soient très cachés ; si nous considérons attentivement son pouvoir, nous verrons qu'elle se rend en toutes rencontres maîtresse de nos sentiments, de nos intérêts et de nos plaisirs ; c'est le petit poisson qui a la force d'arrêter les plus grands navires, c'est une bonace plus dangereuse aux plus importantes affaires que les écueils et les plus grandes tempêtes ; le repos de la paresse est un charme secret de l'âme qui suspend soudainement ses plus ardentes poursuites et ses plus opiniâtres résolutions, et enfin, pour donner la véritable idée de cette passion, il faut dire que la paresse est une béatitude de l'âme qui la console de toutes ses pertes et la fait renoncer à toutes ses prétentions (MS 54, I 290).

[254] La magnanimité méprise tout pour avoir tout (max. 248, I 270).

[255] L'homme est si misérable que, tournant toutes ses conduites à satisfaire ses passions, il gémit incessamment sous leur tyrannie ; il ne peut supporter ni leur violence ni celle qu'il faut qu'il se fasse pour s'affranchir de leur joug ; il trouve du dégoût non seulement dans ses vices, mais encore dans leurs remèdes, et ne peut s'accommoder ni des chagrins de ses maladies ni du travail de sa guérison (MP 21).

[256] Dieu a permis, pour punir l'homme du péché originel, qu'il se fît un dieu de son amour-propre pour en être tourmenté dans toutes les actions de sa vie (MP 22).

[257] Si nous n'avions point de défauts, nous ne serions pas si aises d'en remarquer aux autres (max. 31, I 34).

[258] Je ne sais si on peut dire de l'agrément séparé de la beauté que c'est une symétrie dont on ne sait pas les règles et un rapport secret des traits ensemble et des traits avec les couleurs et l'air de la personne (max. 240, I 261).

[259] Il y a une infinité de conduites qui ont un ridicule apparent et qui sont dans leurs raisons cachées très sages et très solides (max. 163, I 170).

[260] En vieillissant on devient plus fou et plus sage (max. 210, I 222).

[261] L'espérance et la crainte sont inséparables et il n'y a point de crainte sans espérance ni d'espérance sans crainte (MP 23).

[262] Il semble que plusieurs de nos actions aient des étoiles heureuses ou malheureuses aussi bien que nous, d'où dépend une grande partie de la louange ou du blâme qu'on leur donne (max. 58, I 67).

[263] Il n'y a que d'une sorte d'amour, mais il y en a mille différentes copies (max. 74, I 84).

[264] L'amour aussi bien que le feu ne peut subsister sans un mouvement continuel, et il cesse de vivre dès qu'il cesse d'espérer ou de craindre (max. 75, I 85).

[265] Il est de l'amour comme de l'apparition des esprits : tout le monde en parle, mais peu de gens en ont vu (max. 76, I 86).

[266] L'amour prête son nom à un nombre infini de commerces qu'on lui attribue, où il n'a souvent guère plus de part que le doge en a à ce qui se fait à Venise (max. 77, I 87).

[267] Le pouvoir que les personnes que nous aimons ont sur nous est presque toujours plus grand que celui que nous y avons nous-mêmes (MP 24).

[268] La promptitude avec laquelle nous croyons le mal sans l'avoir assez examiné est aussi bien un effet de paresse que d'orgueil : on veut trouver des coupables, mais on ne veut pas se donner la peine d'examiner les crimes (max. 267, I 291).

[269] Ce qui nous fait croire si facilement que les autres ont des défauts, c'est la facilité que l'on a de croire ce qu'on souhaite (MP 25).

[270] L'intérêt est l'âme de l'amour-propre, de sorte que comme le corps, privé de son âme, est sans vue, sans ouïe, sans connaissance, sans sentiment et sans mouvement, de même l'amour-propre séparé, s'il le faut dire ainsi, de son intérêt, ne voit, n'entend, ne sent et ne se remue plus ; de là vient qu'un même homme qui court la terre et les mers pour son intérêt devient soudainement paralytique pour l'intérêt des autres ; de là vient le soudain assoupissement, et cette mort que nous causons à tous ceux à qui nous contons nos affaires ; de là vient leur prompte résurrection lorsque dans notre narration nous y mêlons quelque chose qui les regarde de sorte que nous voyons dans nos conversations et dans nos traités que dans un même moment un homme perd connaissance et revient à soi selon que son propre intérêt s'approche de lui ou qu'il s'en retire (MP 26).

[271] Les défauts de l'âme sont comme les blessures du corps ; quelque soin qu'on prenne de les guérir, la cicatrice paraît toujours et elles se peuvent toujours rouvrir (max. 194, I 205).

[272] Il est aussi ordinaire de voir changer les goûts qu'il est rare de voir changer les inclinations (max. 252, I 275).

Sentences et maximes de morale
(Édition hollandaise de 1664)

[1] Les vices entrent dans la composition des vertus, comme les poisons entrent dans la composition des remèdes de la médecine : la prudence les assemble et les tempère, et elle s'en sert utilement contre les maux de la vie (max. 182, I 191).

[2] La vertu des gens du monde est un fantôme formé par nos passions, à qui on donne un nom honnête pour faire impunément ce qu'on veut (MS 34, I 179).

[3] Toutes les vertus des hommes se perdent dans l'intérêt, comme les fleuves se perdent dans la mer (max. 171, I 180).

[4] Les crimes deviennent innocents, même glorieux, par leur nombre et par leurs qualités ; de là vient que les voleries publiques sont des habiletés, et que prendre des provinces injustement s'appelle faire des conquêtes. Le crime a ses héros, ainsi que la vertu (MS 68, I 192, et max. 185, I 194).

[5] La honte, la paresse, et la timidité ont souvent toutes seules le mérite de nous retenir dans notre devoir, pendant que notre vertu en a tout l'honneur (max. 169, I 177).

[6] Si on avait ôté à ce qu'on appelle force le désir de conserver, et la crainte de perdre, il ne lui resterait pas grand'chose (MP 32).

[7] La clémence est un mélange de gloire, de paresse et de crainte, dont nous faisons une vertu ; et chez les princes c'est une politique dont ils se servent pour gagner l'affection des peuples (max. 16 et 15, I 16 et 15).

[8] La constance des sages n'est qu'un art avec lequel ils savent renfermer dans leur âme leur agitation (max. 20, I 23).

[9] La gravité est un mystère du corps, inventé pour cacher les défauts de l'esprit (max. 257. I 280).

[10] La sévérité des femmes est un ajustement, et un fard qu'elles ajoutent à leur beauté. C'est enfin un attrait fin et délicat, et une douceur déguisée (max. 204, I 216).

[11] La réconciliation avec nos ennemis, qui se fait au nom de la sincérité, de la douceur, et de la tendresse, n'est qu'un désir de rendre sa condition meilleure, une lassitude de la guerre, et une crainte de quelque mauvais événement (max. 82, I 95).

[12] Il est de la reconnaissance comme de la bonne foi des marchands elle soutient le commerce, et nous ne payons pas par la justice de payer, mais pour trouver plus facilement des gens qui nous prêtent (max. 223, I 237).

[13] Les hommes ne sont pas seulement sujets à perdre également le souvenir des bienfaits et des injures, mais ils haïssent ceux qui les ont obligés. L'orgueil et l'intérêt produit partout l'ingratitude. L'application à récompenser le bien, et à se venger du mal, leur paraît une servitude, à laquelle ils ont peine de s'assujettir (max. 14, I 14).

[14] On élève la prudence jusques au ciel, et il n'est sorte d'éloges qu'on ne lui donne. Elle est la règle de nos actions, et de nos conduites ; elle est la maîtresse de la fortune ; elle fait le déclin des empires ; sans elle on a tous les maux ; avec elle on a tous les biens ; et comme disait autrefois un poète, quand nous avons la prudence il ne nous manque aucune divinité, pour dire que nous trouvons dans la prudence tout le secours que nous demandons aux dieux. Cependant la prudence la plus consommée ne saurait nous assurer du plus petit effet du monde, parce que travaillant sur une matière aussi changeante, et aussi commune, qu'est l'homme, elle ne peut exécuter sûrement aucun de ses projets. Dieu seul, qui tient tous les cœurs des hommes entre ses mains, et qui peut quand il lui plaira en accorder les mouvements, fait aussi réussir les choses qui en dépendent. D'où il faut conclure que toutes les louanges dont notre ignorance, et notre vanité, flatte notre prudence, sont autant d'injures que nous faisons à sa providence (max. 65, I 75).

[15] On n'est jamais si ridicule par les qualités que l'on a que par celles que l'on affecte d'avoir (max. 134, I 136).

[16] Nous promettons selon nos espérances, et nous tenons selon nos craintes (max. 38, I 42).

[17] On est au désespoir d'être trompé par ses ennemis, et trahi par ses amis ; et on est souvent satisfait de l'être par soi-même (max. 114, I 119).

[18] Il est aussi aisé de se tromper soi-même sans s'en apercevoir qu'il est difficile de tromper les autres sans qu'ils s'en aperçoivent (max. 115, I 120).

[19] Rien n'est plus divertissant que de voir deux hommes s'assembler, l'un pour demander conseil, et l'autre pour le donner. L'un paraît avec une indifférence respectueuse, et dit qu'il vient recevoir des conduites, et soumettre ses sentiments ; et son désir, le plus souvent, est de faire passer le siens, et de rendre celui qu'il fait maître de son avis garant de l'affaire qu'il lui propose. Quant à celui qui est conseiller, il paye d'abord la sincérité de son ami d'un zèle ardent et désintéressé qu'il lui montre, et cherche en même temps dans ses propres intérêts des règles de conseiller : de sorte que son conseil lui devient plus propre qu'à celui qui le reçoit (max. 116, I 118).

[20] La faiblesse de l'esprit est mal nommée : c'est en effet la faiblesse du tempérament, qui n'est autre chose qu'une impuissance d'agir, et un manque de principe de vie (max. 44, I 49).

[21] Rien n'est impossible : il y a des voies qui conduisent à toutes choses ; et si nous avions assez de volonté, nous aurions toujours assez de moyens (max. 243, I 265 et 272, Ier état).

[22] La pitié est un sentiment de nos propres maux dans un sujet étranger ; c'est une prévoyance habile des malheurs où nous pouvons tomber, qui nous fait donner des secours aux autres pour les engager à nous les rendre dans de semblables occasions : de sorte que les ser-

vices que nous rendons à ceux qui sont accueillis de quelque infortune, sont à proprement parler des biens anticipés que nous nous faisons (max. 264, I 287).

[23] Celui-là n'est pas raisonnable qui trouve la raison, mais celui qui la connaît, qui la goûte, et qui la discerne (max. 105, I 115).

[24] Nous avouons nos défauts pour réparer le préjudice qu'ils nous font dans l'esprit des autres par l'impression que nous leur donnons de la justice du nôtre (max. 184, I 193).

[25] L'humilité est une feinte soumission, que nous employons pour soumettre effectivement tout le monde. C'est un mouvement de l'orgueil par lequel il s'abaisse devant les hommes pour s'élever sur eux. C'est son plus grand déguisement, et son premier stratagème ; et comme il est sans doute que le Protée des fables n'a jamais été, il est certain aussi que l'orgueil en est un véritable dans la nature, car il prend toutes les formes comme il lui plaît. Mais quoiqu'il soit merveilleux et agréable à voir dans toutes ses figures et dans toutes ses industries, il faut pourtant avouer qu'il n'est jamais si rare, ni si extraordinaire, que lorsqu'on le voit les yeux baissés, sa contenance modeste et reposée, ses paroles douces et respectueuses, pleines de l'estime des autres et de dédain pour lui-même : il est indigne de tous les honneurs, il est incapable d'aucun emploi, et ne reçoit les charges où l'on l'élève que comme un effet de la bonté des hommes, et de la faveur aveugle de la fortune (max. 254, I 277).

[26] La modération dans la bonne fortune n'est que la crainte de la honte qui suit l'emportement ou la peur de perdre ce que l'on a. C'est le calme de notre humeur adoucie par la satisfaction de l'esprit ; c'est aussi la crainte du blâme et du mépris qui suivent ceux qui s'enivrent de leur bonheur ; c'est une vaine ostentation de la force de notre esprit ; et enfin, pour la définir intimement, la modération des hommes dans leurs plus hautes élévations, c'est une ambition de paraître plus grands que les choses qui les élèvent (MS 3 et max. 17-18, I 18-19-20).

[27] Qui ne rirait de cette vertu et de l'opinion qu'on a conçue d'elle ? Elle n'a garde, ainsi qu'on le croit, de combattre et de soumettre l'ambition, puisque jamais elles ne se peuvent trouver ensemble, la modération n'étant véritablement qu'une paresse, une langueur, et un manque de courage : de manière qu'on peut justement dire que la modération est la bassesse de l'âme, comme l'ambition en est l'élévation (max. 293, I 17).

[28] La chasteté des femmes est l'amour de leur réputation et de leur repos (max. 205, I 217).

[29] Il n'y a point de libéralité, et ce n'est que la vanité de donner que nous aimons mieux que ce que nous donnons (max. 263, I 286).

[30] La sobriété est l'amour de la santé, ou l'impuissance de manger beaucoup (MS 24, I 135).

[31] La fidélité est une invention rare de l'amour-propre par laquelle l'homme, s'érigeant en dépositaire des choses précieuses, se rend lui-même infiniment précieux. De tous les trafics de l'amour-propre, c'est celui où il fait moins d'avance et de plus grands profits. C'est un raffinement de sa politique, car il engage les hommes par leur liberté et par leur vie (qu'ils sont

forcés de confier en quelques occasions) à élever l'homme fidèle au-dessus de tout le monde (max. 247, I 269).

[32] L'éducation qu'on donne aux princes est un second amour-propre qu'on leur inspire (max. 261, I 284, Ier état).

[33] Notre repentir ne vient point de nos actions, mais du dommage qu'elles nous causent (max. 180, I 189).

[34] Il est bien malaisé de distinguer la bonté répandue et générale pour tout le monde de la grande habileté (MS 44, I 252).

[35] Qui considérera superficiellement tous les effets de la bonté qui nous fait sortir de nous-mêmes, et qui nous immole continuellement à l'avantage de tout le monde, sera tenté de croire que lorsqu'elle agit, l'amour-propre s'oublie et s'abandonne lui-même, et même qu'il se laisse dépouiller et appauvrir sans s'en apercevoir : en sorte qu'il semble que l'amour-propre soit la dupe de la bonté. Cependant la bonté est en effet le plus propre de tous les moyens dont l'amour-propre se sert pour arriver à ses fins. C'est un chemin dérobé par où il revient à lui-même plus riche et plus abondant. C'est un désintéressement qu'il met à une furieuse usure. C'est enfin un ressort délicat avec lequel il réunit et dispose et tourne tous les hommes en sa faveur (max. 236, I 250).

[36] Nul ne mérite d'être loué de bonté, s'il n'a la force et la hardiesse de pouvoir être méchant ; toute autre bonté n'est en effet qu'une privation de vices, et leur endormissement (max. 237, I 251).

[37] L'amour de la justice dans les bons juges qui sont modérés n'est que l'amour de leur élévation ; dans la plupart des hommes ce n'est que la crainte de souffrir l'injustice, et qu'une vive appréhension qu'on ne nous ôte ce qui nous appartient. De là vient cette considération et ce respect pour tous les intérêts du prochain, et cette scrupuleuse application à ne lui faire aucun préjudice. Sans cette crainte qui retient l'homme dans les bornes des biens que sa naissance ou la fortune lui a donnés, pressé par la violente passion de se conserver, il ferait des courses continuellement sur les autres (MS 15, I 89 ; max. 78, I 91 ; MS 14, I 88).

[38] La véritable justice ne voit que ce qu'il faut voir, la droiture prend tout le bon droit des choses, la délicatesse aperçoit les choses imperceptibles, et le jugement prononce ce que les choses sont. Si on l'examine bien, on trouvera que toutes ses qualités ne sont autre chose que la grandeur de l'esprit, lequel voit en toutes rencontres, dans la plénitude de ses lumières, tous les avantages dont nous venons de parler (cf. la maxime suivante).

[39] Le jugement n'est autre chose que la grandeur de la lumière de l'esprit. On peut dire la même chose de son étendue, et de sa profondeur, de son discernement, de sa justice, de sa droiture et de sa délicatesse : l'étendue de l'esprit est la mesure de la lumière, la profondeur est celle qui découvre le fond des choses, le discernement compare et distingue les choses (pour cette maxime et la précédente : max. 97, I 107).

[40] La persévérance n'est digne de blâme ni de louange, parce qu'elle n'est que la durée des goûts et des sentiments, qu'on ne s'ôte ni qu'on ne se donne (max. 177, I 186).

[41] La vérité qui fait les gens véritables est une imperceptible ambition qu'ils ont de rendre leur témoignage considérable et d'attirer à leurs paroles un respect de religion (max. 63, I 72).

[42] La vérité est le fondement et la justification de la raison, de la perfection et de la beauté, car il est certain qu'une chose, de quelque nature qu'elle soit, est belle et parfaite si elle est tout ce qu'elle doit être et si elle a tout ce qu'elle doit avoir (MS 49, I 260).

[43] La vraie éloquence consiste à dire tout ce qu'il faut, et ne dire que ce qu'il faut (max. 250, I 273).

[44] Il n'y a pas moins d'éloquence dans le ton de la voix que dans le choix des paroles (max. 249, I 272, 2e état).

[45] Les passions sont les seuls orateurs qui persuadent toujours ; elles sont comme un art dans la nature, dont les règles sont infaillibles. Par elles l'homme le plus simple persuade mieux que ne fait le plus habile avec toutes les fleurs de l'éloquence (max. 8, I 8).

[46] Rien n'est si contagieux que l'exemple, et nous ne faisons jamais de grands biens, ni de grands maux, qui ne produisent infailliblement leurs pareils. L'imitation d'agir honnêtement vient de l'émulation, et l'imitation des maux vient de l'excès de la malignité naturelle qui, étant comme tenue en prison par la bonté, est mise en liberté par l'exemple (max. 230, I 244).

[47] L'imitation est toujours malheureuse, et tout ce qui est contrefait déplaît avec les même choses qui charment lorsqu'elles sont naturelles (MS 43, I 245).

[48] Ceux qu'on exécute affectent quelquefois des constances, des froideurs, et des mépris de la mort, pour ne pas penser à elle et pour s'étourdir : de sorte qu'on peut dire que ces froideurs, et ces mépris, font à leur esprit ce que le mouchoir fait à leurs yeux (max. 21, I 24).

[49] Peu de gens connaissent la mort ; on la souffre non par résolution, mais par stupidité et par coutume, et la plupart des hommes meurent parce qu'on meurt (max. 23, I 26).

[50] Nous craignons toutes choses comme mortels, et nous les désirons toutes comme si nous étions immortels (MP 8).

[51] La subtilité est une fausse délicatesse, et la délicatesse est une subtilité solide (max. 128, I 130).

[52] Le monde, ne connaissant point le véritable mérite, n'a garde de pouvoir le récompenser ; aussi n'élève-t-il à ses grandeurs et à ses dignités que des personnes qui ont de _belles qualités apparentes, et il couronne généralement tout ce qui luit, quoique tout ce qui luit ne soit pas de l'or (max. 166, I 173).

[53] Comme il y a de bonnes viandes qui affadissent le cœur, il y a un mérite fade, et des personnes qui dégoûtent avec des qualités bonnes et estimables (max. 155, I 162, 2e état).

[54] On admire tout ce qui éblouit, et l'art de savoir bien mettre en œuvre de médiocres qualités dérobe l'estime, et donne souvent plus de réputation que de [sic] véritable mérite (max. 162, I 164).

[55] Les rois font des hommes comme des pièces de monnaie : ils les font valoir ce qu'ils veulent, et on est forcé de les recevoir selon leurs cours, et non pas selon leurs véritables prix (MS 67, I 165).

[56] Ce n'est pas assez d'avoir de grandes qualités, il en faut avoir l'économie (max. 159, I 166).

[57] Il y a des gens dont le mérite consiste à dire et à faire des sottises utilement, et qui gâteraient tout s'ils changeaient de conduite (max. 156, I 163).

[58] Il y en a même à qui leurs défauts siéent bien, et d'autres qui sont disgraciés de leurs bonnes qualités (max. 251, I 281).

[59] Il y a des gens niais qui se connaissent fort sots, et qui emploient habilement leurs sottises (max. 208, I 220).

[60] Dieu a mis des talents différents dans l'homme, comme il a planté de différents arbres dans la nature, en sorte que chaque talent, de même que chaque arbre, a ses propriétés et ses effets qui lui sont tous particuliers. De là vient que le poirier le meilleur du monde ne saurait porter des pommes les plus communes, et que le talent le plus excellent ne saurait produire les mêmes effets des talents les plus communs. De là vient encore qu'il est aussi ridicule de vouloir faire des semences sans avoir la graine en soi, que de vouloir qu'un parterre produise des tulipes quand on n'y a pas planté les oignons (MP 9).

[61] Pour s'établir dans le monde on fait tout ce qu'on peut pour y paraître établi ; dans toutes les professions et dans tous les arts chacun se fait une mine et un extérieur, qu'il met en la place de la chose dont il veut avoir le mérite. De sorte que tout le monde n'est composé que de mines, et c'est inutilement que nous travaillons à y trouver les choses (max. 56 et 256, I 65 et 279).

[62] Il y a des gens qui ressemblent à ces vaudevilles que tout le monde chante un certain temps, quelque fades et dégoûtants qu'il soient (max. 211, I 223).

[63] L'honneur acquis est caution de celui qu'on doit acquérir (max. 270, I 294).

[64] Comme dans la nature il y a une éternelle génération, et que la mort d'une chose est toujours la production d'une autre, de même il y a toujours dans le cœur humain une génération perpétuelle de passions : en sorte que la ruine de l'une est toujours le rétablissement de l'autre (max. 10, I 10).

[65] Je ne sais si cette maxime, que chacun produit son semblable, est véritable dans la physique ; mais je sais bien qu'elle est fausse dans la morale, et que les passions en engendrent

souvent qui leur sont contraires. Ainsi l'avarice produit quelquefois la libéralité, on est souvent ferme de faiblesse, et l'audace naît de la timidité (max. II, I II).

[66] Une preuve convaincante que l'homme n'a pas été créé comme il est, c'est que plus il devient raisonnable, plus il rougit en soi-même de l'extravagance, de la bassesse et de la corruption de ses sentiments et de ses inclinations (MP 10).

[67] On se mécompte toujours dans le jugement que l'on fait de nos actions quand elles sont plus grandes que nos desseins (max. 160, I 167).

[68] Il faut une certaine proportion entre les actions et les dessins qui les produisent ; les actions ne font jamais tous les effets qu'elles doivent faire (max. 161, I 168).

[69] La passion fait souvent du plus habile homme un sot, et rend quasi toujours les plus sots habiles (max. 6, I 6).

[70] Chaque homme n'est pas plus différent des autres hommes qu'il l'est souvent de lui-même (max. 135, I 137).

[71] Tout le monde trouve à redire en autrui ce qu'on trouve à redire en lui (MS 5, I 33).

[72] Un homme d'esprit serait bien souvent embarrassé sans la compagnie des sots (max. 140, I 142).

[73] Les pensées et les sentiments ont chacun un ton de voix, une action et un air qui leur sont propres (cf. la maxime suivante).

[74] C'est ce qui fait les bons et les mauvais comédiens, et c'est ce qui fait aussi que les personnes plaisent ou déplaisent (pour cette maxime et la précédente : max. 255, I 278).

[75] La confiance de plaire est souvent un moyen de plaire infailliblement (MS 46, I 256).

[76] Rien ne doit tant diminuer la satisfaction que nous avons de nous-mêmes, que de voir que nous avons été dans les états et dans les sentiments que nous désapprouvons à cette heure (max. 51, I 58).

[77] Nous n'avons presque jamais assez de force pour suivre toute notre raison (max. 42, I 46).

[78] Ce qui nous fait aimer les connaissances nouvelles n'est pas tant la lassitude que l'on a des vieilles, ni le plaisir de changer, que le dégoût que nous avons de n'être pas assez admirés de ceux qui nous connaissent trop, et l'espérance que nous avons de l'être davantage de ceux qui ne nous connaissent guère (max. 178, I 187).

[79] Les grandes âmes ne sont pas celles qui ont moins de passions et plus de vertus que les âmes communes, mais celles seulement qui ont de plus grandes vues (MS 31, I 161).

[80] On se vante souvent mal à propos de ne se point ennuyer, et l'homme est si glorieux qu'il ne veut pas se trouver de mauvaise compagnie (max. 141, I 143).

[81] La santé de l'âme n'est pas plus assurée que celle du corps, quelque éloignés que nous paraissions être des passions que nous n'avons pas encore ressenties. Il faut croire toutefois que l'on n'y est pas moins exposé qu'on l'est à tomber malade quand on se porte bien (max. 188, I 197).

[82] Les passions ont une injustice, et un propre intérêt, qui fait qu'elles offensent et blessent toujours, même lorsqu'elles parlent raisonnablement et équitablement. La charité a seule le privilège de dire quasi tout ce qu'il lui plaît et de ne blesser jamais personne (max. 9, I 9).

[83] L'esprit est toujours la dupe du cœur (max. 102, I 112).

[84] Quelque industrie que l'on ait à cacher ses passions sous le voile de la piété et de l'honneur, il y a toujours quelque endroit qui se montre (max. 12, I 12).

[85] La philosophie triomphe aisément des maux passés et de ceux qui ne sont pas prêts d'arriver, mais les maux présents triomphent d'elle (max. 22, I 25).

[86] La durée de nos passions ne dépend pas plus de nous que la durée de notre vie (max. 5, I 5).

[87] Quoique toutes les passions se dussent cacher, elles ne craignent pas néanmoins le jour ; la seule envie est une passion timide et honteuse qu'on ne peut jamais avouer (max. 27, I 30).

[88] L'amitié la plus sainte et la plus sincère n'est qu'un trafic où nous croyons toujours gagner quelque chose (max. 83, I 94).

[89] Ce qui rend nos amitiés si légères et si changeantes, c'est qu'il est aisé de connaître les qualités de l'esprit, et difficile de connaître celles de l'âme (max. 80, I 93).

[90] Nous nous persuadons souvent mal à propos d'aimer les gens plus puissants que nous : l'intérêt seul produit notre amitié, et nous ne leur promettons pas selon ce que nous voulons leur donner, mais selon ce que nous voulons qu'ils nous donnent (max. 85, I 98).

[91] L'amour est en l'âme de celui qui aime ce que l'âme est au corps qui l'anime (MS 13, I 77).

[92] Il n'y a point d'amour pur et exempt du mélange de nos autres passions (max. 69, I 79).

[93] Il est malaisé de définir l'amour ; tout ce qu'on peut dire est que dans l'âme c'est une passion de régner, dans les esprits c'est une sympathie, et dans les corps ce n'est qu'une envie cachée et délicate de jouir de ce que l'on aime après beaucoup de mystère (max. 68, I 78).

[94] On s'est trompé quand on a cru que l'amour et l'ambition triomphaient toujours des autres passions ; c'est la paresse, toute languissante qu'elle est, qui en est le plus souvent la maîtresse : elle usurpe insensiblement l'empire sur tous les desseins, et sur toutes les actions de la vie ; elle y détruit et y consomme toutes les passions et toutes les vertus (max. 266, I 289).

[95] Il n'y a point de déguisement qui puisse longtemps cacher l'amour où il est, ni le feindre où n'est pas (max. 70, I 80).

[96] Comme on n'est jamais libre d'aimer ou de n'aimer pas, on ne peut se plaindre avec justice de la cruauté d'une maîtresse, ni elle de la légèreté de son amant (MS 62, I 81).

[97] Si on juge de l'amour par la plupart de ses effets, il ressemble plus à la haine qu'à l'amitié (max. 72, I 82).

[98] On peut trouver des femmes qui n'ont jamais fait de galanteries, mais il est rare d'en trouver qui n'en ait jamais fait qu'une (max. 73, I 83).

[99] Il y a deux sortes de constance en amour : l'une vient de ce que l'on trouve sans cesse de nouveaux sujets d'aimer en la personne que l'on aime, comme en une source inépuisable, et l'autre vient de ce qu'on se fait honneur de tenir sa parole (max. 176, I 185).

[100] Toute constance en amour est une inconstance perpétuelle qui fait que notre cœur s'attache successivement à toutes les qualités de la personne que nous aimons, donnant tantôt la préférence à l'une, tantôt à l'autre, de sorte que cette constance n'est qu'une inconstance arrêtée et renfermée dans un sujet (max. 175, I 184).

[101] Il y a deux sortes d'inconstances, la première vient de la légèreté de l'esprit, qui à tous moments change d'opinion, ou plutôt de la pauvreté de l'esprit, qui reçoit toutes les opinions des autres ; la seconde, qui est plus excusable, vient de la fin du goût des choses que l'on aimait (max. 181, I 190).

[102] Les grandes et éclatantes actions qui éblouissent les yeux sont représentées par les politiques comme les effets des grands intérêts, au lieu qu'ils sont d'ordinaire les effets de l'humeur et des passions. Ainsi la guerre d'Auguste et d'Antoine, qu'on rapporte à l'ambition qu'ils avaient de se rendre maîtres du monde, était un effet de jalousie (max. 7, I 7).

[103] Les affaires et les actions des grands hommes ont (comme les statues) leur point de perspective. Il y en a qu'il faut voir de près, pour en discerner toutes les circonstances ; et il y en a d'autres dont on ne juge jamais si bien que quand on en est éloigné (max. 104, I 114).

[104] La jalousie est raisonnable et juste en quelque manière, puisqu'elle ne cherche qu'à conserver un bien qui nous appartient, ou que nous croyons nous devoir appartenir ; au lieu que l'envie est une fureur qui nous fait toujours souhaiter la ruine du bien des autres (max. 28, I 31).

[105] L'amour-propre est l'amour de soi-même, et de toutes choses pour soi ; il est plus habile que le plus habile homme du monde ; il rend les hommes idolâtres d'eux-mêmes, et les

rendrait les tyrans des autres si la fortune leur en donnait les moyens. Il ne repose jamais hors de soi, et ne s'arrête dans les sujets étrangers que comme les abeilles sur les fleurs, pour en tirer ce qui lui est propre. Rien n'est si impétueux que ses désirs, rien de si caché que ses desseins, rien de si habile que ses conduites : ses souplesses ne se peuvent représenter, ses transformations passent celles des métamorphoses, et ses raffinements ceux de la chimie. On ne peut sonder la profondeur de ses projets, ni en percer les ténèbres ; là il est à couvert des yeux les plus pénétrants. Il y fait mille insensibles tours et retours ; là il est souvent invisible à lui-même. Il y conçoit, il y nourrit, et il y élève (sans le savoir) un grand nombre d'affections, et de haines. Il en forme quelquefois de si monstrueuses que lorsqu'il les a mises au jour, il les méconnaît, ou il ne peut se résoudre à les avouer. De cette nuit qui les couvre, naissent les ridicules persuasions qu'il a de lui-même ; de là viennent ses erreurs, ses ignorances, ses grossièretés, et ses niaiseries sur son sujet ; de là vient qu'il croit que ses sentiments sont morts lorsqu'ils ne sont qu'endormis, qu'il s'imagine n'avoir plus envie de courir quand il se repose, et pense avoir perdu tous les goûts qu'il a rassasiés. Mais cette obscurité épaisse qui le cache à lui-même n'empêche pas qu'il ne voie parfaitement ce qui est hors de lui, en quoi il est raisonnable à nos yeux qui découvrent tout et sont aveugles seulement pour eux-mêmes. En effet, dans ses plus grands intérêts et ses plus importantes affaires où la violence de ses souhaits appelle toute son attention, il voit, il sent, il entend, il imagine, il soupçonne, il pénètre, il devine tout : de sorte qu'on est tenté de croire que chacune de ses passions a une magie qui lui est propre. Rien n'est si intime et si fort que ses attachements, qu'il essaie de rompre inutilement à la vue des malheurs extrêmes qui le menacent. Cependant il fait quelquefois en peu de temps, et sans aucun effort, ce qu'il n'a pu faire avec tous ceux dont il est capable dans le cours de plusieurs années. D'où l'on pourrait conclure assez vraisemblablement que c'est par lui-même que ses désirs sont allumés, plutôt que par la beauté et par le mérite de ses objets ; que son goût est le prix qui les relève et le fard qui les embellit ; que c'est après lui-même qu'il court, et qu'il suit son gré. Il est tous les contraires, il est impérieux et obéissant, sincère et dissimulé, miséricordieux et cruel, timide et audacieux, et il a de différentes inclinations selon la diversité des tempéraments qui le tournent, et le dévouent pour l'ordinaire à la gloire ou aux richesses ou aux plaisirs. Il en change selon le changement de nos âges, de nos fortunes, et de nos expériences ; mais il lui est indifférent d'en avoir plusieurs ou de n'en avoir qu'une parce qu'il se partage en plusieurs et se ramasse en une quand il le faut et comme il lui plaît ; il est inconstant, et outre les changements qui lui viennent des causes étrangères il y en a une infinité qui naissent de lui et de son propre fonds. Il est inconstant d'inconstance, de légèreté, d'amour, de nouveauté, de lassitude et de dégoût ; il est capricieux, et on le voit quelquefois travailler avec la dernière application et avec des travaux incroyables à obtenir des choses qui ne lui sont point avantageuses, et qui même lui sont nuisibles, mais qu'il poursuit parce qu'il les veut. Il est bizarre, et met souvent toute son application dans les emplois les plus frivoles. Il trouve tout son plaisir dans les plus fades, et conserve toute sa fierté dans les plus méprisables. Il est dans tous les états de la vie et dans toutes les conditions. Il vit partout, il vit de tout et il vit de rien, et il s'accommode des choses et de leur privation. Il passe même par pitié dans le parti des gens qui lui font la guerre. Il entre dans leurs desseins et, ce qui est admirable, il se hait lui-même avec eux, il conjure sa perte, il travaille même à sa ruine ; enfin il ne se soucie que d'être : pourvu qu'il soit, il veut bien être son ennemi. Il ne faut pas s'étonner s'il se joint à la plus sévère pitié et s'il entre si hardiment en société avec elle pour se détruire, parce que dans le même temps qu'il se ruine en un endroit, il se rétablit en un autre ; quand on pense qu'il quitte son plaisir, il le change seulement en satisfaction, et lors même qu'il est vaincu, et qu'on croit en être défait, on le retrouve dans les triomphes de sa défaite. Voilà la peinture de l'amour-propre, dont toute la vie n'est qu'une grande et longue agitation ; la mer en est une image sensible, et l'amour-propre trouve dans la violence de ses vagues continuelles une fidèle expression de la succession turbulente de ses pensées et de ses éternels mouvements (MS I, I I, et max. 4, I 4).

[106] Comme si ce n'était pas assez à l'amour-propre d'avoir la vertu de se transformer lui-même, il a encore celle de transformer les objets, ce qu'il fait d'une manière fort étonnante. Car non seulement il les déguise si bien qu'il y est lui-même abusé, mais aussi, comme si ses actions étaient des miracles, il change l'état et la nature des choses soudainement en effet. Lorsqu'une personne nous est contraire, et qu'elle tourne sa haine et sa persécution contre nous ; c'est notre amour-propre qui juge ses actions. Il donne même une étendue à ses défauts, qui les rend énormes, et met ses bonnes qualités dans un jour si désavantageux qu'elles deviennent plus dégoûtantes que ses défauts. Cependant, dès que cette même personne nous devient favorable ou que quelqu'un de nos intérêts la réconcilie avec nous, notre seule satisfaction rend aussitôt à son mérite le lustre que notre aversion venait de lui ôter. Tous ses avantages en reçoivent un fort grand du biais dont nous les regardons ; toutes ses mauvaises qualités disparaissent, et nous appelons même toute notre intelligence pour la forcer de justifier la guerre qu'elles nous ont fait (cf. la maxime suivante).

[107] Quoique toutes les passions montrent cette vérité, l'amour le fait voir plus clairement que les autres ; car nous voyons un amoureux, agité de la rage où l'a mis un visible oubli, ou pour une infidélité découverte, conjurer le ciel et les enfers, et néanmoins, aussitôt que sa maîtresse s'est présentée et que sa vue a calmé la fureur de ses mouvements, son ravissement rend cette beauté innocente. Il n'accuse plus que lui-même, il condamne ses condamnations, et par cette vertu miraculeuse de l'amour-propre il ôte la noirceur aux actions mauvaises de sa maîtresse, et en sépare le crime pour en changer [sic] ses soupçons (pour cette maxime et la précédente : max. 88, I 101).

[108] La familiarité est un relâchement presque de toutes les règles de la vie civile que le libertinage a introduit dans la société pour nous faire parvenir à celle qu'on appelle commode (début de MP 33).

[109] C'est un effet de l'amour-propre qui, voulant tout accommoder à notre faiblesse, nous soustrait à l'honnête sujétion que nous imposent les bonnes mœurs et, pour chercher trop les moyens de nous les rendre commodes, le fait dégénérer en vices [sic] (MP 33, suite).

[110] Les femmes, ayant naturellement plus de mollesse que les hommes, tombent plutôt dans ce relâchement, et y perdent davantage : l'autorité du sexe ne se maintient pas, le respect qu'on lui doit diminue, et l'on peut dire que l'honnête y perd la plus grande partie de ses droits. Peu de gens sont cruels de cruauté, mais l'on peut dire que la plupart de hommes sont cruels et inhumains d'amour-propre (MP 33, fin, et MS 32, I 174).

[111] L'amour de la gloire, et plus encore la crainte de la honte, le dessein de faire fortune, le désir de rendre notre vie commode et agréable, et l'envie d'abaisser les autres, font naître cette valeur qui est célèbre parmi les hommes (max. 213, I 226)

[112] La vanité et la honte, et surtout le tempérament, fait la valeur des hommes, et la chasteté des femmes, dont on fait tant de bruit (max. 220, I 234).

[113] La parfaite valeur et la poltronnerie complète sont des extrémités où l'on arrive rarement ; l'espace qui est entre deux est vaste, et contient toutes les autres espèces de courages : il n'y a pas moins de différence entre eux qu'il y en a entre les visages et les humeurs. Cependant ils conviennent en beaucoup de choses. Il y a des hommes qui s'exposent volontiers au commencement d'une action, et qui se relâchent et se rebutent aisément par sa durée. Il y en a qui sont

assez constants quand ils ont satisfait à l'honneur du monde et qui font fort peu de chose au-delà. On en voit qui ne sont pas toujours également maîtres de leur peur ; d'autres se laissent quelquefois emporter à des épouvantes générales ; d'autres vont à la charge pour n'oser demeurer dans leurs postes. Enfin il s'en trouve à qui l'habitude des moindres périls affermit le courage et les prépare à s'exposer à de plus grands. Outre cela il y a un rapport général que l'on remarque entre tous les courages des différentes espèces dont nous venons de parler, qui est que la nuit, augmentant la crainte et cachant les bonnes et les mauvaises actions, leur donne la liberté de se ménager. Il y a encore un autre ménagement plus général, qui à parler absolument s'étend sur toutes sortes d'hommes c'est qu'il n'y en a point qui fassent tout ce qu'ils seraient capables de faire dans une action s'ils avaient une certitude d'en revenir, de sorte qu'il est véritable que la crainte de la mort ôte quelque chose à leur valeur et diminue son effet (max. 215, I 228).

[114] La pure valeur, s'il y en avait, serait de faire sans témoins ce qu'on est capable de faire devant le monde (max. 216, I 229).

[115] L'intrépidité est une force extraordinaire de l'âme par laquelle elle empêche les troubles, les désordres et les émotions que la vue des grands périls a accoutumé d'élever en elle. Par cette force les héros se maintiennent dans un état paisible et conservent l'usage libre de toutes leurs fonctions dans les accidents les plus terribles et les plus surprenants. Cette intrépidité doit soutenir le cœur dans les conjurations, au lieu que la seule valeur lui fournit toute la fermeté qui lui est nécessaire dans les périls de la guerre (max. 217 et MS 40, I 230 et 231).

[116] On ne veut point perdre la vie, et on veut acquérir de la gloire de là vient que les braves ont plus d'adresse et d'esprit pour éviter la mort que les gens de chicane pour conserver leurs biens (max. 221, I 235).

[117] La valeur dans les simples soldats est un métier périlleux qu'ils ont pris pour gagner leur vie (max. 214, I 227)

[118] La plupart des hommes s'exposent assez à la guerre pour sauver leur honneur ; mais peu se veulent toujours exposer autant qu'il est nécessaire pour faire réussir le dessein pour lequel ils s'exposent (max. 219, I 233).

[119] Les grands et les ambitieux sont plus misérables que les médiocres : il faut moins pour contenter ceux-ci que ceux-là (MP I).

[120] La générosité est un désir de briller par des actions extraordinaires ; c'est un habile et industrieux emploi du désintéressement, de la fermeté, de l'amitié et de la magnanimité pour aller promptement à une grande réputation (max. 246, I 268).

[121] Quelques grands avantages que la nature donne, ce n'est pas elle, mais la fortune, qui fait les héros (max. 53, I 62).

[122] La félicité est dans le goût, et non pas dans les choses, et c'est pour avoir ce qu'on aime qu'on est heureux, et non pas pour avoir ce que les autre trouvent aimable (max. 48, I 54).

[123] On pourrait dire qu'il n'y a point d'heureux ni de malheureux accidents, parce que les habiles gens savent profiter des mauvais et que les imprudents tournent bien souvent les plus avantageux à leur préjudice (max. 59, I 68).

[124] La nature fait le mérite, et la fortune le met en œuvre (max. 153, I 160).

[125] Les biens et les maux sont plus grands dans notre imagination qu'ils ne le sont en effet ; et on n'est jamais si heureux, ni si malheureux, que l'on pense (max. 49, I 56).

[126] Quelque différence qu'il y ait entre les fortunes, il y a pourtant une certaine proportion de biens et de maux qui les rend égales (max. 52, I 61).

[127] Ceux qui se sentent du mérite se piquent toujours d'être malheureux, pour persuader aux autres et à eux-mêmes qu'il sont de véritables héros, puisque la mauvaise fortune ne s'opiniâtre jamais à persécuter que les personnes qui ont des qualités extraordinaires : de là vient qu'on se console souvent d'être malheureux par un certain plaisir qu'on trouve à le paraître (MS 10, I 60).

[128] On n'est jamais si malheureux qu'on croit, ni si heureux qu'on espère (MS 9, I 59).

[129] La plupart des gens ne voient dans les hommes que la vogue qu'ils ont, et le mérite de leur fortune (max. 212, I 224).

[130] Il n'appartient qu'aux grands hommes d'avoir de grands défauts (max. 190, I 198).

[131] Quoique la prudence des ministres se flatte de la grandeur de leurs actions, elles sont bien souvent l'effet du hasard ou de quelque petit dessein (max. 57, I 66).

[132] La haine qu'on a pour les favoris n'est autre chose que l'amour de la fortune et de la faveur ; c'est aussi la rage de n'avoir point de faveur, qui se console et s'adoucit un peu par le mépris des favoris. C'est enfin une secrète envie de les détruire, qui fait que nous leur ôtons nos propres hommages, ne pouvant pas leur ôter les qualités qui leur attirent ceux de tout le monde (max. 55, I 64).

[133] Les grands hommes s'abattent et se démontent enfin par la longueur de leurs infortunes ; cela ne veut pas dire qu'ils fussent forts quand ils les supportaient, mais seulement qu'ils se donnaient la géhenne pour le paraître, et qu'ils soutenaient leurs malheurs par la force de leur ambition et non pas par celle de leur âme. Cela fait voir manifestement qu'à une grande vanité près les héros sont faits comme les autres hommes (max. 24, I 27).

[134] Ceux qui voudraient définir la victoire par sa naissance seraient tentés, comme les poètes, de l'appeler la fille du ciel, puisqu'on ne trouve point son origine sur la terre. En effet elle est produite par une infinité d'actions qui, au lieu de l'avoir pour but, regarde seulement les intérêts particuliers de ceux qui les font, puisque tous ceux qui composent une armée, allant à leur propre gloire, et à leur élévation, procurent un bien si grand et si général (MS 41, I 232).

[135] On ne fait point de distinction dans les espèces de colères, bien qu'il y en ait une légère et quasi innocente, qui vient de l'ardeur de la complexion, et une autre très criminelle, qui est, proprement parler, la fureur de l'orgueil et de l'amour-propre (MS 30, I 159).

[136] Nous nous apercevons des emportements et des mouvements extraordinaires de nos humeurs et de notre tempérament, comme de la violence de la colère ; mais personne quasi ne s'aperçoit que ces humeurs ont un cours ordinaire et réglé, qui meut et tourne doucement notre volonté à des actions différentes. Elles roulent ensemble (s'il faut ainsi dire) et exercent successivement leur empire, de sorte qu'elles ont une part considérable à toutes nos actions, dont nous croyons être les seuls auteurs, et le caprice de l'humeur est encore plus bizarre que celui de la fortune (max. 297 et 45, I 48 et 50).

[137] L'orgueil a bien plus de part que la charité aux remontrances que nous faisons à ceux qui commettent des fautes, et nous les reprenons bien moins pour les en corriger que pour les persuader que nous en sommes exempts ; et si nous n'avions point d'orgueil, nous ne nous plaindrions pas de celui des autres (max. 37 et 34, I 41 et 38).

[138] Nous sommes préoccupés de telle sorte en notre faveur que ce que nous prisons souvent pour des vertus n'est en effet qu'un nombre de vices qui leur ressemblent, et que l'orgueil et l'amour-propre nous ont déguisés (épigraphe de 1678. I 181).

[139] L'orgueil se dédommage toujours, et il ne perd rien lors même qu'il renonce à la vanité (max. 33. I 36).

[140] L'aveuglement des hommes est le plus dangereux effet de leur orgueil. Il sert à le nourrir et à l'augmenter, et c'est bien pour manquer de lumière que nous ignorons toutes nos misères et tous nos défauts (MS 19. I 102).

[141] Rien ne nous plaît tant que la confiance des grands et des personnes considérables par leurs emplois, par leur esprit ou par leur mérite. Elle nous fait sentir un plaisir exquis et élève merveilleusement notre orgueil, parce que nous la regardons comme un effet de notre fidélité. Cependant nous serions remplis de confusion si nous considérions l'imperfection et la bassesse de sa naissance ; car elle vient de la vanité, de l'envie de parler et de l'impuissance de retenir les secrets. De sorte qu'on peut dire que la confiance est un relâchement de l'âme, causé par le nombre et par le poids des choses dont elle est pleine (max. 239. I 255).

[142] Les philosophes, et Sénèque surtout, n'ont point ôté les crimes par leurs préceptes, ils n'ont fait que les employer aux bâtiments de l'orgueil (MS 21, I 105).

[143] L'orgueil, comme lassé des ses artifices et des différentes métamorphoses, après avoir joué tout seul tous les personnages de la comédie humaine, se montre avec un visage naturel, et se découvre par la fierté, de sorte qu'à proprement parler la fierté est l'éclat et la déclaration de l'orgueil (MS 6. I 37).

[144] Quand la vanité ne fait point parler, on n'a pas envie de dire grand'chose (max. 137. I 139).

[145] On ne saurait compter toutes les espèces de vanité. Pour cela il faut savoir le détail des choses, et comme il est presque infini. De là vient que si peu de gens sont savants, et que nos connaissances sont superflues et imparfaites. On décrit les choses au lieu de les définir. En effet on ne les connaît et on ne les peut connaître qu'en gros, et par des marques communes. C'est comme si quelqu'un disait que le corps humain est droit, et composé de différentes parties, sans dire la matière, la situation, les fonctions, les rapports et les différences de ses parties (MP 6 et max. 106, I 116).

[146] C'est plutôt par l'estime de nos sentiments que nous exagérons les bonnes qualités des autres, que par leur mérite ; et nous nous louons en effet, lorsqu'il semble que nous leur donnons des louanges. La modestie, qui semble les refuser, n'est en effet qu'un désir d'en avoir de plus délicates (max. 143 et MS 27, I 146 et 147).

[147] On n'aime point à louer, et on ne loue jamais personne sans intérêt. La louange est une flatterie habile, cachée et délicate, qui satisfait différemment celui qui la donne et celui qui la reçoit : l'un la prend comme une récompense de son mérite, l'autre la donne pour faire remarquer son équité et son discernement (max. 144. I 148).

[148] Nous choisissons souvent des louanges empoisonnées qui découvrent par contrecoup des défauts en nos amis, que nous n'osons divulguer (max. 145, I 149).

[149] Nous élevons la gloire des uns pour abaisser par là celle des autres, et on louerait moins Monsieur le Prince et Monsieur de Turenne, si on ne voulait pas les blâmer tous deux (max. 198, I 149. 2e état).

[150] Peu de gens sont assez sages pour aimer mieux le blâme qui leur sert que la louange qui les trahit (max. 147. I 152).

[151] Il y a des reproches qui louent, et des louanges qui médisent (max. 148, I 153).

[152] La raillerie est une gaieté agréable de l'esprit, qui enjoue la conversation, et qui lie la société si elle est obligeante, ou qui la trouble si elle ne l'est pas (début de MP 34).

[153] Elle est plus pour celui qui la fait que pour celui qui la souffre (suite de MP 34).

[154] C'est toujours un combat de bel esprit, que produit la vanité ; d'où vient que ceux qui en manquent pour la soutenir, et ceux qu'un défaut reproché fait rougir, s'en offensent également, comme d'une défaite injurieuse qu'ils ne sauraient pardonner (suite de MP 34).

[155] C'est un poison qui tout pur éteint l'amitié et excite la haine, mais qui corrigé par l'agrément de l'esprit, et la flatterie de la louange, l'acquiert ou la conserve ; et il en faut user sobrement avec ses amis et avec les faibles (fin de MP 34).

[156] L'intérêt fait jouer toute sorte de personnages, et même celui de désintéressé (max. 39, I 43).

[157] Il n'y a que Dieu qui sache si un procédé est net, sincère, et honnête (max. 170, I 178).

[158] La sincérité est une naturelle ouverture du cœur ; on la trouve en fort peu de gens, et celle qui se pratique d'ordinaire n'est qu'une fine dissimulation pour arriver à la confiance des autres (max. 62, I 71).

[159] Un habile homme doit savoir régler le rang de ses intérêts, et les conduire chacun dans son ordre. Notre avidité les trouble souvent, en nous faisant courir à cent choses à la fois. De là vient que pour désirer trop les moins importantes nous ne faisons pas assez pour obtenir les plus considérables (max. 66, I 76).

[160] L'intérêt, à qui on reproche d'aveugler les uns, est tout ce qui fait la lumière des autres (max. 40, I 44).

[161] On ne blâme le vice, et on ne loue la vertu, que par intérêt (MS 28, I 151).

[162] La nature, qui se vante d'être toujours sensible, est dans la moindre occasion étouffée par l'intérêt (max. 275, I 299).

[163] Les philosophes ne condamnent les richesses que par le mauvais usage que nous en faisons : il dépend de nous de les acquérir et de nous en servir sans crime, au lieu qu'elles nourrissent et accroissent les vices comme le bois entretient et augmente le feu. Nous pouvons les consacrer à toutes les vertus, et les rendre même par là plus agréables et plus éclatantes (MP 3)

[164] Le mépris des richesses, dans les philosophes, était un désir caché de venger leur mérite de l'injustice de la fortune, par le mépris des mêmes biens dont elle les privait... C'était un secret qu'ils avaient trouvé pour se dédommager de l'avilissement de la pauvreté. C'était enfin un chemin détourné pour aller à la considération qu'ils ne pouvaient avoir par les richesses (max. 54, I 63).

[165] La finesse n'est qu'une pauvre habileté (MP 2).

[166] Rien n'est si dangereux que l'usage des finesses, que tant de gens d'esprit emploient communément. Les plus habiles affectent de les éviter toute leur vie, pour s'en servir dans quelque grande occasion et pour quelque grand intérêt (max. 124, I 126).

[167] Comme elles sont l'effet d'un petit esprit, il arrive quasi toujours que celui qui s'en sert pour se couvrir en un endroit se découvre en un autre (max. 125, I 127).

[168] La plus déliée de toutes les finesses est de faire semblant de tomber dans les pièges que l'on nous rend. On n'est jamais si aisément trompé que quand on songe à tromper les autres (max. 117, I 121).

[169] Chacun pense être plus fin que les autres ; et si l'on était habile, on ne ferait jamais de finesse ni de trahison (MP 5 et max. 126, I 128).

[170] La folie nous suit dans tous les temps de la vie ; et si quelqu'un paraît sage, c'est seulement parce que ses folies sont proportionnées à son âge et à sa fortune (max. 207, I 219).

[171] Les plus sages le sont dans les choses indifférentes, mais ils ne le sont presque jamais dans leurs plus sérieuses affaires ; et qui vit sans folie n'est pas si sage qu'il croit (MS 22, I 132, et max. 209, I 221).

[172] La faiblesse fait commettre plus de trahisons que le véritable dessein de trahir (max. 120, I 124).

[173] Quelque prétexte que nous donnions à nos afflictions, ce n'est que l'intérêt et la vanité qui les causent (max. 232. I 246).

[174] Il y a une espèce d'hypocrisie dans les afflictions ; car, sous prétexte de pleurer une personne qui nous est chère, nous pleurons la diminution de notre bien, de notre plaisir, ou de notre considération, en la personne que nous avons perdue. De cette manière les morts ont l'honneur des larmes qui ne coulent que pour ceux qui les pleurent. J'ai dit que c'était une espèce d'hypocrisie, parce que par elle l'homme se trompe seulement lui-même. Il y en a une autre, qui n'est pas si innocente, et qui impose à tout le monde. C'est l'affliction de certaines personnes qui aspirent à la gloire d'une belle et immortelle douleur. Car le temps, qui consomme tout, ayant consommé ce qu'elles pleurent, elles ne laissent pas d'opiniâtrer leurs pleurs, leurs plaintes et leurs soupirs ; elles prennent un personnage lugubre, et travaillent à persuader par toutes leurs actions qu'elles égaleront la durée de leurs pleurs à leur propre vie. Cette triste et fatigante vanité se trouve pour l'ordinaire dans les femmes ambitieuses, parce que, leur sexe leur fermant tous les chemins à la gloire, elles se jettent dans celui-ci, et s'efforcent à se rendre célèbres par la montre d'une inconsolable douleur (cf. la maxime suivante).

[175] Outre ce que nous avons dit, il y a encore quelques autres espèces de larmes qui coulent de certaines petites sources, et qui par conséquent s'écoulent incontinent. On pleure pour avoir la réputation d'être tendre, on pleure pour être pleuré, et on pleure enfin de honte de ne pas pleurer (pour cette maxime et la précédente : max. 233, I 247).

[176] Les faux honnêtes gens sont ceux qui déguisent la corruption de leur cœur aux autres et à eux-mêmes ; les vrais honnêtes gens sont ceux qui la connaissent parfaitement et la confessent aux autres (max. 202, I 214).

[177] Le vrai honnête homme est celui qui ne se pique de rien (max. 203, I 215).

[178] Une des choses qui fait que l'on trouve si peu de gens qui nous paraissent raisonnables et agréables dans la conversation, c'est qu'il n'y a quasi personne qui ne pense plutôt à ce qu'il veut dire qu'à répondre précisément à ce qu'on lui dit, et que les plus habiles et les plus complaisants se contentent de montrer seulement une mine attentive, au même temps que l'on voit dans leurs yeux et dans leurs esprits un égarement et une précipitation de retourner à ce qu'ils veulent dire, au lieu de considérer que c'est un mauvais moyen de plaire ou de persuader les autres, de chercher si fort à se plaire à soi-même, et que bien écouter et bien répondre c'est une des grandes perfections qu'on puisse avoir (max. 139. I 141).

[179] La coquetterie est le fonds de l'humeur de toutes les femmes, mais toutes n'en ont pas l'exercice, parce que la coquetterie de quelques-unes est arrêtée et enfermée par leur tempérament et par leur raison (max. 241. I 263).

[180] La galanterie est un tour de l'esprit par lequel il pénètre les choses les plus flatteuses, c'est-à-dire celles qui sont les plus capables de plaire (max. 100, I 110).

[181] La politesse est un tour de l'esprit par lequel il pense toujours des choses agréables, honnêtes et délicates (max. 99. I 109).

[182] Il y a de jolies choses que l'esprit ne cherche point, et qu'il trouve toutes achevées en lui-même de sorte qu'il semble qu'elles y soient cachées, comme l'or et les diamants dans le sein de la terre (max. 101. I III).

[183] La politesse des États est le commencement de leur décadence, parce qu'elle applique tous les particuliers à leurs intérêts propres et les détourne du bien public (MS 52, I 282).

[184] La civilité est une envie d'en recevoir ; c'est aussi un désir d'être estimé poli (max. 260. I 283).

[185] La souveraine habileté consiste à bien connaître le prix de chaque chose (max. 244, I 266).

[186] On hait souvent les vices, mais on méprise toujours le manque de vertu (max. 186, I 195).

[187] Quand on ne trouve point son repos en soi-même, il est inutile de le chercher ailleurs (MS 61, I 55).

[188] Ce qui nous empêche souvent de bien juger des sentences qui prouvent la fausseté des vertus, c'est que nous croyons trop aisément qu'elles sont véritables en nous (MP 7).

Sentences et maximes de morale par M. D. L. R. 1663
(B.N., Collection Smith-Lesouef, ms. 90)

[1] Les vices entrent dans la composition des vertus..., comme H I. (Cf. L 227.)

[2] Si on avait ôté de ce que l'on appelle force..., et la suite comme H 6.

[3] La clémence est un mélange de gloire..., et la suite comme L 217 et le début de H 7.

[4] On n'est jamais si ridicule..., comme H 15. (Cf. L 220.)

[5] La durée de nos passions..., comme H 86 et L 221.

[6] L'amour est à l'âme..., comme L 223. (Cf. H 91.)

[7] La folie suit..., et la suite comme L I. (Cf. H 170.)

[8] L'orgueil a bien plus de part que la charité aux remontrances que nous faisons à ceux qui commettent des fautes, et nous les reprenons bien moins pour les en corriger que pour les persuader que nous en sommes exempts. (Cf. L 2 et début de H 137.)

[9] Nous sommes préoccupés de telle sorte en notre faveur que ce que nous prenons..., et la suite comme H 138. (Cf. L 3.)

[10] Nous promettons..., comme L4 et H 16. suivie de L 5

[11] Ce qui rend nos amitiés..., comme L 6 et H 89.

[12] Nous nous persuadons souvent mal à propos d'aimer..., et la suite comme L 7 (Cf. H 90.)

[13] Les Français ne sont pas seulement sujets..., comme L 8. (Cf. H 13.)

[14] Les faux honnêtes gens..., comme L9 et H 176.

[15] On est au désespoir d'être trompé..., comme H 17. (Cf. L 10.)

[16] Les plus sages le sont..., comme L II et début de H 171.

[17] L'amour-propre est plus habile..., comme L 12. (Cf. une phrase au début de H 105.)

[18] Il est aussi aisé de se tromper soi-même..., comme L 13 et H 18.

[19] Rien n'est impossible de soi, il y a des voies qui conduisent à toutes choses ; si nous avions assez de volonté, nous aurions toujours assez de moyens. (Cf. L 14 et H 21.)

[20] L'intérêt fait jouer..., comme L 15 et H 156, suivi de L 16 (cf. H 8) et de L 17 (H. 173).

[21] C'est plutôt par l'estime de nos sentiments..., comme L 18 et le début de H 146.

[22] L'homme est conduit..., comme L 19.

[23] La modestie qui semble refuser..., comme L 20. (Cf. fin de H 146.)

[24] L'orgueil se dédommage toujours..., comme L 21 et H 139.

[25] L'amitié la plus sainte..., comme L 22. (Cf. H 88.)

[26] La félicité est dans le goût..., comme L 23. (Cf. H 122.)

[27] Quand on ne trouve point son repos..., comme L 24 et H 187.

[28] On ne fait point de distinction dans les espèces de colères, bien qu'il y en ait..., et la suite comme L 25. (Cf. H 135.)

[29] Quoique toutes les passions..., comme L 26 et H 87.

[30] La jalousie est raisonnable et juste en quelque manière parce qu'elle ne cherche..., et la suite comme L 27 et H 104.

[31] Quelque différence qu'il y ait entre les fortunes, il y a pourtant une certaine proportion des biens et des maux qui les rend égales (Cf. L 28 et H 126.)

[32] On n'aime point à louer..., comme H 147 (cf. début de L 29), sauf deux variantes : celui qui la reçoit et celui qui la donne (au lieu de : celui qui la donne et celui qui la reçoit) ; un la prend (au lieu de : l'un la prend.)

[33] Nous choisissons toujours des louanges empoisonnées qui découvrent par contrecoup des défauts en nos amis, que nous n'osons divulguer. (Cf. suite de L 29 et début de H 148.)

[34] Nous élevons la gloire des uns..., comme H 149. (Cf. fin de L 29.)

[35] Il est malaisé de définir l'amour ; tout ce qu'on peut dire est que dans l'âme c'est une passion de régner, dans les esprits c'est une sympathie, et dans le corps ce n'est qu'une envie cachée et délicate de jouir de ce que l'on aime après beaucoup de misères. (Cf. L 30 et H 93.)

[36] Quelques grands avantages que la nature donne..., comme L 31 et H 121.

[37] Il n'y a point de libéralité..., comme L 32 et H 29.

[38] L'amour de la gloire..., comme H III (Cf. L 33.)

[39] On pourrait dire qu'il n'est point..., et la suite comme L 34 et H 123

[40] On ne veut point perdre la vie..., comme H 116. (Cf. L 35.)

[41] La valeur, dans les simples soldats..., comme L 36 et H 117.

[42] Les crimes deviennent innocents, et même glorieux, par leur nombre et par leur excès ; de là vient que les voleries publiques sont des habiletés, et que prendre des provinces injustement s'appelle faire des conquêtes. Le crime a ses héros ainsi que la vertu. (Cf. L 37 et H 4.)

[43] Les grands et les ambitieux..., comme H 119. (Cf. L 38.)

[44] Le vrai honnête homme est celui qui ne se pique de rien. (Comme H 177, cf. L 39.)

[45] La générosité c'est un désir de briller..., comme L 40. (Cf. H 120.)

[46] Le jugement n'est autre chose... de son étendue, de sa profondeur, de son discernement, de sa justesse, de sa droiture, et de sa délicatesse. L'étendue de l'esprit est la mesure de sa lumière ; la profondeur est celle qui découvre le fond des choses ; le discernement compare et distingue les choses. La justesse ne voit que ce qu'il faut voir ; la droiture prend toujours le bon droit des choses ; la délicatesse aperçoit les choses imperceptibles, et le jugement prononce ce que les choses sont. Si on l'examine bien, on trouvera que toutes ces qualités ne sont autre chose que la grandeur de l'esprit, lequel voyant tout remontre dans la plénitude de ces lumières tous les avantages dont nous venons de parler. (Cf. L 41 et H 38-39.)

[47] Quand la vanité ne fait point parler..., comme L 42 et H 144.

[48] La sincérité est une naturelle ouverture..., et la suite comme L 43. (Cf. H 158.)

[49] La finesse n'est qu'une pauvre habileté. (Comme L 44 et H 165.)

[50] Dieu seul fait les gens de bien..., comme L 45, mais sans la citation italienne.

[51] Nous récusons tous les jours des juges pour le plus petit intérêt, et nous commettons..., et la suite comme L 46.

[52] Rien n'est si dangereux que l'usage des finesses, que tant de gens d'esprit emploient communément, les plus habiles affectant de les rejeter toute leur vie pour s'en servir en quelque grand intérêt. (Cf. L 47 et H 166.)

[53] Comme la finesse est l'effet..., comme L 48. (Cf. H 167.)

[54] On s'est trompé quand on a cru, après tant de grands exemples, que l'amour et l'ambition triomphent toujours des autres passions ; c'est la paresse, toute languissante qu'elle est, qui en est le plus souvent la maîtresse ; elle usurpe insensiblement sur tous les desseins et sur toutes les actions de la vie ; elle y détruit et y consomme toutes les passions et toutes les vertus. (Cf. L 84 et H 94.)

[55] Rien ne nous plaît tant..., comme H 141, sauf une variante : leur emploi au lieu de leurs emplois, et la fin : que la confiance est comme un relâchement de l'âme, causé par le nombre et par le poids des choses dont elle est pleine. (Cf. L 49.)

[56] Nous ne nous apercevons que des emportements et des mouvements extraordinaires de nos humeurs et de notre tempérament, comme de la violence, de la colère, etc., mais personne quasi ne s'aperçoit que ces humeurs ont un cours ordinaire et réglé qui meut et tourne doucement et imperceptiblement notre volonté à des actions différentes ; elles veulent ensemble..., et la suite comme L 50. (Cf. H 136.)

[57] La pitié est un sentiment..., comme L 51 et H 22, sauf un mot : actions au lieu de occasions

[58] Qui considérera superficiellement tous les effets de la bonté..., comme H 35, sauf la fin : il réunit, il dispose et tourne tous les hommes en sa faveur. (Cf. L 52.)

[59] L'humilité est une feinte soumission..., comme H 25, sauf deux différences : I sous toutes ses figures au lieu de dans toutes ses figures ; 2 où on l'élève au lieu de où l'on l'élève. (Cf. L 53.)

[60] La parfaite valeur et la poltronnerie complète sont des extrémités où l'on arrive rarement. L'espace qui est entre les deux est vaste, et contient toutes les autres espèces de courage : il y a plus de différence entre elles qu'il y en a entre les visages et les humeurs ; cependant elles conviennent en beaucoup de choses. Il y a des hommes qui s'exposent volontiers au commencement d'une action, et qui se relâchent et se rebutent aisément par sa durée ; il y en a qui sont assez contents quand ils ont satisfait à l'honneur du monde, et qui font fort peu de choses au delà. On en voit qui ne sont pas toujours également maîtres de leur peur. D'autres se laissent quelquefois emporter à des épouvantes générales. D'autres vont à la charge pour n'oser demeurer dans leurs postes. Enfin il s'en trouve à qui l'habitude des moindres périls affermit le courage, et les prépare à s'exposer à des plus grands. Outre cela, il y a un rapport général que l'on remarque entre tous les courages des différentes espèces dont nous venons de parler, qui est que la nuit, augmentant la crainte et cachant les bonnes et les mauvaises actions, leur donne la liberté de se ménager. Il y a encore un autre ménagement plus général qui, à parler plus absolument, s'étend sur toutes sortes d'hommes c'est qu'il n'y en a point qui fassent ce qu'ils seraient capables de faire dans une occasion s'ils avaient une certitude d'en revenir ; de sorte qu'il est visible que la crainte de la mort ôte quelque chose à leur valeur et diminue son effet. (Cf. L 54 et H 113.)

[61] On élève la prudence jusques au ciel., comme L 55. sauf une différence aussi peu connue au lieu de inconnue. (Cf. H 14.)

[62] Rien n'est plus divertissant que de voir..., comme L 56 sauf deux différences : I recevoir des conseils au lieu de recevoir des conduites ; 2 il pare d'abord la sincérité de son avis au lieu de il paie d'abord la sincérité de son ami. (Cf. H 19.)

[63] Il y a une espèce d'hypocrisie dans les afflictions, car, sous prétexte de pleurer une personne qui nous est chère, nous pleurons les nôtres, c'est-à-dire la diminution de notre bien, de notre plaisir ou de notre considération, en la personne que nous pleurons. De cette manière les morts ont l'honneur des larmes qui ne coulent que pour ceux qui les pleuraient. J'ai dit que c'était une espèce d'hypocrisie parce que par elle l'homme se trompe seulement lui-même. Il y en a une autre qui n'est pas si innocente et qui impose à tout le monde, c'est l'affliction de certaines personnes qui aspirent à la gloire d'une belle et immortelle douleur ; car, le temps, qui consomme tout, l'ayant consommée, elles ne laissent pas d'opiniâtrer leurs plaintes et leurs soupirs ; elles prennent un personnage lugubre et travaillent à persuader par toutes leurs actions qu'elles égaleront la durée de leurs pleurs à leur propre vie. Cette triste et fatigante vanité se trouve pour l'ordinaire dans les femmes ambitieuses, parce que, leur sexe leur fermant tous chemins à la gloire, elles se jettent dans celui-ci, et s'efforcent à se rendre célèbres par la montre d'une inconsolable douleur. (Cf. L 57 et H 174.) Suivi de Outre ce que nous avons dit..., comme L 58 et H 175.

[64] Les philosophes, et Sénèque surtout..., comme L 59. (Cf. H 142.)

[65] Les affaires et les actions des grands hommes..., comme L 60 et H 103, sauf les derniers mots : on est éloigné au lieu de on en est éloigné.

[66] Comment prétendons-nous qu'un autre..., comme L 61.

[67] Les philosophes ne condamnent les richesses que par les mauvais usages ..., et la suite comme L 62. (Cf. H 163.)

[68] Celui-là n'est pas raisonnable..., comme L 63 et H 23.

[69] La plus déliée de toutes les finesses..., comme H 168. (Cf. L 64.)

[70] La pure valeur (s'il y en avait)..., comme L 65 et H 114.

[71] L'intrépidité est une force extraordinaire..., comme L 66 et H 115.

[72] L'orgueil, comme lassé de ses artifices..., comme H 143. (Cf. L 67.)

[73] La politesse est un tour de l'esprit..., comme H 181. (Cf. L 68.)

[74] La galanterie de l'esprit est un tour de l'esprit par lequel il pénètre les choses les plus flatteuses, c'est-à-dire celles qui sont les plus capables de plaire aux autres. (Cf. L 69 et H 180.)

[75] Qui ne rirait de la modération..., comme L 70. (Cf. H 27.)

[76] La modération dans la bonne fortune..., comme L 71 et le début de H 26.

[77] La politesse des États..., comme L 72 et H 183.

[78] La faiblesse de l'esprit..., comme H 20. (Cf. L 73.)

[79] La gravité est un mystère du corps..., comme L 74 et H 9 ; suivi de : La sévérité des femmes c'est un ajustement et un fard qu'elles ajustent [sic] à leur beauté..., et la suite comme H. 10. (Cf. L 75.)

[80] Ceux qui voudraient définir la victoire..., comme L 76, mais avec omission des mots comme les poètes (Cf. H 134)

[81] La modération dans la bonne fortune..., comme L 77, (Cf. fin de H 26.)

[82] La persévérance n'est digne de blâme ni de louange..., comme L 78 et H 40.

[83] La nature fait le mérite, et la fortune le met en œuvre. La civilité est une envie d'en recevoir, c'est aussi un désir d'être estimé poli. (Comme L 79-80, et H 124 suivi de H 184.)

[84] La vérité qui fait les gens véritables est une perceptible ambition…, et la suite comme L 81 et H 41.

[85] Nous avouons nos défauts…, comme L 82 et H 24.

[86] La clémence des princes est une politique…, comme L 83. (Cf. fin de H 7)

[87] Ceux qui s'appliquent trop aux petites choses…, comme L 85.

[88] Il y a deux sortes d'inconstance : l'une qui vient de la légèreté de l'esprit qui à tous moments change d'opinion, ou plutôt de la pauvreté de l'esprit qui reçoit toutes les opinions des autres ; l'autre, qui est plus excusable, vient de la fin du goût des choses que l'on aimait. (Cf. L 86 et H 101.)

[89] La sobriété est l'amour de la santé…, comme L 87 et H 30.

[90] La chasteté des femmes est l'amour de leur réputation et de leur repos. (Cf. L 88 et H 28.)

[91] Le mépris des richesses, dans les philosophes…, comme H 164, sauf une variante : un chemin détourné de la pauvreté au lieu de un chemin détourné. (Cf. L 89.)

[92] La fidélité est une invention rare…, comme H 31, à une légère différence près : quelque occasion au singulier. (Cf. L 90.)

[93] L'éducation qu'on donne aux princes est un second amour-propre qu'on leur inspire. (Comme L 91 et H 32.)

[94] Notre repentir ne vient point de nos actions…, comme L 92 et H 33

[95] Il y a des héros en mal comme en bien. (Comme L 93.)

[96] L'amour-propre est l'amour de soi-même…, comme L 94, sauf les variantes suivantes :

Ier alinéa : leur en donnait les moyens (au lieu de leur en ouvrait les moyens) – des métamorphoses (au lieu de de la métamorphose)

2e alinéa : On ne peut en sonder la profondeur (au lieu de On ne peut sonder la profondeur) – il y conçoit (sans et) – il en forme quelquefois de si monstrueuses (sans même).

3e alinéa : lorsqu'il les a rassasiés (au lieu de qu'il a rassasiés).

5e alinéa : plutôt que par les beautés (au lieu de plutôt que par la beauté) – qu'il court lorsqu'il suit les choses (sans les mots et qu'il suit son gré).

6e alinéa : Il est tout le contraire (au lieu de II est tous les contraires) – il est impérieux, il est obéissant (au lieu de il est impérieux et obéissant).

7e alinéa : qui le tournent (au lieu de qui les tournent) – à la gloire et aux richesses (au lieu de à la gloire ou aux richesses) – il y en a une infinité (au lieu de il en a une infinité) – omission des mots car il est naturellement inconstant de toutes manières.

8e alinéa : mais qu'il poursuit parce qu'il les veut (au lieu de et qu'il poursuit seulement parce qu'il les veut).

9e alinéa : conserve sa fierté (sans toute)

10e alinéa : et il s'accommode (au lieu de il s'accommode).

IIe alinéa : il ruine (au lieu de il se ruine) – il se change seulement (au lieu de il le change seulement) – dans les triomphes de sa défaite (au lieu de dans le triomphe de sa défaite). (Cf. H 105)

[97] L'intention de ne jamais tromper nous expose à être souvent trompés. (Comme L 95.)

[98] On aime mieux dire du mal de soi que de n'en point parler. (Comme L 96.)

[99] La ruine du prochain plaît aux amis et aux ennemis. (Comme L 97.)

[100] La haine qu'on a pour les favoris n'est autre chose que l'amour de la faveur ; c'est aussi la rage de n'avoir point la faveur, qui se console et s'adoucit par le mépris des favoris ; c'est enfin une secrète envie de la détruire qui fait que nous leur ôtons nos propres hommages, ne pouvant pas leur ôter ceux de tout le monde. (Cf. L 98 et H 132.)

[101] Chaque homme n'est pas plus différent…, comme L 99 et H 70.

[102] Il est de la reconnaissance…, comme L 100, sauf une variante : trouver facilement au lieu de trouver plus facilement. (Cf. H 12)

[103] La coutume que nous avons de nous déguiser aux autres pour acquérir leur estime fait qu'enfin nous nous déguisons nous-mêmes. (Cf. L 101)

[104] Les biens et les maux sont plus grands…, comme L 102 et H 125.

[105] Il y a des personnes à qui leurs défauts siéent bien…, comme L 103. (Cf. H 58.)

[106] La réconciliation avec nos ennemis…, comme L 104 et H II

[107] Le mal que nous faisons aux autres ne nous attire point tant leur persécution et leur haine que les bonnes qualités que nous avons. (Cf. L 105.)

[108] Une des choses qui fait que nous trouvons si peu de gens qui paraissent raisonnables et aimables dans la conversation est qu'il n'y a..., et la suite comme L 106. (Cf. H 178.)

[109] Comme si ce n'était pas assez à l'amour-propre..., comme L 107, sauf les différences suivantes : celle de transformer les objets (au lieu de celle de transformer ses objets) – lorsque personne ne nous est contraire (au lieu de lorsqu'une personne nous est contraire) – notre amour-propre juge les actions (au lieu de notre amour-propre juge ses actions) – du biais dont nous le regardons (au lieu de des biais dont nous les regardons). (Cf. H 106.)

[110] Quoique toutes les passions montrent cette vérité..., comme L 108, sauf trois variantes : ou l'infidélité au lieu de ou infidélité – omission des mots contre sa maîtresse – que la vue a calmé au lieu de que sa vue a calmé. (Cf. H 107.)

[111] La justice n'est qu'une vive appréhension..., comme L 109, sauf les différences suivantes : qu'on ne nous ôte au lieu de qu'on nous ôte – cette considération et le respect au lieu de cette considération et ce respect – que la naissance ou la fortune lui ont donnés au lieu de que la naissance ou la fortune lui a donnés. (Cf. fin de H 37.)

[112] La justice, dans les bons juges qui sont modérés, n'est que l'amour dans leur élévation [sic]. (Cf. L 110 et début de H 37.)

[113] Rien n'est si contagieux que l'exemple..., comme L III, sauf une variante : l'imitation d'agir honnêtement au lieu de l'imitation des biens. (Cf. H 46.)

[114] Nul ne mérite d'être loué..., et la suite comme H 36. (Cf. L 112.)

[115] Chacun pense être plus sage que les autres. (Cf. L 113 et début de H 169.)

[116] L'aveuglement des hommes..., comme L 114 (Cf. H 140.)

[117] La constance en amour..., comme L 115. (Cf. H 100.)

[118] Nous ne regrettons pas la perte de nos amis suivant leurs mérites, mais selon nos besoins..., et la suite comme L 116.

[119] Il n'y a point d'amour pur et exempt du mélange..., et la suite comme L 117. (Cf. H 92.)

[120] On hait souvent les vices, mais on méprise toujours le manque de vertu. (Comme L 118 et H 186.)

[121] La passion fait souvent du plus habile homme un sot et rend quasi les plus sots habiles. (Cf. L 119 et H 69.)

[122] Il y a des gens niais qui se connaissent sots et qui emploient habilement leur sottise (Cf. L 120 et H 59.)

[123] Tout le monde trouve à redire en autrui ce qu'on trouve à redire en lui (Comme H 71 ; cf. L 121.)

[124] On ne saurait compter toutes les espèces de vanité. Pour les savoir, il faut savoir le détail des choses, et comme il est presque infini, de là vient que si peu de gens sont savants et que nos connaissances sont superficielles et imparfaites ; on décrit les choses au lieu de les définir ; en effet on ne les connaît et on ne les fait connaître qu'en gros et par des marques communes. C'est comme si quelqu'un disait que ce corps humain est droit et composé de différentes parties, sans dire le nombre, la situation, les fonctions, les rapports et les différences de ces parties (Cf. L 122-123, et H 145.)

[125] Il est bien malaisé de distinguer la bonté…, comme L 124 et H 34.

[126] On incommode toujours les gens quand on est persuadé de ne les pouvoir jamais incommoder. (Cf. L 125.)

[127] Les grandes et éclatantes actions…, comme H 102, sauf deux différences comme des effets des grands intérêts, au lieu que ce sont d'ordinaire des effets de l'humeur (au lieu de. comme les effets des grands intérêts, au lieu qu'ils sont d'ordinaire les effets de l'humeur) – l'ambition d'être maîtres du monde (au lieu de : l'ambition qu'ils avaient de se rendre maîtres du monde). (Cf. L 126.)

[128] Les passions sont les seuls orateurs…, comme L 127, sauf une différence : et l'homme le plus simple les persuade mieux, au lieu de et l'homme le plus simple, qui sent, persuade mieux. (Cf. H 45.)

[129] La vraie éloquence consiste à dire tout ce qu'il faut et ne dire que ce qu'il faut. (Cf. L 128 et H 43.)

[130] Ceux qui se sentent du mérite…, comme L 129 et début de H 127, sauf une variante des véritables héros au lieu de de véritables héros.

[131] La coquetterie est le fond de l'humeur…, comme L 130 et H 179.

[132] Un homme d'esprit serait souvent bien embarrassé sans la compagnie des sots. (Cf. L 131 et H 72.)

[133] Les pensées et les sentiments ont chacun un ton de voix…, comme L 132. sauf les derniers mots : et déplaisent au lieu de ou déplaisent. (Cf. H 73-74.)

[134] Il y a des jolies choses que l'esprit…, et la suite comme L 133 et H 182.

[135] La confiance de plaire est souvent un moyen de plaire infailliblement. (Comme H 75, cf. L 134.)

[136] L'approbation qu'on donne à l'esprit et à la beauté et à la valeur les augmente, les perfectionne et leur fait faire de plus grands effets qu'ils n'avaient été capables de faire d'eux-mêmes (Cf. L 136.)

[137] Rien ne doit tant diminuer la satisfaction…, comme H 76. (Cf. L 137.)

[138] La faiblesse fait connaître [sic] plus de trahisons que les véritables desseins de trahir. (Cf. L 135 et H 172)

[139] Nous n'avons pas assez de force pour suivre notre raison. (Cf. L 138 et H 77.)

[140] Ce qui nous fait aimer les connaissances nouvelles…, comme H 78. (Cf. L 139.)

[141] Les grandes âmes ne sont pas celles qui ont moins de passions et plus de vertus que les âmes communes, mais seulement celles qui ont de plus grandes vues. (Cf. L 140 et H 79.)

[142] On n'est jamais si malheureux qu'on croit, ni si heureux qu'on espère. (Comme H 128 ; cf. L 141.)

[143] On se vante souvent mal à propos…, comme L 142 et H 80, sauf une omission : l'homme au lieu de et l'homme.

[144] Ce qui nous empêche souvent de bien juger…, comme L 143 et H 188, sauf une variante : est que au lieu de c'est que.

[145] La santé de l'âme n'est pas plus assurée…, comme H 81, sauf trois variantes : que nous puissions au lieu de que nous paraissions – point encore au lieu de pas encore – que l'on est au lieu de qu'on l'est. (Cf. L 144.)

[146] On blâme l'injustice, non pas pour la haine qu'on a pour elle, mais pour le préjudice qu'on en reçoit. (Cf. L 145.)

[147] Un habile homme doit savoir régler le rang de ses intérêts…, comme L 146

[148] Le caprice de l'humeur est encore plus bizarre que celui de la fortune. (Comme L 147 et fin de H 136.)

[149] La honte, la paresse et la timidité…, et la suite comme L 148 et H 5.

[150] On a plus de raison quand on espère plus d'en trouver aux autres. (Cf. L 149.)

[151] Ceux qu'on exécute affectent…, comme L 150 et H 48, sauf une variante : ce qu'un mouchoir au lieu de ce que le mouchoir.

[152] L'amour de la justice n'est que la crainte de souffrir l'injustice. (Comme L 151 ; cf. début de H 37.)

[153] Il n'y a pas moins d'éloquence dans le ton de la voix que dans le choix des paroles. (Comme L 152 et H 44.)

[154] La plupart des hommes s'exposent assez…, comme L 153 et H 118.

[155] On ne loue que pour être loué. (Comme L 154.)

[156] Il n'y a que Dieu qui sache…, comme L 155. (Cf. H 157.)

[157] La souveraine habileté consiste à bien connaître le prix de chaque chose. (Comme L 156 et H 185.)

[158] Si on était assez habile, on ne ferait point de finesses ni de trahisons (Cf. fin de H 169.)

[159] On ne blâme le vice et on ne loue la vertu que par l'intérêt. (Cf. L 157 et H 161.)

[160] La vérité est le fondement et la justification de la beauté. (Comme L 158 et début de H 42.)

[161] Si nous n'avions point d'orgueil, nous ne nous plaindrions pas de celui des autres. (Comme L 159 et fin de H 137.)

[162] Nous craignons toutes choses comme mortels, et nous désirons toutes choses comme si nous étions immortels. (Comme L 160 ; cf. H 50.)

[163] Peu de gens sont assez sages pour aimer mieux le blâme qui leur sert que la louange qui les trahit. (Comme L 161 et H 150.)

[164] La subtilité est une fausse délicatesse, et la délicatesse est une subtilité solide. (Comme H 51 ; cf. L 162.)

[165] La vérité est le fondement et la raison de la perfection et de la beauté…, comme L 163 et H 42.

[166] Les passions ont une injustice…, comme L 164, sauf une variante ; dire tout ce qui lui plaît au lieu de dire quasi tout ce qui lui plaît. (Cf. H 82.)

[167] Le monde, ne connaissant point le véritable motif, n'a garde de le pouvoir récompenser…, et la suite comme L 165 et H 52, sauf deux variantes des belles qualités au lieu de de belles qualités – ne soit point de l'or au lieu de ne soit pas de l'or

[168] Comme il y a des bonnes viandes…, et la suite comme L 166 et H 53.

[169] Nous ne sommes pas difficiles à consoler des disgrâces de nos amis lorsqu'elles aident à nous faire faire quelques belles actions. (Cf. L 167.)

[170] Quand il n'y a que nous qui savons nos crimes, ils sont bientôt oubliés. (Cf. L 168.)

[171] L'intérêt donne toutes sortes de vertus et de vices. (Cf. L 169.)

[172] Plusieurs personnes s'acquittent du devoir de la reconnaissance…, et la suite comme L 170.

[173] Pour s'établir dans le monde, on fait tout ce qu'on peut pour y paraître établi. (Comme L 171 et début de H 61)

[174] Dans toutes les professions et dans tous les arts…, comme L 172 et la fin de H 61.

[175] Il y a des gens qui ressemblent aux vaudevilles que tout le monde chante un certain temps, quelque sots et dégoûtants qu'ils soient. (Cf. L 173 et H 62.)

[176] Comme dans la nature il y a une éternelle génération…, comme L 174, sauf une variante : des passions au lieu de de passions. (Cf. H 64.)

[177] Je ne sais si cette maxime, que chacun produit son semblable…, comme H 65. (Cf. L 175.)

[178] Peu de gens sont cruels de cruauté, mais les hommes sont cruels et inhumains d'amour-propre. (Cf. L 176 et fin de H 110.)

[179] L'intérêt parle toute sorte de langues…, comme L 177.

[180] L'intérêt est toujours la dupe du cœur. (Cf. L 178 et H 83.)

[181] Quelque industrie que l'on ait à cacher ses passions…, comme H 84. (Cf. L 179.)

[182] La philosophie triomphe aisément des maux passés…, comme L 180 et H 85.

[183] Ce qui fait tout le mécompte dans la reconnaissance qu'on attend des grâces qu'on a fait, c'est que…, et la suite comme L 181.

[184] La vanité, et la honte, et surtout le tempérament, fait la valeur des hommes, dont on fait tant de bruit (Cf. L 182 et H 112.)

[185] Il y a des gens dont le mérite…, comme L 183 et H 57.

[186] On se console souvent d'être malheureux en effet pour certain plaisir qu'on trouve à le paraître. (Cf. L 184 et fin de H 127.)

[187] On admire tout ce qui éblouit..., comme L 185, sauf une variante : qui donne souvent au lieu de et donne souvent. (Cf. H 54.)

[188] Les rois font des hommes comme des pièces de monnaie..., comme L 186. (Cf. H 55.)

[189] La vertu est un fantôme..., comme L 187 (Cf. H 2.)

[190] Peu de gens connaissent la mort..., comme L 188, sauf l'omission d'un et (par la coutume au lieu de et par la coutume). (Cf. H 49)

[191] L'imitation est toujours malheureuse et tout ce qui est contrefait déplaît, et les seules choses charment qui sont naturelles. (Cf. L 189 et H 47.)

[192] Dieu a mis des talents différents dans l'homme comme il a planté des différents arbres dans la nature..., et la suite comme H 60, sauf la fin : ne saurait produire les effets des talents les plus communs ; de là vient qu'il est aussi ridicule de vouloir faire des semées sans en avoir la graine en soi que de vouloir qu'un parterre produise des tulipes quoiqu'on n'y ait pas semé de ses oignons. (Cf. L 190.)

[193] L'honneur acquis est caution de celui qu'on doit acquérir. (Comme L 191 et H 63.)

[194] L'intérêt, à qui on reproche..., comme H 160. (Cf. L 192.)

[195] Il y a des reproches qui louent, et des louanges qui médisent. (Comme L 193 et H 151.)

[196] Ce n'est pas assez d'avoir de grandes qualités, il en faut avoir l'économie. (Cf. L 194 et H 56.)

[197] Une preuve convaincante que l'homme n'a pas été créé comme il est, est que plus il devient raisonnable..., et la suite comme L 195 et H 66.

[198] On se mécompte toujours dans le jugement..., comme L 196 et H 67 : suivie de Il faut une certaine proportion entre les actions et les desseins qui les produisent, ou les actions ne font tous les effets qu'elles doivent faire (cf. L 197 et H 68.)

[199] Quoique la grandeur des ministres se forme par la grandeur de leurs actions, elles sont bien souvent l'effet du hasard ou de quelque petit dessein. (Cf. L 198 et H 131.)

[200] La nature, qui se vante d'être toujours sensible, est dans la moindre occasion étouffée par un intérêt. (Cf. L 199 et H 162.)

[201] Qui vit sans folie n'est pas si sage qu'il croit. (Comme L 200 et fin de H 171.)

[202] Les grands hommes s'abattent et se démontent enfin…, et la suite comme L 201 et H 133.

[203] La plupart des gens ne voient dans les hommes…, comme L 202 et H 129.

[204] Il n'appartient qu'aux grands hommes d'avoir de grands défauts. (Comme L 203 et H 130.)

[205] Toutes les vertus des hommes se portent dans l'intérêt, comme les fleuves se perdent dans la mer. (Cf. L 204 et H 3.)

[206] Il n'y a point de déguisement qui puisse longtemps cacher l'amour où il est ou le feindre où il n'est pas. (Cf. L 224 et H 95.)

[207] Comme on n'est jamais libre…, comme L 225, sauf les derniers mots : de ses amants au lieu de son amant (Cf. H 96.)

[208] Si on jugeait de l'amour…, et la suite comme L 219 et H 97.

[209] On peut trouver des femmes qui n'ont point fait de galanteries…, et la suite comme H 98. (Cf. L 222.)

[210] Il y a deux sortes de constances en amour…, et la suite comme H 99, sauf une variante : que l'on se fait un honneur au lieu de qu'on se fait honneur. (Cf. L 226.)

Manuscrit édité par Édouard de Barthélemy

[1] Nous sommes préoccupés de telle sorte en notre faveur…, comme L 3.

[2] De plusieurs actions diverses que la fortune arrange comme il lui plaît, il se fait plusieurs vertus. (Cf. L 246.)

[3] La modération dans la bonne fortune…, comme L 71.

[4] L'amour-propre est plus habile que le plus habile homme du monde. (Comme L 12.)

[5] La durée de nos passions ne dépend pas de nous plus que la durée de notre vie. (Cf. L 221.)

[6] La passion fait souvent un sot du plus habile homme, et rend souvent le plus sot habile. (Cf. L 119.)

[7] Dieu a mis des talents différents dans l'homme comme il a planté des arbres différents dans la nature, en sorte que chaque talent ainsi que chaque arbre a sa propriété et son effet qui leur sont particuliers ; de là vient que le poirier le meilleur du monde ne saurait porter les pommes les plus communes, et que le talent le plus excellent ne saurait produire les mêmes effets du talent le plus commun. De là aussi vient qu'il est aussi ridicule de vouloir faire des sentences sans en avoir la graine en soi, que de vouloir qu'un parterre produise des tulipes quoiqu'on n'y ait point semé d'oignons. (Cf. L 190.)

[8] La vérité est le fondement et la justification de la beauté. (Comme L 158.)

[9] La ruine du prochain plaît aux amis et aux ennemis. (Comme L 97.)

[10] Rien n'est si dangereux que l'usage des finesses que tant de gens d'esprit emploient si communément ; les plus habiles affectent de les éviter toute leur vie pour s'en servir à quelque grande occasion et par quelque grand intérêt. (Cf. L 47.)

[11] Il y a des hommes que l'on estime..., comme L 205, avec toute vertu au singulier.

[12] La vertu est un fantôme formé par nos passions à qui on donne un nom honnête afin de faire impunément ce qu'on veut. (Cf. L 187.)

[13] On ne saurait compter toues les espèces de vanités. (Cf. L 122.)

[14] La vérité qui fait les hommes véritables..., et la suite comme L 81.

[15] Chaque homme n'est pas plus différent des autres hommes qu'il l'est souvent de lui-même. (Comme L 99.)

[16] L'amour-propre est l'amour de soi-même... Long développement semblable à la maxime I de la première édition (MS I), à trois petites variantes près : il travaille lui-même à sa ruine (au lieu de il travaille même à sa ruine) – on le trouve qui triomphe (au lieu de on le retrouve qui triomphe) – trouve dans la violence continuelle de ses vagues (au lieu de trouve dans le flux et le reflux de ses vagues continuelles). (Cf. L 94.)

[17] Enfin l'orgueil, comme lassé de ses artifices..., comme L 67, sauf une variante : un visage naturel (au lieu de son visage naturel).

[18] Ces grandes et éclatantes actions..., et la suite comme L 126, à l'exception des derniers mots : un effet de jalousie (au lieu de un effet de la jalousie).

[19] Les passions sont les seuls orateurs..., comme au début de L 127, jusqu'à infaillibles.

[20] Les passions ont une injustice..., comme L 164 (à ceci près que la fin comporte des lapsus qui la rendent inintelligible).

[21] Tout le monde est plein de pelles qui se moquent du fourgon. (Cf. L 121.)

[22] Ceux qui prisent trop leur noblesse ne prisent pas assez d'ordinaire ce qui en est l'origine. (Cf. L 237.)

[23] On blâme l'injustice, non par la haine qu'on en a, mais pour le préjudice qu'on en reçoit. (Cf. L 145.)

[24] On ne blâme le vice et on ne loue la vertu que par intérêt. (Comme L 157.)

[25] On ne fait point de distinction dans la colère..., comme L 25.

[26] Les rois font des hommes comme des pièces de monnaie..., comme L 186.

[27] Peu de gens sont cruels de cruauté, mais tous les hommes sont cruels d'amour-propre. (Cf. L 176.)

[28] Dieu a permis, pour punir l'homme du péché originel..., comme L 256.

[29] Comme dans la nature il y a une éternelle génération...., comme L 174.

[30] Quelque industrie qu'on ait à cacher ses passions..., et la suite comme L 179.

[31] L'intérêt est l'ami de l'amour-propre, de sorte que comme le corps privé de son âme est sans vie, sans ouïe, sans connaissance, sans sentiment et sans mouvement, de même l'amour-propre séparé, s'il faut dire ainsi, de son intérêt, ne vit, n'entend..., et la suite comme L 270.

[32] Les Français ne sont pas seulement sujets à perdre, comme la plupart des hommes, le souvenir des bienfaits et des injures, mais ils haïssent ceux qui les ont obligés ; l'orgueil et l'intérêt produisent partout l'ingratitude..., et la suite comme L 8.

[33] La clémence des princes est une politique..., comme L 83

[34] La clémence est un mélange de gloire, de paresse et de crainte dont nous faisons une vertu. (Cf. L 217.)

[35] La modération des personnes heureuses est le calme de leur humeur adoucie par la possession du bien. (Cf. début de L 77.)

[36] Nous craignons toutes choses comme mortels..., comme L 160, avec le deuxième toute chose au singulier.

[37] Il semble que c'est le diable qui a tout exprès placé la paresse sur la frontière de plusieurs vertus. (Comme L 209.)

[38] On n'a plus de raison quand on n'espère plus d'en trouver aux autres. (Comme L 149.)

[39] Les philosophes, et Sénèque surtout..., comme L 59.

[40] Les plus sages le sont dans toutes les choses indifférentes..., et la suite comme L II.

[41] Toutes les passions ne sont que les divers degrés de la chaleur et de la froideur du sang. (Cf. L 251.)

[42] La sobriété est l'amour de la santé ou l'impuissance de manger beaucoup. (Comme L 87.)

[43] Les grandes âmes ne sont pas celles..., comme L 140, sauf la fin : les plus grandes vues au lieu de de plus grandes vues.

[44] La crainte du blâme et du mépris qui suivent ceux qui s'enivrent de leur bonheur, c'est une vaine ostentation de la force de notre esprit, enfin..., et la suite comme la fin L 77.

[45] Nous avons tous assez de force pour supporter les maux d'autrui. (Comme L 5.)

[46] La constance des sages n'est qu'un art avec lequel ils savent renfermer leur agitation dans leur cœur. (Cf. L 16.)

[47] Ceux qu'on exécute affectent quelquefois..., comme L 150.

[48] La philosophie triomphe aisément des maux passés..., comme L 180.

[49] Peu de gens connaissent la mort..., comme L 188.

[50] On se console souvent d'être malheureux en effet..., comme L 184.

[51] Quand on ne trouve pas son repos en soi-même, il est inutile de le chercher ailleurs. (Cf. L 24.)

[52] Comment peut-on répondre si hardiment de soi-même, puisqu'il faut auparavant pouvoir répondre de sa fortune ? (Cf. L 214.)

[53] L'amour est à l'âme de celui qui aime ce que l'âme est au corps qu'elle anime. (Comme L 223.)

[54] Comme on n'est jamais libre d'aimer ou de cesser d'aimer, on ne peut se plaindre avec justice de la cruauté de ses maîtresses, ni de la légèreté de son amant. (Cf. L 225.)

[55] La justice dans les bons juges n'est que l'amour de l'approbation ; dans les ambitieux, c'est l'amour de leur élévation. (Cf. L 110.)

[56] Comment prétendons-nous qu'un autre garde notre secret si nous n'avons pas pu le garder nous-mêmes ? (Cf. L 61.)

[57] Les grands hommes s'abattent et se démontent…, comme L 201, sauf une variante : et non pas par celle de leur cœur au lieu de et non pas par celle de leur âme.

[58] On n'oublie jamais si bien la chose [sic] que quand on s'est lassé d'en parler. (Cf. L 213.)

[59] Quoique toutes les passions se dussent cacher…, comme L 26

[60] La jalousie est raisonnable en quelque manière…, comme L 27.

[61] Le mal que nous faisons aux autres ne nous attire point tant les persécutions et leur haine que les bonnes qualités que nous avons. (Cf. L 105.)

[62] Rien n'est impossible de soi…, comme L 14.

[63] Ce qui nous fait croire si facilement que les autres ont des défauts, c'est la facilité que l'on a à croire ce qu'on désire. (Cf. L 269.)

[64] Si nous n'avions pas de défauts, nous ne serions pas si aises d'en remarquer aux autres. (Cf. L 257.)

[65] Le remède de la jalousie est la certitude de ce qu'on a craint…, et la suite comme L 240, sauf la fin : le doute et les soupçons au lieu de les doutes et les soupçons.

[66] L'orgueil se dédommage toujours…, comme L 21.

[67] Si nous n'avions pas d'orgueil, nous ne nous plaindrions pas de celui des autres. (Cf. L 159.)

[68] L'orgueil est égal dans tous les hommes…, comme L 211.

[69] L'orgueil a bien plus de part que la bonté aux remontrances que nous faisons à ceux qui commettent des fautes ; et nous ne les reprenons pas tant pour les en corriger que pour leur persuader que nous en sommes exempts. (Cf. L 2.)

[70] Dieu seul fait les gens de bien…, comme L 45.

[71] Les crimes deviennent innocents et même glorieux…, comme L 37, sauf une variante : s massacres de provinces au lieu de les massacres des provinces.

[72] Ceux qui voudraient définir la victoire…, comme L 76.

[73] L'imitation est toujours malheureuse…, comme L 189. sauf une variante : plaisent au lieu de charment.

[74] Nous promettons selon nos espérances, et nous tenons selon nos craintes. (Comme L 4.)

[75] L'intérêt fait jouer toute sorte de personnages et même celui de désintéressé. (Comme L 15.)

[76] On n'est jamais si ridicule par les qualités que l'on a que par celles que l'on affecte d'avoir. (Cf. L 220.)

[77] L'espérance et la crainte sont inséparables..., comme L 261.

[78] Il ne faut pas s'offenser que les autres nous cachent la vérité..., comme L 206.

[79] L'intérêt, à qui on reproche d'aveugler les uns..., comme L 192.

[80] Ceux qui s'appliquent trop aux petites choses peuvent difficilement s'appliquer aux grandes..., et la suite comme L 85.

[81] Nous n'avons pas assez de force pour suivre toute notre raison. (Comme L 138.)

[82] L'homme est conduit lorsqu'il croit se conduire, et pendant que par son espoir [sic] il vise à un endroit, son cœur s'achemine insensiblement à un autre. (Cf. L 19.)

[83] Le caprice de l'homme est encore plus bizarre que celui de la fortune. (Cf. L 147.)

[84] Le désir de vivre ou de mourir sont des goûts de l'amour-propre dont il ne faut pas plus disputer que des goûts de la langue ou du choix des couleurs. (Cf. L 243.)

[85] La félicité est dans le goût et non pas dans les choses, et c'est pour avoir ce qu'on aime est heureux, et non pas pour avoir ce que les autres trouvent amiable [sic]. (Cf. L 23.)

[86] On n'est jamais si malheureux qu'on craint, ni si heureux qu'on espère. (Comme L 141.)

[87] Nous ne regrettons pas la perte de nos amis selon leur mérite, mais selon nos besoins, et selon l'opinion que nous croyons leur avoir donnée de ce que nous valons. (Cf. L 116.)

[88] Il est bien malaisé de distinguer la bonté générale et répandue pour tout le monde de la grande habileté. (Cf. L 124.)

[89] La confiance de plaire est souvent le moyen de plaire infailliblement. (Comme L 134.)

[90] La confiance que l'on a en soi fait naître la plus grande partie de celle que l'on a aux autres. (Comme L 248.)

[91] Ce qui nous empêche souvent de bien juger…, comme L 143.

[92] La dévotion qu'on donne aux princes est un second amour-propre. (Cf. L 91.)

[93] La fin du bien est un mal, et la fin du mal est un bien. (Cf. L 210.)

[94] Les biens et les maux sont plus grands dans notre imagination…, comme L 102.

[95] Ceux qui se sentent du mérite…, comme L 129, à un mot près : poursuivre au lieu de persécuter.

[96] Rien ne doit tant diminuer la satisfaction…, comme L 137.

[97] Quelque disproportion qu'il y ait entre les fortunes, il y a pourtant toujours une certaine proportion de biens et de maux qui les rend égales. (Cf. L 28.)

[98] Quelques grands avantages que la nature donne, ce n'est pas elle, mais la fortune, qui fait les héros. (Comme L 31.)

[99] Le mépris des richesses était dans les philosophes…, et la suite comme L 89, à un mot près : garantir au lieu de dédommager.

[99 bis] Les philosophes ne condamnent les richesses…, comme L 62, sauf une variante : elles nourrissent et accroissent les crimes comme le bois entretient le feu, au lieu de : elles nourrissent et accroissent les vices, comme le bois entretient et augmente le feu.

[100] Comme la plus heureuse personne du monde…, comme L 38, sauf une variante : puisqu'il leur faut au lieu de qu'il leur faut.

[101] La haine qu'on a pour les favoris n'est autre chose que l'amour de ces faveurs [sic]. C'est aussi la rage de n'avoir pas la faveur qui console et adoucit [sic] par le mépris des favoris ; c'est aussi une secrète envie de la détruire qui fait que nous leur ôtons nos propres hommages, ne pouvant que leur ôter ce qui leur attire celles de tout le monde [sic]. (Cf. L 98.)

[102] Une preuve convaincante que l'homme n'a pas été créé…, comme L 195, sauf une variante : lui-même au lieu de soi-même.

[103] Ce qui fait tant disputer contre les maximes…, comme L 245.

[104] Pour s'établir dans le monde, on fait tout ce qu'on peut pour y paraître établi. (Comme L 171.)

[105] Quoique la vanité des ministres…, comme L 198, sauf une variante, elle suit au lieu de elles sont

[106] Il semble que plusieurs de nos actions aient des étoiles heureuses et malheureuses…, et la suite comme L 262.

[107] On pourrait dire qu'il n'y a point d'heureux ni de malheureux accidents…, comme L 34, sauf la fin : à leur préjudice les plus avantageux, au lieu de les plus avantageux à leur préjudice.

[108] La sincérité c'est une naturelle ouverture du cœur…, et la suite comme L 43.

[109] Le vrai ne fait pas tant de mal dans le monde que le vraisemblable y fait de mal (Cf. L 234)

[110] On élève la prudence jusqu'au ciel…, comme L 55, sauf les variantes suivantes : de nos actions et de notre conduite (au lieu de de nos actions et de nos conduites) – tout le secours que nous demandons (au lieu de tous les secours que nous demandons) – quand il veut (au lieu de quand il lui plaît) – à la Providence (au lieu de à sa providence).

[111] Un habile homme doit savoir régler…, comme L 146. sauf la fin : nous ne la faisons pas servir pour obtenir les plus considérables, au lieu de nous ne les faisons pas assez servir à obtenir les plus considérables.

[112] Il est malaisé de définir l'amour…, comme L 30, sauf une variante : et dans le corps que ce n'est, au lieu de et dans le corps ce n'est.

[113] Il n'y a point d'amour pur et exempt de mélange des autres passions…, et la suite comme L 117

[114] Il n'y a point de déguisement… comme L 224.

[115] Si on juge de l'amour par la plupart de ses effets, il ressemble plus à la haine qu'à l'amitié. (Cf. L 219.)

[116] Il y a beaucoup de femmes qui ont jamais fait [sic] de galanterie, mais je ne sais s'il y en a qui n'en aient jamais fait qu'une. (Cf. L 222.)

[117] Le pouvoir que les personnes que nous aimons…, comme L 267.

[118] On blâme aisément les défauts des autres…, comme L 212.

[119] Il n'y a que d'une sorte d'amour, mais il y en a de mille différentes copies. (Cf. L 263.)

[120] L'amour aussi bien que le feu…, comme L 264

[121] Il est de l'amour comme de l'apparition des esprits : tout le monde en parle et peu de gens en ont vu. (Cf. L 265.)

[122] L'amour prête son nom à un nombre infini de commerces…, comme L 266.

[123] L'amour de la justice n'est que la crainte de souffrir l'injustice. (Comme L 151.)

[124] La justice n'est qu'une vive appréhension qu'on ne nous ôte ce qui nous appartient ; de là vient cette considération et ce respect pour tous les intérêts du prochain et cette scrupuleuse application à ne lui faire aucun préjudice. Cette crainte retient l'homme dans les bornes des biens que la naissance ou la fortune lui ont donnés, et sans cette crainte il ferait des courses continuelles sur les autres. (Cf. L 109.)

[125] Ce qui rend nos amitiés si légères et si changeantes…, comme L 6.

[126] La réconciliation avec nos ennemis…, comme L 104.

[127] Rien ne prouve tant que les philosophes…, comme L 208.

[128] La jalousie ne subsiste que dans les doutes et ne vit que dans les nouvelles inquiétudes. (Cf. L 239.)

[129] Il y a des reproches qui louent et des louanges qui médisent. (Comme L 193.)

[130] L'amitié la plus sainte et la plus sacrée…, comme L 22.

[131] Nous nous persuadons souvent d'aimer des gens plus puissants…, et la suite comme L 7.

[132] Le jugement n'est autre chose que la lumière de l'esprit…, comme L 41, sauf ces différences, c'est la mesure de sa lumière (au lieu de est la mesure de sa lumière) – La délicatesse aperçoit l'imperceptible, et le jugement prononce ce qu'elle sent (au lieu de. La délicatesse aperçoit les imperceptibles. Et le jugement prononce ce qu'elles sont.) – Si on les examine bien (au lieu de. Si on l'examine bien). – Suivie de L 44. La finesse n'est qu'une pauvre habileté.

[133] La politesse de l'esprit est un tour par lequel il pense toujours des choses honnêtes et délicates. (Cf. L 68.)

[134] La galanterie de l'esprit est un tout de l'esprit…, comme L 69.

[135] Il y a de jolies choses que l'esprit ne cherche point…, comme L 133. sauf une variante : le diamant au lieu de les diamants.

[136] L'esprit est toujours la dupe du cœur. (Comme L 178.)

[137] On peut connaître son esprit, mais qui peut connaître son cœur ? (Comme L 233.)

[138] Les affaires et les actions des grands hommes, comme les statues, ont leur point de perspective. Il y en a qu'il faut voir de près pour en discerner toutes les circonstances ; il y en a d'autres dont on ne juge jamais si bien que quand on est éloigné. (Cf. L 60.)

[139] Pour savoir, il faut savoir le détail des choses, et comme il est infini, de là vient qu'il y a si peu de gens qui sont savants, et que nos connaissances sont superficielles et imparfaites, et qu'on décrit des choses au lieu de les définir..., et la suite comme L 123

[140] On est au désespoir d'être trompé par ses ennemis..., comme L 10.

[141] Il est aussi facile de se tromper soi-même..., et la suite comme L 13.

[142] Rien n'est plus divertissant que de voir deux hommes assemblés, l'un pour demander conseil, et l'autre pour le donner ; l'un paraît avec une déférence respectueuse, et dit qu'il vient recevoir des instructions pour sa conduite et soumettre ses sentiments ; et son dessein, le plus souvent, est de faire passer les siens, et de rendre celui qu'il vient consulter garant de l'affaire qu'il lui propose. Celui qui conseille paie d'abord la confiance de son ami des marques d'un zèle ardent et désintéressé, et il cherche..., et la suite comme L 56.

[143] La plus déliée de toutes les finesses... ; comme L 64, sauf une variante : qu'on nous tend, au lieu de que l'on nous tend.

[144] L'intention de ne jamais tromper nous expose à être souvent trompés : (Comme L 95.)

[145] La coutume que nous avons de nous déguiser aux autres..., comme L 101.

[146] La faiblesse fait commettre plus de trahisons que le véritable dessein de trahir. (Comme L 135.)

[147] On fait souvent du bien pour pouvoir faire du mal impunément. (Comme L 231.)

[148] Comme la finesse est l'effet d'un petit esprit..., comme L 48.

[149] La finesse n'est qu'une pauvre habileté. (Comme L 44.)

[150] On est sage pour les autres personnes, personne ne l'est assez pour soi-même. (Cf. L 247.)

[151] Quand la vanité ne fait point parler, on n'a pas envie de dire grand'chose. (Comme L 42.)

[152] On aime mieux dire du mal de soi que de n'en point parler. (Comme L 96.)

[153] Une des choses qui fait que l'on trouve si peu de gens…, comme L 106, sauf deux variantes : ce qu'on lui dit. Les plus habiles (au lieu de ce qu'on lui dit, et que les plus habiles) – une précipitation pour retourner (au lieu de une précipitation de retourner).

[154] Un homme d'esprit serait souvent bien embarrassé sans la compagnie des sots. (Cf. L 131.)

[155] On se vante souvent de ne se point ennuyer…, et la suite comme L 142.

[156] On ne loue que pour être loué. (Comme L 154.)

[157] Comme c'est le caractère des grands esprits de faire entendre en peu de paroles beaucoup de choses, les petits esprits en revanche ont l'air [sic] de parler beaucoup et de ne dire rien. (Cf. L 252.)

[158] C'est plutôt par l'estime de nos sentiments…, comme L 18.

[159] On n'aime point à louer, on ne loue personne jamais sans intérêt…, et la suite comme L 29, sauf la fin : on louerait moins le duc de Turenne et Monsieur le Prince si on ne voulait pas les blâmer tous deux, au lieu de : on louerait moins Monsieur le Prince et Monsieur de Turenne si on ne voulait pas les blâmer tous les deux.

[160] Peu de gens sont assez sages pour aimer mieux le blâme qui leur est utile à la louange qui les trahit [sic]. (Cf. L 161.)

[161] La modestie qui semble refuser les louanges n'est en effet qu'un désir d'en avoir de plus délicates. (Comme L 20.)

[162] La nature fait le mérite et la fortune le met en œuvre. (Comme L 79.)

[163] Il y a des gens dont le mérite consiste à dire…, comme L 183.

[164] Ce n'est pas assez d'avoir de grandes qualités, il en faut avoir l'économie. (Comme L 194.)

[165] On se mécompte toujours dans le jugement…, comme L 196.

[166] Il faut une certaine proportion…, comme L 197, sauf une variante : sans lesquels au lieu de sans laquelle.

[167] On admire tout ce qui éblouit…, comme L 185, sauf une variante : dérobe souvent l'estime, au lieu de dérobe l'estime.

[168] Il y a une infinité de conduites qui ont un ridicule apparent et qui dans leurs raisons cachées sont très sages et très solides. (Cf. L 259.)

[169] Le monde, ne connaissant pas le véritable mérite..., et la suite comme L 165, à une variante près : de belles qualités (sans le mot apparentes).

[170] L'espérance, toute vaine et fourbe qu'elle est d'ordinaire, sert au moins à nous mener à la fin de la vie par un beau chemin agréable. (Cf. L 215.)

[171] La honte, la paresse et la timidité conservent toutes seules le mérite..., et la suite comme L 148.

[172] Il n'y a que Dieu qui sache..., comme L 155.

[173] Comme il y a de bonnes viandes qui affadissent le cœur..., comme L 166, sauf une variante : dégoûtent des qualités, au lieu de dégoûtent avec des qualités.

[174] Toutes les vertus des hommes se perdent dans l'intérêt comme les fleuves se perdent dans la mer. (Comme L 204.)

[175] La constance en amour est une inconstance perpétuelle..., comme L 115. Suivie de : La durée de l'amour et ce qu'on appelle ordinairement la constance sont deux sortes de choses bien différentes la première vient de ce que l'on trouve sans cesse dans la personne que l'on aime de nouveaux sujets d'amour, comme dans une source inépuisable ; la seconde vient de ce que l'on se fait un honneur de tenir sa parole (cf. L 226).

[176] La persévérance n'est digne de blâme ni de louange..., comme L 78, avec un mot de plus à la fin : qu'on ne se donne point (au lieu de qu'on ne se donne).

[177] Je ne sais si cette maxime, que chacun produit son semblable..., comme L 175.

[178] Ce qui nous fait aimer les nouvelles connaissances n'est pas tant..., et la suite comme L 139.

[179] Notre repentir ne vient point de nos actions, mais du dommage qu'elles nous causent. (Comme L 92.)

[180] Il y a deux sortes d'inconstances..., comme L 86, sauf la fin : qui vient du dégoût des choses, au lieu de : vient de la [fin] du goût des choses que l'on aimait.

[181] Les vices entrent dans la composition des vertus..., comme L 227.

[182] Nous avouons nos défauts pour réparer le préjudice qu'ils nous font dans l'esprit des autres par l'impression que nous donnons de la justice des nôtres [sic]. (Cf. L 82.)

[183] Il y a des héros en mal comme en bien. (Comme L 93.)

[184] On hait souvent les vices, mais on méprise toujours le manque de vertu. (Comme L 118.)

[185] La santé de l'âme n'est pas plus assurée que celle du corps, et quelque éloignés que nous paraissions des passions que nous n'avons pas encore ressenties, il faut croire toutefois qu'on n'est pas moins exposé que l'on est à tomber malade quand on se porte bien. (Cf. L 144.)

[186] On n'est pas moins exposé aux rechutes des maladies de l'âme..., comme L 218, sauf les différences suivantes : une relâche au lieu de un relâche – nécessairement au lieu de successivement – s'il était permis au lieu de s'ils nous était permis.

[187] Il n'appartient qu'aux grands hommes d'avoir de grands défauts. (Comme L 203)

[188] Quand il n'y a que nous qui sachions nos crimes, ils sont bientôt oubliés. (Comme L 168.)

[189] Le désir de paraître habile empêche souvent de le devenir..., comme L 238, sauf une variante : plus à le paraître au lieu de plus à paraître.

[190] Les faux honnêtes gens sont ceux qui déguisent la corruption..., comme L 9.

[191] Le vrai honnête homme c'est celui qui ne se pique de rien. (Comme L 39.)

[192] La sévérité des femmes est un ajustement..., et la suite comme L 75, sauf deux variantes : la leur au lieu de le leur – c'est un attrait au lieu de c'est enfin un attrait.

[193] La chasteté des femmes est l'amour de leur réputation et de leur repos. (Comme L 88.)

[194] C'est être véritablement honnête homme que de bien vouloir être examiné des honnêtes gens en tous temps et sur tous les sujets qui se présentent (Cf. L 242.)

[195] L'enfance nous suit dans tous les temps de la vie..., comme L I.

[196] Il y a des gens niais qui se connaissent niais et qui emploient habilement leur niaiserie. (Comme L 120.)

[197] Comme si ce n'était pas assez à l'amour-propre..., comme L 107-108, sauf les variantes suivantes :

Dans la partie correspondant à L 107 : transformer les objets (au lieu de transformer ses objets) – mais soudainement il change l'état et la nature des choses (au lieu de mais aussi, comme si ses actions étaient des miracles, il change l'état et la nature des choses soudainement) – juge de ses actions (au lieu de juge ses actions) – il donne à ses défauts une étendue qui les rend énormes, et il met (au lieu de il donne même une étendu à ses défauts qui les rend énormes, et met) – la réconcilie (au lieu de l'a réconciliée) – un fort grand du biais (au lieu de un fort grand des biais) Dans la partie correspondant à L 108 : l'oubli ou l'infidélité de ce qu'il aime (au lieu de un visible oubli ou infidélité découverte) – méditer pour sa vengeance tout ce que cette passion inspire de plus violent (au lieu de conjure[r] le ciel et les enfers contre sa maîtresse) –

Néanmoins, aussitôt que sa vue (au lieu de et néanmoins, aussitôt qu'elle s'est présentée et que sa vue) – aux mauvaises actions (au lieu de aux actions mauvaises).

[198] L'aveuglement des hommes est le plus dangereux effet..., comme L 114, sauf la fin, et nos défauts au lieu de et tous nos défauts

[199] Qui vit sans folie n'est pas si sage qu'il croit. (Comme L 200.)

[200] En vieillissant on devient plus fou et plus sage. (Comme L 260.)

[201] Il y a des gens qui ressemblent aux vaudevilles..., comme L 173, à un mot près : raconte au lieu de chante.

[202] La plupart des gens ne voient dans les hommes..., comme L 202.

[203] La parfaite valeur et la poltronnerie complète sont des extrémités où l'on arrive rarement..., et la suite comme L 54, sauf les variantes suivantes : qu'entre les visages (au lieu de qu'il y en a entre les visages) – elle donne la liberté au lieu de leur donne la liberté – un autre ménagement plus général (au lieu de un autre ménage plus général) – une certitude de réussir (au lieu de une certitude d'en revenir).

[204] La pure valeur (s'il en avait)..., comme L 65, sauf la fin : tout le monde au lieu de le monde.

[205] L'intrépidité est une force extraordinaire de l'âme..., comme L 66, sauf deux variantes, dans les accidents les plus surprenants et les plus terribles (au lieu de dans les accidents les plus terribles et les plus surprenants) – dans la conjuration (au lieu de dans les conjurations) – qui leur est nécessaire (au lieu de qui lui est nécessaire).

[206] L'approbation que l'on donne à l'esprit, à la beauté, à la valeur..., et la suite comme L 136.

[207] La vérité est le fondement et la raison de la perfection..., comme L 163, sauf l'omission des mots car il est certain qu'.

[208] La politesse des États est le commencement de la décadence..., et la suite comme L 72.

[209] De toutes les passions celle qui est la plus inconnue c'est la paresse..., comme L 253, sauf les variantes suivantes : les plus grands vaisseaux (au lieu de les plus grands navires) – et que les plus grandes tempêtes (au lieu de et les plus grandes tempêtes) – et ses opiniâtres résolutions (au lieu de et ses plus opiniâtres résolutions) – et pour donner enfin (au lieu de et enfin, pour donner) – et qui la fait renoncer (au lieu de et la fait renoncer).

[210] L'amour de la gloire, plus encore la crainte de la honte..., et la suite comme L 33, sauf une variante : font cette valeur au lieu de fait cette valeur.

[211] La valeur dans le simple soldat est un métier périlleux qu'ils ont pris pour gagner leur vie [sic]. (Cf. L 36.)

[212] La plupart des hommes s'exposent assez à la guerre..., comme L 153.

[213] La vanité et la honte, et surtout le tempérament, font..., et la suite comme L 182.

[214] On ne veut point perdre la vie..., comme L 35, sauf une variante : dans les parties, au lieu de dans la justice.

[215] Plusieurs personnes s'inquiètent du devoir de la reconnaissance..., et la suite comme L 170.

[216] Ce qui fait tout le mécompte que nous voyons dans la reconnaissance..., comme L 181.

[217] On est souvent reconnaissant par principe d'ingratitude. (Comme L 230.)

[218] Rien n'est si contagieux que l'exemple, et nous ne faisons jamais de grands biens ni de grands maux qui ne produisent infailliblement leur pareil : l'imitation du bien vient de l'émulation, et des maux [sic] de l'excès de la malignité naturelle, qui, étant comme retenue prisonnière par la honte, est mise en liberté par l'exemple. (Cf. L III.)

[219] Quelque prétexte que nous donnions à nos afflictions.., comme L 17.

[220] Il y a dans les afflictions une espèce d'hypocrisie, car sous prétexte de pleurer la perte d'une personne qui nous est chère, nous pleurons la nôtre, c'est-à-dire la diminution de notre bien, de notre plaisir, de notre considération..., et la suite comme L 57-58, sauf les variantes suivantes :

Dans la partie correspondant à L 57 : parce qu'elle impose (au lieu de et qui impose) – qu'elle égalerait la durée de leur déplaisir, leur propre vie (texte manifestement fautif, au lieu de qu'elles égaleront la durée de leur déplaisir à leur propre vie) – d'ordinaire (au lieu de pour l'ordinaire) – Comme leur sexe leur ferme tous les chemins qui mènent à la gloire, elles s'efforcent de se rendre (au lieu de parce que, leur sexe leur fermant tous les chemins à la gloire, elles se jettent dans celui-ci, et s'efforcent à se rendre)

Dans la partie correspondant à L 58 : Il y a, outre ce que nous avons dit, encore quelques espèces de larmes (au lieu de Outre ce que nous avons dit, il y a encore quelques autres espèces de larmes) – on pleure pour être plaint, on pleure pour être pleuré, enfin on pleure de la honte de ne pleurer pas (au lieu de on pleure pour être pleuré, et on pleure enfin de honte de ne pas pleurer).

[221] Nous ne sommes pas difficiles à consoler..., comme L 167.

[222] Nul ne mérite d'être loué de bonté s'il n'a pas la force et la hardiesse de pouvoir être méchant. Toute autre bonté n'est en effet qu'une privation du vice, ou plutôt la timidité du vice et son endormissement. (Cf. L 112.)

[223] Qui considérera superficiellement tous les effets de la bonté qui nous fait sortir hors de nous-mêmes…, et la suite comme L 52, sauf une variante : la bonté est le plus prompt de tous les moyens dont se sert l'amour-propre (au lieu de : la bonté est en effet le plus prompt de tous les moyens dont l'amour-propre se sert). En outre la maxime est incomplète : elle s'interrompt brusquement après les mots plus riche et plus

[224] Il n'est pas si dangereux de faire du mal à la plupart des hommes que de leur faire trop de bien. (Comme L 244.)

[225] Rien ne nous plaît tant que la confiance des grands.., comme L 49.

[226] On ne sait si on peut dire de l'agrément…, et la suite comme L 258, sauf une variante : de traits ensemble au lieu de des traits ensemble.

[227] La coquetterie est le fond de l'humeur de toutes les femmes…, et la suite comme L 130, sauf une variante : renfermée au lieu de enfermée.

[228] On incommode toujours les autres quand on est persuadé de ne les pouvoir jamais incommoder. (Comme L 125.)

[229] La souveraine habileté consiste à bien connaître le prix des choses. (Cf. L 156.)

[230] La véritable éloquence consiste à dire tout ce qu'il faut et à ne dire que ce qu'il faut. (Cf. L 128)

[231] Il y a des personnes à qui les défauts siéent bien, et d'autres qui sont disgraciées de leurs bonnes qualités. (Cf. L 103.)

[232] Il est aussi ordinaire de voir changer les goûts qu'il est extraordinaire de voir changer les inclinations (Cf. L 272.)

[233] On ne blâme le vice et on ne loue la vertu que par intérêt. (Comme L 157.)

[234] La générosité est un désir de briller…, et la suite comme L 40, sauf la fin : pour aller plus tôt à un plus grand intérêt (au lieu de : pour aller promptement à une grande réputation).

[235] La fidélité est une invention rare de la réputation par laquelle un homme…, et la suite comme L 90.

[236] La magnanimité méprise tout pour avoir tout. (Comme L 254.)

[237] Il est aussi ordinaire de voir changer les goûts que de voir changer les inclinations. (Cf. L 272.)

[238] L'intérêt donne toutes sortes de vertus et de vices. (Cf. L 169.)

[239] L'humilité n'est souvent qu'une feinte soumission que nous employons pour soumettre effectivement tout le monde ; c'est un mouvement de l'orgueil par lequel il s'abaisse devant les hommes pour s'élever sur eux. C'est ce qui fait les bons ou les mauvais comédiens, et c'est ce qui fait aussi que les personnes plaisent ou déplaisent. C'est son plus grand déguisement et son premier stratagème. C'est comme il est sans doute que le Protée des fables n'a jamais été ; il en est un véritable dans la nature…, et la suite comme L 53, sauf les variantes suivantes : sous toutes ses figures (au lieu de sur toutes ses figures) – sa parole douce et respectueuse, pleine de l'estime (au lieu de ses paroles douces et respectueuses, pleines de l'estime) – Il ne reçoit les charges auxquelles on l'élève (au lieu de et ne reçoit les charges où on l'élève).

[240] Les peines [sic] et les sentiments ont chacun un ton de voix…, et la suite comme L 132, sauf une variante les bons ou les mauvais comédiens, au lieu de les bons et les mauvais comédiens.

[241] Dans toutes les professions et dans tous les arts…, comme L 172.

[242] La civilité est une envie d'en recevoir ; c'est aussi un désir d'être estimé poli. (Comme L 80.)

[243] La pitié est souvent un sentiment de nos propres maux dans les sujets étrangers. C'est une habile prévoyance…, et la suite comme L 51, sauf les variantes suivantes : en de semblables occasions (au lieu de dans de semblables occasions) – de quelques infortunes (au lieu de de quelque infortune) – des biens que nous nous faisons anticipés (au lieu de des biens anticipés que nous nous faisons).

[244] On ne croit pas aisément ce qui est au-delà de ce que nous voyons. (Comme L 236)

[245] Il n'y a point de libéralité et ce n'est que la vanité de donner que nous aimons mieux que ce que nous donnons. (Comme L 32.)

[246] La petitesse d'esprit fait l'opiniâtreté. (Cf. L 235.)

[247] On s'est trompé quand on a cru…, comme L 84, sauf deux variantes : triomphent (au lieu de triomphaient) – enfin elle émousse (au lieu de et enfin elle émousse).

[248] La promptitude avec laquelle nous croyons le mal…, comme L 268.

[249] Nous récusons tous les jours des juges pour les plus petits intérêts, et nous faisons dépendre notre gloire et notre réputation, qui sont les plus grands biens du monde, du jugement des hommes qui nous sont tous contraires, ou par leur jalousie, ou par leur malignité, ou par leur préoccupation, ou par leur sottise ; et c'est pour obtenir d'eux un arrêt en notre faveur que nous

exposons notre repos et notre vie en cent manières, et que nous les condamnons à une infinité de soucis, de peines et de travaux. (Cf. L 46)

[250] L'honneur acquis est caution de celui qu'on doit acquérir. (Comme L 191.)

[251] La jeunesse est une ivresse continuelle ; c'est la fièvre de la santé, c'est la folie de la raison. (Comme L 250.)

[252] La nature, qui se vante d'être toujours sensible, est dans la moindre occasion étouffée par l'intérêt (Comme L 199.)

[253] La magnanimité est assez définie par son nom ; néanmoins on pourrait dire que c'est le bon sens de l'orgueil et la voie la plus noble pour recevoir des louanges. (Cf. L 216.)

[254] On peut toujours ce qu'on veut, pourvu qu'on le veuille bien. (Comme L 249.)

[255] Nous ne nous apercevons que des emportements.., comme L 50.

[256] Chacun pense être plus fin que les autres. On peut être plus fin qu'un autre, mais non pas plus fin que tous les autres. (Cf. L 113.)

[257] L'homme est si misérable que, tournant toute sa conduite à satisfaire ses passions, il gémit incessamment sur leur tyrannie…, et la suite comme L 255, sauf une variante : du chagrin de sa maladie, au lieu de des chagrins de ses maladies.

[258] Les biens et les maux qui nous arrivent…, comme L 228.

[259] Rien ne nous prouve davantage combien la mort est redoutable…, et la suite comme L 207.

Variantes tirées du manuscrit Gilbert attestées par l'édition des grands écrivains

1 Variantes se rapportant a des maximes de l'édition de 1678.

Épigraphe. – Nous sommes préoccupés de telle sorte..., comme L 3 et B 1.

Max. 1. – De plusieurs actions diverses..., comme B 2.

Max. 6. – La passion fait souvent un sot du plus habile homme et rend souvent les plus sots habiles.

Max. 8. – Les passions sont les seuls orateurs..., comme B 19.

Max. 9. – Les passions ont une injustice et un propre intérêt qui fait qu'elles offensent et blessent toujours, même lorsqu'elles parlent raisonnablement et équitablement. La charité a seule le privilège de dire tout ce qui lui plaît et de ne blesser jamais personne.

Max. 10. – Début plus développé : Comme dans la nature il y a une éternelle génération, et que la mort d'une chose est toujours la production d'une autre, de même il y a dans le cœur humain...

Max. 11. – Début plus développé : Je ne sais si cette maxime, que chacun produit son semblable, est véritable dans la physique ; mais je sais bien qu'elle est fausse dans la morale, et que les passions...

Max. 12. – Comme la Ire édition (Quelque industrie que l'on ait..., I 12).

Max. 14. – Les Français ne sont pas seulement sujets à perdre..., comme B 32.

Max. 15. – Manque le mot souvent.

Max. 16. – La clémence est un mélange de gloire, de presse et de crainte, dont nous faisons une vertu. (Comme B 34.)

Max. 18. – Des mots ajoutés : pour la définir intimement (et enfin, pour la définir intimement, la modération des hommes...).

Max. 21. – Ceux qu'on fait mourir affectent..., et la suite comme L 150 et B 47.

Max. 22. – La philosophie ne fait des merveilles que contre les maux passés ou contre ceux qui ne sont pas prêts d'arriver, mais elle n'a pas grande vertu contre les maux présents.

Max. 23. – Peu de gens connaissent la mort..., comme L 188 et B 49.

Max. 24. – Fin de la maxime, après leurs infortunes : cela fait voir manifestement qu'à une grande vanité près les héros sont faits comme les autres hommes.

Max. 29. – Le mal que nous faisons aux autres ne nous attire point tant leur persécution et leur haine que les bonnes qualités que nous avons. (Comme SL 107.)

Max. 31. – Comme la Ire édition (Si nous n'avions point de défauts..., I 34, et aussi L 257).

Max. 32. – La jalousie ne subsiste que dans les doutes, et ne vit que dans les nouvelles inquiétudes. (Comme B 128.)

Max. 33. – Comme la Ire édition (L'orgueil se dédommage..., I 36, et aussi L 21 et B 66).

Max. 40. – L'intérêt, à qui on reproche..., comme L 192 et B 79.

Max. 41. – Ceux qui s'appliquent trop aux petites choses..., comme B 80.

Max. 45. – Le caprice de l'humeur..., comme L 147.

Max. 46. – Le désir de vivre ou de mourir..., comme L 243.

Max. 49. – Les biens et les maux sont plus grands..., comme L 102 et B 94.

Max. 50. – Fin de la maxime : et à eux-mêmes qu'ils sont de véritables héros, puisque la mauvaise fortune ne s'opiniâtre jamais à poursuivre que les personnes qui ont des qualités extraordinaires.

Max. 52. – Quelque disproportion qu'il y ait entre les fortunes..., comme B 97.

Max. 54. – Fin de la maxime : à la considération que les richesses donnent.

Max. 55. – Fin de la maxime, après les mots l'amour de la faveur : c'est aussi la rage de n'avoir pas la faveur, qui se console et s'adoucit par le mépris des favoris, c'est aussi une secrète envie de la détruire, qui fait que nous leur ôtons nos propres hommages, ne pouvant pas leur ôter ce qui leur attire ceux de tout le monde.

Max. 58. – Comme la Ire édition (Il semble que nos actions..., I 67).

Max. 59. – On pourrait dire qu'il n'y a point d'heureux ni de malheureux accidents..., comme B 107.

Max. 63. – La vérité, qui fait les hommes véritables, est souvent une imperceptible ambition qu'ils ont de rendre leurs témoignages considérables, et d'attirer à leurs paroles un respect de religion.

Max. 64. – Le vrai ne fait pas tant de bien…, comme L 234.

Max. 65. – Comme la Ire édition (On élève la prudence…, I 75), à l'exception de la fin, après les mots aucun de ses projets :

Dieu seul, qui tient tous les cœurs des hommes entre ses mains, et qui, quand il veut, en accorde tous les mouvements, fait aussi réussir les choses qui en dépendent : d'où il faut conclure que toutes les louanges dont notre ignorance et notre vanité flattent notre prudence sont autant d'injures que nous faisons à la Providence.

Max. 73. – Il y a beaucoup de femmes qui n'ont jamais fait de galanterie ; mais je ne sais s'il y en a qui n'en aient jamais fait qu'une.

Max. 74. – Début : Il n'y a d'amour que d'une sorte…

Max. 76. – Comme la Ire édition (Il est de l'amour comme de l'apparition…, I 86, et aussi L 265).

Max. 77. – L'amour prête son nom…, comme L 266.

Max. 83. – L'amitié la plus sainte et la plus sacrée…, comme L 22 et B 130.

Max. 85. – Fin de la maxime, après les mots qui produit notre amitié : et nous ne leur promettons pas selon ce que nous leur voulons donner, mais selon ce que nous voulons qu'ils nous donnent.

Max. 88. – Comme la Ire édition (I 101), sauf trois variantes : I si bien qu'il y est lui-même abusé, mais soudainement il change l'état (au lieu de : si bien qu'il y est lui-même trompé, mais il change aussi l'état) – 2 que notre aversion venait d'effacer. Tous ses avantages en reçoivent un fort grand du biais dont nous les regardons ; toutes ses mauvaises qualités disparaissent ; nous rappelons même (au lieu de : que notre aversion venait de lui ôter ; les mauvaises qualités s'effacent, et les bonnes paraissent avec plus d'avantage qu'auparavant ; nous rappelons même) – 3 pour en charger ses soupçons (derniers mots de la maxime, au lieu de : pour s'en charger lui-même).

Max. 89. – Mots ajoutés à la fin : parce que tout le monde croit en avoir beaucoup.

Max. 97. – Mots ajoutés après les mots la grandeur de la lumière de l'esprit : On peut dire la même chose de son étendue, de sa profondeur, de son discernement, de sa justesse, de sa droiture, de sa délicatesse.

Max. 103. – On peut connaître son esprit ; mais qui peut connaître son cœur ? (Comme L 233 et B 137.)

Max. 104. – Les affaires et les actions des grands hommes, comme les statues, ont leur point de perspective : il y en a qu'il faut voir de près, pour en bien discerner toutes les circonstances ; il y en a d'autres dont on ne juge jamais si bien que quand on en est éloigné.

Max. 106. – Pour bien savoir les choses, il en faut savoir le détail, et comme il est presque infini, de là vient qu'il y a si peu de gens qui sont savants, que nos connaissances sont superficielles..., et la suite comme L 123.

Max. 109. – Fin de la maxime : par l'habitude, au lieu de par l'accoutumance.

Max. 120. – La faiblesse fait commettre plus de trahisons que le véritable dessein de trahir. (Comme L 135 et B 146.)

Max. 124. – Début plus développé : Rien n'est si dangereux que l'usage des finesses, que tant de gens emploient si communément ; les plus habiles.

Max. 125. – Comme la finesse est l'effet d'un petit esprit..., comme L 48 et B 148.

Max. 132. – On est sage pour les autres personnes..., comme B 150.

Max. 135. – Chaque homme n'est pas plus différent des autres qu'il l'est souvent de luimême.

Max. 150. – Comme la Ire édition (L'approbation que l'on donne à l'esprit..., I 156), sauf l'omission des mots les perfectionne.

Max. 154. – La fortune nous corrige plus souvent que la raison.

Max. 160. – On se mécompte toujours quand les actions sont plus grandes que les desseins.

Max. 161. – Il faut une certaine proportion..., comme L 197.

Max. 162. – On admire tout ce qui éblouit..., comme L 185.

Max. 166. – Le monde, ne connaissant pas le véritable mérite, n'a garde de le vouloir récompenser ; aussi n'élève-t-il pas à ses grandeurs et à ses dignités que des personnes qui ont de belles qualités, et il couronne généralement tout ce qui luit quoique tout ce qui luit ne soit pas de l'or.

Max. 168. – Début de la maxime : L'espérance, toute vaine et fourbe qu'elle est d'ordinaire...

Max. 169. – La honte, la paresse et la timidité., comme B 171.

Max. 170. – Début de la maxime : Il n'y a que Dieu qui sache si un procédé...

Max. 175. – Fin de la maxime : n'est que notre inconstance arrêtée et renfermée dans un même sujet.

Max. 176. – La durée de l'amour, et ce qu'on appelle ordinairement la constance, sont deux sortes de choses bien différentes..., et la suite comme L 226.

Max. 179. – On se plaint de ses amis pour justifier sa légèreté.

Max. 180. – Notre repentir ne vient point du regret de nos actions, mais du dommage qu'elles nous causent.

Max. 181. – Il y a deux sortes d'inconstance : l'une qui vient de la légèreté de l'esprit, qui à tout moment change d'opinion, ou plutôt de la pauvreté de l'esprit, qui reçoit toutes les opinions des autres ; l'autre, qui est plus excusable, qui vient de la fin du goût des choses.

Max. 183. – Il faut demeurer d'accord, pour l'honneur de la vertu, que les plus grands malheurs des hommes sont ceux où ils tombent par leurs crimes.

Max. 184. – Nous avouons nos défauts..., comme L 82, sauf l'omission du mot leur.

Max. 186. – On hait souvent les vices..., comme L 118 et B 184.

Max. 188. – La santé de l'âme n'est pas plus assurée que celle du corps ; et quelque éloignés que nous paraissions des passions que nous n'avons pas encore ressenties, il faut croire toutefois qu'on n'y est pas moins exposé que l'on est à tomber malade quand on se porte bien.

Max. 191. – On pourrait presque dire que les vices nous attendent, dans le cours ordinaire de la vie, comme des hôtelleries où il faut nécessairement loger ; et je doute que l'expérience même nous en pût garantir, s'il était permis de faire deux fois le même chemin.

Max. 192. – Comme la Ire édition (Quand les vices nous quittent..., I 203).

Max. 193. – On n'est pas moins exposé aux rechutes..., comme le début de L 218 (jusqu'à changement de mal) sauf une variante : une relâche au lieu de un relâche.

Max. 194. – Les défauts de l'âme sont comme les blessures du corps..., comme L 271.

Max. 195. – Mots ajoutés à la fin : à la fois.

Max. 196. – Comme la Ire édition (Quand il n'y a que nous qui savons..., I 207).

Max. 199. – Le désir de paraître habile..., comme B 189.

Max. 201. – Début de la maxime : Celui qui croit pouvoir se passer de tout le monde...

Max. 202. – Comme la Ire édition (Les faux honnêtes gens sont ceux..., I 214, et aussi L 9 et B 190).

Max. 204. – Mots ajoutés à la fin : C'est comme un prix dont elles l'augmentent.

Max. 205. – La chasteté des femmes est l'amour de leur réputation et de leur repos. (Comme L 88 et B 193.)

Max. 206. – C'est être véritablement honnête homme..., comme L 242.

Max. 207. – Début de la maxime : L'enfance nous suit dans toute la vie...

Max. 208. – Il y a des gens niais..., comme L 120 et B 196.

Max. 209. – Celui qui vit sans folie n'est pas si raisonnable qu'il veut faire croire.

Max. 211. – Il y a des gens qui ressemblent aux vaudevilles..., comme B 201.

Max. 212. – Comme la Ire édition (La plupart de gens ne voient..., I 224).

Max. 214. – La valeur, dans les simples soldats, n'est qu'un métier périlleux pour gagner leur vie.

Max. 217. – Comme la Ire édition (L'intrépidité est une force extraordinaire..., I 230).

Max. 218. – L'hypocrisie est un hommage que le vice se croit forcé de rendre à la vertu.

Max. 219. – On est presque toujours assez brave pour sortir sans honte des périls de la guerre ; mais peu de gens le sont assez pour s'exposer toujours autant qu'il est nécessaire pour faire réussir le dessein pour lequel ils s'exposent.

Max. 220. – La vanité, la honte, et surtout le tempérament, font la valeur des hommes et la chasteté des femmes, dont chacun mène tant de bruit.

Max. 221. – On ne veut point perdre la vie..., comme L 35, sauf une variante : que l'on remarque dans les parties, au lieu de : qu'on remarque dans la justice

Max. 222. – Début de la maxime : Il n'y a point de gens qui...

Max. 224. – Plusieurs personnes s'acquittent du devoir de la reconnaissance..., et la suite comme L 170.

Max. 225. – Ce qui fait tout le mécompte..., comme L 181 et B 216.

Max. 226. – On est souvent reconnaissant par principe d'ingratitude. (Comme L 230 et B 217.)

Max. 227. – Fin de la maxime : quand la fortune les soutient

Max. 228. – Début plus développé : Ce qui fait encore le mécompte dans les bienfaits, c'est que l'orgueil...

Max. 230. – Rien n'est si contagieux que l'exemple..., comme B 218, sauf deux variantes : leurs pareils au pluriel – l'imitation des biens au lieu de l'imitation du bien.

Max. 231. – On est fou de vouloir être sage tout seul.

Max. 233. – Il y a une espèce d'hypocrisie dans les afflictions, car sous prétexte de pleurer la perte d'une personne qui nous est chère, nous pleurons la nôtre, c'est-à-dire la diminution... Puis un passage sans variantes indiquées. Les variantes reprennent après les mots immortelle douleur : car le temps, qui consume tout, l'ayant consumée, elles ne laissent pas d'opiniâtrer leurs pleurs, leurs plaintes et leurs soupirs ; elles prennent un personnage lugubre, et travaillent à persuader, par toutes leurs actions, qu'elles égaleront la durée de leur déplaisir à leur propre vie Cette triste et fatigante vanité se trouve d'ordinaire dans les femmes ambitieuses, parce que, leur sexe leur fermant tous les chemins qui mènent à la gloire, elles se jettent dans celui-ci, et s'efforcent à se rendre célèbres par la montre d'une inconsolable douleur. Il y a, outre ce que nous avons dit, quelques espèces de larmes qui coulent de certaines petites sources, et qui, par conséquent, s'écoulent incontinent : on pleure pour avoir la réputation d'être tendre ; on pleure pour être plaint, ou pour être pleuré, et on pleure quelquefois de honte de ne pleurer pas.

Max. 234. – Début de la maxime : C'est par orgueil qu'on s'oppose avec tant d'opiniâtreté...

Max. 235. – Nous ne sommes pas difficiles à consoler..., comme L 167 et B 221.

Max. 236. – Comme la Ire édition (Qui considérera superficiellement..., I 250), sauf une variante : en sorte qu'il semble que la bonté soit la niaiserie et l'innocence de l'amour-propre ; cependant la bonté est plus prompt de tous les moyens (au lieu de : de sorte qu'il semble que l'amour-propre soit la dupe de la bonté ; cependant c'est le plus utile de tous les moyens).

Max. 237. – Fin de la maxime : toute autre bonté n'est en effet qu'une privation du vice, ou plutôt la timidité du vice, et son endormissement.

Max. 238. – Il est plus dangereux de faire trop de bien aux hommes que de leur faire du mal.

Max. 239. – Comme la Ire édition (Rien ne flatte plus notre orgueil..., I 255).

Max. 240. – Début de la maxime : Je ne sais si on peut dire de l'agrément, sans la beauté, que c'est une symétrie...

Max. 241. – Début de la maxime : La coquetterie est le fond et l'humeur de toutes les femmes...

Max. 242. – On incommode d'ordinaire, quand on est persuadé de n'incommoder jamais.

Max. 243. – Début de la maxime : Il n'y a point de choses impossibles, et... – Le manuscrit donne d'autre part : I Rien n'est impossible de soi..., comme L 14 et B62. – 2 On peut toujours ce qu'on veut..., comme L 249 et B 254.

Max. 244. – Mots ajoutés à la fin : et l'esprit de son temps.

Max. 246. – La générosité est un désir de briller..., comme B 234.

Max. 248. – La magnanimité méprise tout, pour qu'on lui donne tout.

Max. 250. – L'éloquence est de ne dire que ce qu'il faut.

Max. 251. – Fin de la maxime : qui sont dégoûtantes, malgré toutes les bonnes qualités.

Max. 252. – Le goût change, mais l'inclination ne change point.

Max. 253. – Comme la Ire édition (L'intérêt donne toutes sortes de vertus et de vices. I 276, et aussi B 238).

Max. 254. – Comme la Ire édition (L'humilité n'est souvent qu'une feinte soumission..., I 277), sauf une variante : c'est son plus grand déguisement et son premier stratagème ; c'est comme il est sans doute que le Protée des fables n'a jamais été ; il en est un véritable dans la nature, car il prend toutes les formes, comme il lui plaît ; mais quoiqu'il soit merveilleux et agréable à voir sous toutes ses figures et dans toutes ses industries (au lieu de : c'est un déguisement et son premier stratagème ; mais quoique ses changements soient presque infinis, et qu'il soit admirable sous toutes sortes de figures).

Max. 255. – Début de la maxime : Les peines et les sentiments ont chacun un ton de voix, une action et un air de visage qui leur sont propres ; c'est ce qui fait les bons ou les mauvais comédiens.

Max. 256. – Dans toutes les professions et dans tous les arts..., comme L 172 et B 241.

Max. 257. – La gravité est un mystère de corps qu'on a trouvé pour cacher le défaut d'esprit.

Max. 259. – Le plaisir de l'amour est l'amour même, et il y a plus de félicité dans la passion que l'on a que dans celle que l'on donne.

Max. 261. – Deux versions distinctes : I Fin de la maxime : un second orgueil qu'on leur inspire. – 2 La dévotion qu'on donne aux princes est un second amour-propre (comme B 92).

Max. 264. – Comme la Ire édition (La pitié est un sentiment..., I 287), sauf deux variantes : sont accueillis de quelque infortune (au lieu de en ont besoin) – des biens que nous nous faisons anticipés (au lieu de des biens anticipés que nous nous faisons à nous-mêmes).

Max. 265. – « Les deux membres de phrase dont se compose cette réflexion forment deux maximes séparées. »

Max. 266. – On s'est trompé quand on a cru..., comme B 247.

Max. 267. – Un variante indiquée : est souvent un effet de paresse, qui se joint à l'orgueil, au lieu de : est un effet de l'orgueil et de la paresse.

Max. 269. – Il n'y a guère d'homme assez pénétrant pour apercevoir tout le mal qu'il fait.

Max. 270. – L'honneur que l'on acquiert est caution de celui que l'on doit acquérir.

Max. 272. – Une variante indiquée : quelque louange au lieu de de grandes louanges.

Max. 273. – Il y a des hommes que l'on estime..., comme B II.

Max. 274. – Début de la maxime : La nouveauté est à l'amour ce que la fleur est sur le fruit : elle lui donne...

Max. 275. – La nature, qui se pique d'être si sensible, est d'ordinaire arrêtée par le plus petit intérêt.

Max. 276. – Début de la maxime : L'absence fait que les médiocres passions diminuent, et que les grandes croissent, comme le vent...

Max. 279. – Comme la Ire édition (Le plus souvent, quand nous exagérons..., I 307), sauf la fin : juger avantageusement de notre mérite, au lieu de : juger de notre mérite.

Max. 280. – Comme la Ire édition (L'approbation que l'on donne..., I 308), sauf la fin : bien établis, au lieu de : établis.

Max. 281. – L'orgueil, qui inspire souvent de l'envie contre les autres, sert parfois aussi à la calmer.

Max. 282. – Il y a des tromperies déguisées qui imitent si bien la vérité que ce serait mal juger que de ne s'y pas laisser prendre.

Max. 285. – Début de la maxime : La magnanimité s'entend assez d'elle-même...

Max. 286. – On n'aime pas une seconde fois, quand on a cessé d'aimer.

Max. 292. – L'humeur, comme la plupart des bâtiments, a des faces qui ne sont pas les mêmes.

Max. 294. – Fin de la maxime : mais nous n'aimons pas toujours de même ceux que nous admirons.

Max. 295. – Il s'en faut bien que nous ne sachions tout ce que nous voulons.

Max. 296. – Il est difficile d'aimer ce que nous n'estimons pas, et il l'est aussi d'aimer ce que nous estimons plus que nous.

Max. 297. – Comme la Ire édition (Nous ne nous apercevons que des emportements..., I 48), sauf deux variantes : de la violence, de la colère, etc. (au lieu de : de la violence de la colère) – dont nous croyons être les seuls auteurs (à la fin, au lieu de : sans que nous le puissions reconnaître).

Max. 298. – Les hommes sont reconnaissants des bienfaits, pour en recevoir de plus grands.

Max. 299. – Presque tout le monde s'acquitte des petites obligations, et aussi des médiocres ; mais il n'y en a guère qui aient de la reconnaissance pour les grandes.

Max. 300. – Il y a des folies que l'on prend des autres, comme les rhumes et les maladies contagieuses.

Max. 301. – Il y a des gens qui méprisent le bien, mais peu savent le bien donner.

Max. 302. – Ce n'est que dans les petits intérêts où nous consentons de ne pas croire aux apparences.

Max. 306. – On ne fait point d'ingrats tout le temps qu'on peut faire du bien.

Max. 309. – Il y a des gens qui sont nés pour être fous, et qui ne font pas seulement des folies par eux-mêmes, mais que la fortune contraint d'en faire.

Max. 311. – S'il y a des gens dont on ne trouve point le ridicule, c'est qu'on ne cherche pas bien.

Max. 312. – Début de la maxime : Ce qui fait que les amants ont du plaisir d'être ensemble...

Max. 313. – Pourquoi faut-il que nous ayons toujours assez de mémoire pour retenir tout ce qui nous est arrivé, et que nous n'en ayons jamais assez pour savoir combien de fois nous l'avons conté à une même personne ?

Max. 315. – Ce qui fait que nous nous cachons à nos amis, n'est pas la défiance que nous avons d'eux, mais celle que nous avons de nous.

Max. 316. – Les gens faibles ne sauraient avoir de sincérité.

Max. 318. – On a des moyens pour guérir des fous de leur folie, mais on n'en a point pour redresser des esprits de travers.

Max. 320. – Louer les rois des qualités qu'ils n'ont pas n'est que leur dire des injures.

Max. 329. – On croit haïr les flatteurs, mais on ne hait que les mauvais.

Max. 331. – Il est difficile de demeurer fidèle à ce qu'on aime quand on en est heureux.

Max. 337. – Il est souvent des bonnes qualités comme des sens : ceux qui ne les ont pas ne s'en peuvent douter.

Max. 338. – La haine met au-dessous de ceux que l'on hait.

Max. 341. – La jeunesse est souvent plus près de son salut que les vieilles gens.

Max. 347. – Nous ne sommes du même avis qu'avec les gens qui sont du nôtre.

Max. 351. – Un mot ajouté : quand on ne s'aime déjà plus, au lieu de quand on ne s'aime plus.

Max. 353. – Il n'y a pas de ridicule à être amoureux comme un fou, mais il y en a toujours à l'être comme un sot.

Max. 354. – Il y a de certains défauts qui, étant bien mis dans un certain jour, plaisent plus que la perfection de la beauté.

Max. 358. – L'humilité est la seule et véritable preuve des vertus chrétiennes, et c'est elle qui manque le plus dans les personnes qui se donnent à la dévotion ; cependant, sans elle, nous conservons tous nos défauts, malgré les plus belles apparences, et ils sont seulement couverts par un orgueil qui demeure toujours, et qui les cache aux autres, et souvent à nous-mêmes.

Max. 359. – « Les deux propositions de la réflexion définitive formaient deux maximes séparées. »

Max. 363. – Une variante indiquée : nous sont quelquefois moins pénibles, au lieu de : nous font souvent moins de peine.

Max. 365. – On voit des qualités qui deviennent défauts lorsqu'elles ne sont que naturelles, et d'autres qui demeurent toujours imparfaites lorsqu'on les a acquises ; il faut, par exemple, que la raison nous fasse devenir ménagers de notre bien et de notre confiance, et il faut, au contraire, que la nature nous ait donné la bonté et la valeur.

Max. 366. – Quoique nous ayons peu de créance dans la sincérité, nous croyons toujours qu'on est plus sincère avec nous qu'avec les autres.

Max. 367. – Il y a bien d'honnêtes femmes qui sont lasses de leur métier. (Comme le supplément de l'édition de 1693, n XXIII.)

Max. 374. – Si l'on croit aimer sa maîtresse pour l'amour d'elle, l'on est bien souvent trompé.

Max. 378. – On donne des conseils, mais on ne donne point la sagesse d'en profiter. (Comme le supplément de l'édition de 1693, n XLII.)

Max. 382. – Nos actions sont comme des bouts-rimés, que chacun tourne comme il lui plaît. (Comme le supplément de l'édition de 1693, n XLV.)

Max. 386. – Il n'y a personne qui ait plus souvent tort que celui qui ne veut jamais en avoir.

Max. 387. – Un sot n'a pas assez de force, ni pour être méchant, ni pour être bon.

Max. 391. – La fortune ne nous paraît aveugle que lorsque nous en sommes maltraités

Max. 392. – Début de la maxime : Il faut se conduire avec la fortune comme avec la santé…

Max. 394. – Maxime liée à la maxime posthume 5 : Chacun pense être plus fin que les autres ; on peut l'être plus qu'un autre, mais non pas que tous les autres.

Max. 396. – Fin de la maxime : point un second, au lieu de point de second.

Max. 398. – Fin de la maxime (après de la paresse) : nous nous flattons qu'elle comprend toutes les vertus paisibles, et qu'elle ne nuit point aux autres.

Max. 402. – Ce qui se rencontre le moins dans les femmes qui ont pris l'habitude de l'amour, c'est le goût de l'amour.

Max. 406. – Les coquettes feignent d'être jalouses de leurs amants, tandis qu'elles ne sont qu'envieuses des autres femmes qu'elles craignent.

Max. 412. – De quelque honte que l'on soit couvert, on peut toujours rétablir sa réputation.

Max. 414. – Le sot ne voit jamais que par l'humeur, parce qu'il ne peut voir par l'esprit.

Max. 419. – Nous pouvons quelquefois paraître grands dans des emplois au-dessous de nous, mais nous sommes toujours petits dans ceux qui sont plus grands que nous ne sommes.

Max. 420. – Nous croyons quelquefois supporter les malheurs avec constance, quand ce n'est que par abattement, et que nous les souffrons sans oser nous retourner, comme les poltrons qui se laissent tuer de peur de se défendre.

Max. 422. – L'amour nous fait faire des fautes, comme les autres passions, mais il nous en fait faire de plus ridicules.

Max. 425. – Une variante indiquée : de prophétie au lieu de de deviner.

Max. 431. – Ce qui nous empêche d'être naturels, c'est l'envie de le paraître.

Max. 436. – Une variante indiquée : tous les hommes au lieu de l'homme en général.

Max. 444. – Il y a plus de vieux fous que de jeunes.

Max. 446. – Ce qui fait que la honte et la jalousie sont les plus grands de tous les maux, c'est que la vanité ne nous aide pas à les supporter.

Max. 447. – La bienséance est la moindre de toutes les lois, et c'est elle que l'on suit le plus.

Max. 454. – Début de la maxime : Il n'y a pas d'occasion…

Max. 459. – S'il y a des remèdes pour guérir de l'amour, il n'y en a point d'infaillibles.

Max. 462. – L'orgueil, qui fait que nous blâmons les défauts que nous croyons ne point avoir, fait aussi que nous méprisons les bonnes qualités que nous n'avons pas.

Max. 475. – Le désir qu'on nous plaigne ou qu'on nous admire fait toute notre confiance

Max. 477. – Fin de la maxime : n'en ont jamais de longues, au lieu de : n'en sont presque jamais véritablement remplies.

Max. 485. – Quand on a eu de grandes passions, on se trouve heureux et malheureux d'en être guéri.

Max. 488. – Ce qui fait le calme ou l'agitation de notre humeur n'est pas tant ce qui nous arrive de plus considérable dans notre vie, que ce qui nous arrive de petites choses tous les jours.

Max. 490. – On va de l'amour à l'ambition, mais on ne va pas de l'ambition à l'amour.

Max. 496. – Les querelles ne seraient pas longues si on n'avait tort que d'un côté.

Max. 497. – Il est presque également inutile d'avoir de la jeunesse sans beauté, ou de la beauté sans jeunesse.

Max. 498. – Il y a des personnes si légères qu'elles n'ont pas plus des défauts que des qualités.

Max. 499. – On ne compte la première galanterie des femmes qu'à leur seconde.

Max. 501. – L'amour ne nous plaît pas tant par lui-même que par la manière dont il se montre à nous.

Max. 503. – La jalousie, qui est peut-être le plus grand de tous les maux, est aussi celui dont on a le moins de pitié, lorsqu'on le cause.

2 Variantes se rapportant à des maximes supprimées

MS 1 (G.E.F. 563). – L'amour-propre est l'amour de soi-même…, comme B. 16.

MS 2 (G.E.F. 564). – Toutes les passions ne sont que les divers degrés de la chaleur et de la froideur du sang. (Comme B 41.)

MS 3 (G.E.F. 565). – La modération dans la bonne fortune…, comme L 71 et B 3.

MS 5 (G.E.F. 567). – Tout le monde est plein de pelles qui se moquent du fourgon (Comme B 21.)

MS 6 (G.E.F. 568). – Enfin l'orgueil, comme lassé de ses artifices…, comme B 17.

MS 7 (G.E.F. 569). – Cf. supra, variante de la maxime 41.

MS 8 (G.E.F. 570). – Début de la maxime : On est heureux de connaître…

MS 9 (G.E.F. 572). – On n'est jamais si malheureux qu'on craint, ni si heureux qu'on espère. (Comme L 141 et B 86.)

MS 10 (G.E.F. 573). – On se console souvent d'être malheureux en effet par un certain plaisir qu'on trouve à le paraître. (Comme L 184 et B 50.)

MS 11 (G.E.F. 574). – Comme peut-on répondre si hardiment…, comme B 52.

MS 15 (G.E.F. 579). – La justice dans les bons juges…, comme B 55.

MS 16 (G.E.F. 580). – On blâme l'injustice…, comme B 23.

MS 17 (G.E.F. 582). – Début de la maxime : La joie que nous avons du bonheur…

MS 19 (G.E.F. 585). – Fin de la maxime, après à l'augmenter : et c'est pour manquer de lumières que nous ignorons toutes nos misères et nos défauts.

MS 22 (G.E.F. 591). – Les plus sages le sont dans toutes les choses indifférentes..., comme B 40.

MS 26 (G.E.F. 595). – On n'oublie jamais mieux les choses que quand on s'est lassé de les conter.

MS 30 (G.E.F. 601). – On ne fait point de distinction dans la colère..., comme L 25 et B 25.

MS 31 (G.E.F. 602). – Les grandes âmes ne sont pas celles..., comme B 43.

MS 32 (G.E.F. 604). – Peu de gens sont cruels de cruauté..., comme B 27.

MS 33 (G.E.F. 605). – Dieu seul fait les gens de bien..., comme L 45.

MS 34 (G.E.F. 606). – La vertu est un fantôme produit par nos passions, du nom duquel on se sert afin de faire impunément ce qu'on veut.

MS 37 (G.E.F. 611). – Ceux qui sont incapables de commettre des crimes n'en soupçonnent pas aisément les autres.

MS 40 (G.E.F. 614). – Cette maxime formait la fin de la maxime 217 (de même que dans tous les autres manuscrits et dans l'édition de Hollande).

MS 43 (G.E.F. 618). – L'imitation est toujours malheureuse..., comme B 73.

MS 46 (G.E.F. 622). – La confiance de plaire est souvent le moyen de déplaire infailliblement.

MS 49 (G.E.F. 626). – Deux versions différentes : I La vérité est le fondement et la justification de la beauté (comme L 158 et B 8). 2 La vérité est le fondement et la raison..., comme B 207.

MS 52 (G.E.F. 629). – La politesse des États est le commencement de la décadence..., comme B 208.

MS 53 – Rien ne prouve tant que les philosophes ne sont pas si bien persuadés..., comme L 208 et B 127.

MS 54 (G.E.F. 630). – De toutes les passions, celle qui est la plus inconnue..., comme L 253, sauf les variantes suivantes : les plus grands vaisseaux (au lieu de les plus grands navires) – et que les plus grandes tempêtes (au lieu de et les plus grandes tempêtes) – pour donner enfin (au lieu de et enfin, pour donner) – et qui la fait renoncer (au lieu de et la fait renoncer).

MS 56 (G.E.F. 635). – Début de la maxime : Les femmes se rendent... – Manquent, à la fin, les mots quoiqu'ils ne soient pas plus aimables.

MS 58 (G.E.F. 637). – Une variante indiquée : qu'ils sont aimés au lieu de qu'on les aime.

MS 62 (G.E.F. 577). – Comme on n'est jamais libre d'aimer..., comme B 54.

MS 67 (G.E.F. 603). – Les rois font des hommes..., comme L 186 et B 26.

MS 68 (G.E.F. 608). – Les crimes deviennent innocents et même glorieux..., comme B 71.

3 Variantes se rapportant a des maximes posthumes

MP I (G.E.F. 522). – Comme la plus heureuse personne du monde..., comme B 100.

MP 3 (G.E.F. 520). – Les philosophes ne condamnent les richesses..., comme B 99 bis.

MP 5 – Cf. supra, variante de la maxime 394.

MP 9 (G.E.F. 505). – Dieu a mis des talents différents..., comme B 7, sauf une variante : qui lui sont particuliers au lieu de qui leur sont particuliers.

MP 10 (G.E.F. 523). – Une preuve convaincante que l'homme n'a pas été créé..., comme B 102.

MP 11 (G.E.F. 516). – Fin de la maxime : à nous-mêmes (au lieu de nous-mêmes).

MP 14 (G.E.F. 519). – La fin du bien est un mal, et la fin du mal est un bien (Comme B 93.)

MP 17 (G.E.F. 508). – Manque le mot d'ordinaire.

MP 18 (G.E.F. 514). – Le remède de la jalousie est la certitude..., comme B 65.

MP 21 (G.E.F. 527). – L'homme est si misérable que, tournant toute sa conduite..., comme B 257, sauf une variante : non seulement en elles, mais dans leurs remèdes (au lieu du lapsus non seulement dans leurs remèdes).

MP 25 (G.E.F. 513). – Ce qui nous fait croire si aisément que les autres ont des défauts, c'est la facilité que l'on a de croire ce que l'on souhaite.

MP 26 (G.E.F. 510). – Une variante : ce soudain assoupissement au lieu de le soudain assoupissement.

Lettres relatives aux maximes

I. Lettres concernant la rédaction des maximes

(1ère Édition)

1. Lettre de La Rochefoucauld à Mme de Sablé. 1659.

Je vous envoie vos sentences d'aujourd'hui, et j'ai écrit à M. Esprit pour venir demain voir l'ouvrage tout entier. Je vous supplie très humblement de ne rien dire à personne de l'espérance que je vous ai dit que j'avais que Mlle de Liancourt vous ferait gagner votre gageure, car on pourrait lui écrire des choses qui fortifieraient les sentiments contraires à ceux que je lui souhaite.

2. Lettre de La Rochefoucauld à Jacques Esprit. 24 octobre 1659 (?).

Je vous envoie l'opéra dont je vous ai parlé, je vous supplie que Mme la marquise de Sablé le voie, car j'espère au moins qu'elle approuvera mon sentiment, et qu'elle sera de mon côté. Vous m'avez fait un très grand plaisir d'avoir rectifié les sentences. Je prétends que vous en userez de même de l'opéra et de quelque autre chose que vous verrez, que l'on pourrait ajouter, ce me semble, à l'Éducation des Enfants que Mme la marquise de Sablé m'a envoyée. Voilà écrire en vrai auteur, que de commencer par parler de ses ouvrages. Je vous dirai pourtant, comme si je ne l'étais pas, que je suis très véritablement fâché du retranchement de vos rentes, et que si vous croyez que pour en écrire à Gourville comme pour moi-même, cela vous fût bon à quelque chose, je le ferai assurément comme il faut. Ma femme a toujours la fièvre double quarte ; il y a pourtant deux ou trois jours qu'elle n'en a point eu. Je lui ai dit le soin que vous avez d'elle, dont elle vous rend mille grâces. Je pourrai bien vous voir cet hiver à Paris. Je vous donne le bonsoir.

Le 24 octobre, à Verteuil.

Au reste, je vous confesse à ma honte que je n'entends pas ce que veut dire : « La vérité est le fondement et la raison de la beauté. » Vous me ferez un extrême plaisir de me l'expliquer, quand vos rentes vous le permettront ; car enfin, quelque mérite qu'aient les sentences, je crois qu'elles perdent bien de leur lustre dans un retranchement de l'Hôtel de Ville, et il y a longtemps que j'ai éprouvé que la philosophie ne fait des merveilles que contre les maux passés ou contre ceux qui ne sont pas prêts d'arriver, mais qu'elle n'a pas grande vertu contre les maux présents. Je vous déclare donc que j'attendrai votre réponse tant que vous voudrez ; mais je vous la demande aussi sur l'état de vos affaires. La honte me prend de vous envoyer des ouvrages. Tout de bon, si vous les trouvez ridicules, renvoyez-les-moi sans les montrer à Mme de Sablé.

3. Lettre de La Rochefoucauld à Mme de Sablé. 5 décembre 1659 ou 1660.

Ce que vous me faites l'honneur de me mander me confirme dans l'opinion que j'ai toujours eue, que l'on ne saurait jamais mieux faire que de suivre vos sentiments, et que rien n'est si avantageux que d'être de votre parti. Le Père Esprit me mande néanmoins que M. son frère n'en est pas, et qu'il nous veut détromper. Je souhaite bien plus qu'il en vienne à bout que je ne crois qu'il le puisse faire. Je vous rends mille très humbles grâces de ce que vous avez eu la bonté de dire à M. le commandeur Souvré. J'espère suivre bientôt son conseil, et avoir l'honneur de vous voir à Noël. J'avais toujours bien cru que madame la comtesse de Maure condamnerait l'intention des sentences et qu'elle se déclarerait pour la vérité des vertus. C'est à vous, Madame, à me justifier, s'il vous plaît, puisque j'en crois tout ce que vous en croyez. Je trouve la sentence de M. Esprit, la plus belle du monde. Je ne l'aurais pas entendue sans secours, mais à cette heure elle me paraît admirable. Je ne sais si vous avez remarqué que l'envie de faire des sentences se gagne comme le rhume : il y a ici des disciples de M. de Balzac qui en ont eu le vent, et qui ne veulent plus faire autre chose.

À Verteuil, le 5 de décembre.

4. Lettre de La Rochefoucauld à Jacques Esprit. 1662.

La faiblesse fait commettre plus de trahisons que le véritable dessein de trahir.

« Un habile homme doit savoir régler le rang de ses intérêts et les conduire chacun dans son ordre ; notre avidité le trouble souvent en nous faisant courir à tant de choses à la fois. De là vient que, pour désirer trop les moins importantes, nous ne les faisons pas assez servir à obtenir les plus considérables ; »

« On est presque toujours assez brave pour sortir sans honte des périls de la guerre, mais peu de gens le sont assez pour s'exposer toujours autant qu'il est nécessaire pour faire réussir le dessein pour lequel on s'expose. »

« Le caprice de l'humeur est encore plus bizarre que celui de la fortune. »

Vous n'aurez que cela pour cette heure. Mandez ce qu'il en faut changer. Je ne sais plus aucune de vos nouvelles, ni domestiques, ni chrétiennes, ni politiques. Je crois que j'irai cet hiver à Paris, et que nous recommencerons de belles moralités au coin du feu. Cependant apprenez-moi l'état où vous êtes, et qui vous fréquentez. J'ai tout de bon ici des occupations plus agréables que vous n'aviez cru, et ma belle-fille est la plus aimable petite créature qui se puisse voir. Je vous prie de montrer à Mme de Sablé nos dernières sentences : cela lui redonnera peut-être envie d'en faire, et songez-y aussi de votre côté, quand ce ne serait que pour grossir notre volume. Il n'y a personne ici qui ne se plaigne de vous, et qui ne s'attendît à quelque marque de votre souvenir. Pour moi, qui connais son étendue, je n'ai pas cru qu'il vous obligeât à de grands soins. Je vous conjure de m'envoyer la condamnation de Brutus ; je vous déclare que jusqu'ici je suis pour lui contre vous.

5. Lettre de La Rochefoucauld à Mme de Sablé. 17 août 1662.

Je suis bien fâché d'avoir appris par M. Esprit que vous continuez de faire les choses du monde les plus obligeantes pour moi ; car je voulais être en colère contre vous de ne me faire jamais réponse, et de dire tous les jours mille maux de moi à La Plante. J'ai quelquefois envie de croire que c'est par malice que vous me faites tant de bien, et pour m'ôter le plaisir d'avoir sujet de me plaindre de vous. Au reste, M. Esprit me mande qu'il est ravi de quelque chose que vous avez écrit ; je vous demande en conscience s'il est juste que vous écriviez de ces choses-là sans me les montrer ; vous savez avec combien de bonne foi j'en ai usé avec vous, et que les sentences ne sont sentences qu'après que vous les avez approuvées. Il me parle aussi d'un laquais qui a dansé les tricotets sur l'échafaud où il allait être roué : il me semble que voilà jusqu'où la philosophie d'un laquais méritait d'aller ; je crois que toute gaieté en cet état-là vous est bien suspecte. Je pensais avoir bientôt l'honneur de vous voir ; mais mon voyage est un peu retardé. Je vous baise très humblement les mains.

À Verneuil, le 17 d'août.

6. Lettre de La Rouchefoucauld à Jacques Esprit. 9 septembre 1662.

Vous allez voir que vous vous fussiez bien passé de me demander des nouvelles de ma femme ; car sans cela je manquais de prétextes de vous accabler encore de sentences. Je vous dirai donc que ma femme a toujours la fièvre, et que je crains qu'elle ne se tourne en quarte. Le reste des malades se porte mieux ; mais, pour retourner à nos moutons, il ne serait pas juste que vous fussiez paix et aise à Paris avec Platon, pendant que je suis à la merci des sentences que vous avez suscitées pour troubler mon repos. Voici ce que vous aurez par le courrier :

« Il faut avouer que la vertu, par qui nous nous vantons de faire tout ce que nous faisons de bien, n'aurait pas toujours la force de nous retenir dans les règles de notre devoir, si la paresse, la timidité ou la honte ne nous faisaient voir les inconvénients qu'il y a d'en sortir. »

« L'amour de la justice n'est que la crainte de souffrir l'injustice. »

« Il n'y a pas moins d'éloquence dans le ton de la voix que dans le choix des paroles. »

« On ne donne des louanges que pour en profiter. »

« La souveraine habileté consiste à bien connaître le prix de chaque chose. »

« Si on était assez habile, on ne ferait jamais de finesses ni de trahisons. »

« Il n'y a que Dieu qui sache si un procédé net, sincère et honnête, est plutôt un effet de probité que d'habileté. »

« La plupart des hommes s'exposent assez à la guerre pour sauver leur honneur, mais peu se veulent toujours exposer autant qu'il est nécessaire pour faire réussir le dessein pour lequel on s'expose. » Je ne sais si vous l'entendrez mieux ainsi ; mais je veux dire qu'il est assez ordinaire de hasarder sa vie pour s'empêcher d'être déshonoré ; mais, quand cela est fait, on en est assez content pour ne se mettre pas d'ordinaire fort en peine du succès de la chose que l'on veut faire réussir, et il est certain que ceux qui s'exposent tout autant qu'il est nécessaire pour prendre une place que l'on attaque, ou pour conquérir une province, ont plus de mérite, sont meilleurs officiers, et ont de plus grandes et de plus utiles vues que ceux qui s'exposent seulement pour mettre leur honneur à couvert ; et il est fort commun de trouver des gens de la dernière espèce que je viens de dire, et fort rare d'en trouver de l'autre. Mandez-moi si c'est ici de la glose d'Orléans. Si vous avez encore la dernière lettre que je vous ai écrite, je vous prie de mettre sur le ton de sentences ce que vous ai mandé de ce mouchoir et des tricotets ; sinon, renvoyez-la-moi pour voir ce que j'en pourrai faire ; mais faites-le vous-même, je vous en conjure, si vous le pouvez. Je vous prie de savoir de Mme de Sablé si c'est un des effets de l'amitié tendre, de ne faire jamais réponse aux gens qu'elle aime, et qui écrivent dix fois de suite.

Je me dédis de tout ce que je vous mande contre Mme de Sablé ; car je viens de recevoir ce que je lui avais demandé, avec la lettre la plus tendre et la meilleure du monde. Depuis vous avoir écrit tantôt, la fièvre a pris à ma femme, et elle l'a double quarte. Je souhaite que Madame votre femme et vous soyez en meilleure santé.

Le 9 de septembre

7. Lettre de La Rochefoucauld à Mme de Sablé. Fin 1662, ou 1663.

« CE qui fait tout le mécompte que nous voyons dans la reconnaissance des hommes, c'est que l'orgueil de celui qui donne et l'orgueil de celui qui reçoit ne peuvent convenir du prix du bienfait. »

« La vanité et la honte et surtout le tempérament font la valeur des hommes et la chasteté des femmes, dont on mène tant de bruit. »

« Il y a des gens dont tout le mérite consiste à dire et à faire des sottises utilement, et qui gâteraient tout s'ils changeaient de conduite. »

« On se console souvent d'être malheureux en effet par un certain plaisir qu'on trouve à le paraître. »

« On admire tout ce qui éblouit, et l'art de savoir bien mettre en œuvre de médiocres qualités dérobe l'estime, et donne souvent plus de réputation que le véritable mérite. »

« L'imitation est toujours malheureuse, et tout ce qui est contrefait déplaît avec les mêmes choses qui charment lorsqu'elles sont naturelles. »

« Peu de gens connaissent la mort ; on la souffre non par la résolution, mais par la stupidité et par la coutume, et la plupart des hommes meurent parce qu'on meurt. »

« Les rois font des hommes comme des pièces de monnaie : ils les font valoir ce qu'ils veulent, et on est forcé de les recevoir selon leur cours et non pas selon leur véritable prix. »

Voilà tout ce que j'ai de maximes que vous n'ayez point. Mais comme on ne fait rien pour rien, je vous demande un potage aux carottes, un ragoût de mouton et un de bœuf, comme ceux que nous eûmes lorsque M. le commandeur de Souvré dîna chez vous, de la sauce verte, et un autre plat, soit un chapon aux pruneaux, ou telle autre chose que vous jugerez digne de votre choix. Si je pouvais espérer deux assiettes de ces confitures dont je ne méritais pas de manger d'autrefois, je croirais vous être redevable toute ma vie. J'envoie donc savoir ce que je puis espérer pour lundi à midi ; on apportera tout cela ici dans mon carrosse, et je vous rendrai compte du succès de vos bienfaits.

Je vous supplie très humblement de me renvoyer les quatre maximes que nous fîmes dernièrement, et de vous souvenir que vous m'avez promis le Traité de l'amitié et ce que vous avez ajouté à l'Éducation des enfants.

Ce vendredi au soir.

« Qui vit sans folie n'est pas si sage qu'il croit. »

8. Lettre de La Rochefoucauld à Mme de Sablé. Même époque.

C'est ce que vous m'avez envoyé qui me rend capable d'être gouverneur de Monsieur le Dauphin depuis l'avoir lu, et non pas ces sentences que j'ai faites. Je n'ai en ma vie rien vu de si beau ni de si judicieusement écrit. Si cet ouvrage-là était publié, je crois que chacun serait obligé en conscience de le lire, car rien au monde ne serait si utile ; il est vrai que ce serait faire le procès à bien des gouverneurs que je connais. Tout ce que j'apprends de cette morte dont vous me parlez me donne une curiosité extrême de vous en entretenir : vous savez bien que je ne crois que vous sur de certains chapitres, et surtout sur les replis du cœur. Ce n'est pas que je ne croie tout ce que l'on dit là-dessus ; mais enfin je croirai l'avoir vu quand vous me l'aurez dit vous-même. J'ai envoyé des sentences à M. Esprit pour vous les montrer, mais il ne m'a point encore fait réponse, et il me semble que c'est mauvais signe pour les sentences. Je vous baise très humblement les mains, et je vous assure, Madame, que personne du monde n'a tant de respect pour vous que moi.

La Rochefoucauld

9. Maximes adressées par La Rochefoucauld à Mme de Sablé. Même époque.

« L'honneur acquis est caution de celui que l'on doit acquérir. »

« La vertu est un fantôme produit par nos passions, du nom duquel on se sert pour faire impunément tout ce qu'on veut. »

« On se mécompte toujours quand les actions sont plus grandes que les desseins. »

« L'intérêt, à qui on reproche d'aveugler les uns, est ce qui fait toute la lumière des autres. »

10. Lettre de La Rochefoucauld à Mme de Sablé. Avant avril 1663.

Je vous envoie un placet que je vous supplie très humblement de vouloir recommander à M. de Marillac, si vous avez du crédit vers lui, ou de faire que Mme la comtesse de Maure le donne avec une recommandation digne d'elle. Je n'ai pu refuser cet office à une personne à qui je dois bien plus que cela, et, afin que vous n'ayez point de scrupule, cette personne est Mme de Linières. J'aurai l'honneur de vous voir dès que je serai de retour d'un voyage de cinq ou six jours que je vais faire en Normandie. Je n'ai pas vu de maximes il y a longtemps : je crois pourtant qu'en voici une.

« Il n'appartient qu'aux grands hommes d'avoir de grands défauts »

11. Lettre de Mme de Sablé à La Rochefoucauld. 1663.

Je viens de lire les grandes maximes. Les miennes y sont si bien déguisées par l'agencement des paroles que je les puis louer comme si elles ne venaient pas de moi. Celle de la paresse est représentée par votre esprit et par vos sentiments d'une sorte qu'il semble qu'elle passe toutes les autres en pénétration. Je ne sais pourtant si c'est parce qu'elle est la dernière, car à mesure que je les ai lues, je les ai toujours trouvées plus belles. Il y en a deux qui ne me semblent pas vraies, celle de l'orgueil, et la fin du mal est un bien, je ne l'entends pas assez. En vérité vous êtes le plus habile homme du monde et cela ne se comprend pas que sans étude vous sachiez si parfaitement toutes choses. Tout de bon, et de l'abondance de mon cœur, cette dernière passe tout ce qu'on peut jamais penser. Il faut renoncer à toutes les morales et ne voir plus que la vôtre. Je ne vous puis rien dire encore des autres, car j'ai toujours été accablée d'affaires et de gens qui m'ont empêchée de les lire, parce que je veux que ce soit avec liberté, pour y avoir toute l'attention. Si j'ai l'honneur de vous voir, je vous marquerai ce que je trouverai le plus à mon goût.

12. Maximes adressées par La Rochefoucauld à Mme de Sablé 1663.

« De plusieurs actions diverses que la fortune arrange comme il lui plaît, il s'en fait plusieurs vertus. »

« Le désir de vivre ou de mourir sont des goûts de l'amour-propre, dont il ne faut non plus disputer que des goûts de la langue ou du choix des couleurs. »

« Il n'est pas si dangereux de faire du mal à la plupart des hommes que de leur faire trop de bien. »

« Ce qui fait tant disputer contre les maximes qui découvrent le cœur de l'homme, c'est que l'on craint d'y être découvert. »

« Dieu a permis, pour punir l'homme du péché originel, qu'il se fît un dieu de son amour-propre, pour en être tourmenté dans toutes les actions de sa vie. »

13. Lettre de La Rochefoucauld à Mlle de Scudéry, 3 décembre 1663 (?).

Je suis encore trop ébloui de tout ce que je viens de recevoir de votre part pour entreprendre de vous en rendre les très humbles remerciements que je vous dois. On n'a jamais fait un si beau présent de si bonne grâce, et la lettre que vous m'avez fait l'honneur de m'écrire passe encore tout ce que vous m'avez envoyé. Je suis très affligé, par l'intérêt public et par le mien particulier, de ne pouvoir plus espérer de voir la suite de ce qui était si bien commencé, je ne sais néanmoins si on voudra soutenir jusqu'au bout ce qu'on vient de faire là-dessus, si la liberté est rétablie, j'oserai vous demander la continuation de vos bienfaits. Je crois, Mademoiselle, que M. de Corbinelli vous a témoigné combien j'ai pris de part à ceux que vous avez reçus du Roi ; le remerciement que vous lui avez fait est bien digne de lui et de vous ; il me semble qu'il sied toujours bien d'écrire ainsi quand on le peut faire et qu'il ne sied pas toujours bien d'écrire de belles lettres : c'est un grand art que de le savoir si bien déguiser. Au reste, Mademoiselle, vous avez tellement embelli quelques-unes de mes dernières maximes qu'elles vous appartiennent bien plus qu'à moi. Je souhaiterais passionnément que vous voulussiez faire la même grâce aux autres. Faites-moi, s'il vous plaît, celle de croire, Mademoiselle, que rien ne me sera jamais si cher que la part que vous m'aviez fait l'honneur de me promettre dans votre amitié et que personne ne l'estime ni ne la désire si véritablement que votre très humble et très obéissant serviteur.

La Rochefoucauld

Le 3 de décembre.

14. Lettre de La Rochefoucauld à Mme de Sablé. 10 décembre 1663.

Ce n'est pas assez pour moi d'apprendre de vos nouvelles par ce qu'on a accoutumé de m'en mander ; je vous supplie de me permettre de vous en demander de temps en temps à vous-même, et de souffrir, puisque je n'ai pu vous envoyer des truffes, que je vous présente au moins des maximes qui ne les valent pas ; mais, comme on ne fait rien pour rien en ce siècle-ci, je vous supplie de me donner en récompense le mémoire pour faire le potage de carottes, l'eau de noix et celle de mille-fleurs ; si vous avez quelque autre potage, je vous le demande encore.

« Il semble que plusieurs de nos actions aient des étoiles heureuses ou malheureuses aussi bien que nous, d'où dépend une grande partie de la louange ou du blâme qu'on leur donne. »

« Il n'y a d'amour que d'une sorte, mais il y en a mille différentes copies »

« L'espérance et la crainte sont inséparables. »

« L'amour, aussi bien que le feu, ne peut subsister sans un mouvement continuel, et il cesse de vivre dès qu'il cesse d'espérer ou de craindre. »

« Il est de l'amour comme de l'apparition des esprits tout le monde en parle, mais peu de gens en ont vu. »

« L'amour prête son nom à un nombre infini de commerces qu'on lui attribue, où il n'a souvent guère plus de part que le Doge en a à ce qui se fait à Venise. »

« Si nous n'avions point de défauts, nous ne serions pas si aises d'en remarquer aux autres »

« Je ne sais si on peut dire de l'agrément, séparé de la beauté, que c'est une symétrie dont on ne sait point les règles, et un rapport secret des traits ensemble, et des traits avec les couleurs et l'air de la personne »

« La promptitude avec laquelle nous croyons le mal sans l'avoir assez examiné est souvent un effet de paresse qui se joint à l'orgueil, on veut trouver des coupables, et on ne veut pas se donner la peine d'examiner les crimes. »

« Ce qui fait croire si aisément que les autres ont des défauts, c'est la facilité que l'on a de croire ce qu'on souhaite. »

« Le pouvoir que les personnes que nous aimons ont sur nous est presque toujours plus grand que celui que nous y avons nous-même. »

« Le goût change mais l'inclination ne change point. »

« Les défauts de l'âme sont comme les blessures du corps ; quelque soin qu'on prenne de les guérir, la cicatrice paraît toujours, et elles se peuvent toujours rouvrir. »

Ne croyez pas que je prétende mériter par là le potage de carottes je sais que toutes les maximes du monde ne peuvent pas entrer en comparaison avec lui ; mais je vous donne ce que j'ai, et j'attends tout de votre générosité. Mandez-moi, s'il vous plaît, si on les doit mettre au rang des autres, et ce qu'il y a à y changer. S'il vous en est venu quelqu'une, je vous supplie de m'en faire part et de me continuer l'honneur de vos bonnes grâces.

Le 10 de décembre.

En voici une qui est venue en fermant ma lettre, qui me déplaira peut-être dès que le courrier sera parti :

« La nature, qui a pourvu à la vie de l'homme par la disposition des organes du corps, lui a sans doute encore donné l'orgueil pour lui épargner la douleur de connaître ses imperfection et ses misères. »

15. Lettre de La Rochefoucauld à Mme de Sablé. Fin 1663, ou début 1664.

À Vincennes, ce mardi matin.

« Le pouvoir que les personnes que nous aimons ont sur nous est presque toujours plus grand que celui que nous y avons nous-même. »

« L'intérêt est l'âme de l'amour-propre, de sorte que, comme le corps, privé de son âme, est sans vue, sans ouïe, sans connaissance, sans sentiment, sans mouvement, de même l'amour-propre, séparé, s'il le faut dire ainsi, de son intérêt, ne voit, n'entend, ne sent et ne se remue plus. De là vient qu'un même homme qui court la terre et les mers pour son intérêt devient soudainement paralytique pour l'intérêt des autres ; de là vient le soudain assoupissement et cette mort que nous causons à tous ceux à qui nous contons nos affaires ; de là vient leur prompte résurrection, lorsque dans notre narration nous y mêlons quelque chose qui les regarde, de sorte que nous voyons dans nos conversations et dans nos traités que, dans un même moment, un homme perd connaissance et revient à soi, selon que son propre intérêt s'approche de lui ou qu'il s'en retire. »

En voilà deux que je vous envoie pour vous reprocher votre ingratitude de me laisser partir sans m'avoir donné les vôtres. Je m'en vais [...] d'être [...]

En voici encore une :

« En vieillissant, on devient plus fou et plus sage »

16. Lettre de La Rochefoucauld à Mme de Sablé. Date inconnue.

C'est à moi, à cette heure, à faire des façons pour mes maximes, et après avoir vu les vôtres, n'en espérez plus de moi. Je vous jure sur mon honneur que je ne les ai point fait copier, quoique je fusse fort en droit de le faire, et je vous assure de plus que je l'aurais fait si je n'espérais que vous consentirez à me les donner. Je vous mènerai, quand il vous plaira, M. de Corbinelli, qui meurt d'envie de vous montrer quelque chose. Vous nous avez fait un cruel tour à M. l'abbé de la Victoire et à moi : vous le réparerez quand il vous plaira.

Je pensais vous rendre moi-même hier vos maximes.

17. Lettre de La Rochefoucauld à Mme de Sablé. Date inconnue.

Je vous envoie un billet que Mme de Puisieux m'écrit, où vous verrez que j'ai obéi à vos ordres, et qu'elle voudrait bien avoir de la poudre de vipère Si vous avez la bonté de lui en envoyer, vous l'obligerez extrêmement. Souvenez-vous, s'il vous plaît, de faire copier vos maximes, et de me les donner à mon retour. Je vous baise très humblement les mains, et je prends encore une fois congé de vous.

18. Lettre de La Rochefoucauld à Mme de Sablé. Date inconnue.

Je vous envoie ce que j'ai pris chez vous en partie. Je vous supplie très humblement de me mander si je ne l'ai point gâté, et si vous trouvez le reste à votre gré. Souvenez-vous, s'il vous plaît, de la poudre de vipère et de la manière d'en user.

19. Lettre de La Rochefoucauld à Mme de Sablé. Date inconnue.

Je sais qu'on dîne chez vous sans moi, et que vous faites voir des sentences que je n'ai pas faites, dont on ne me veut rien dire ; tout cela est assez désobligeant pour vous demander permission de vous en aller faire mes plaintes demain. Tout de bon, que la honte de m'avoir tant offensé ne vous empêche pas de souffrir ma présence, car ce serait encore augmenter mon juste ressentiment. Prenez donc, s'il vous plaît, le parti de le faire finir, car je vous assure que je suis fort disposé à oublier le passé, pour peu que vous vouliez le réparer.

Ce lundi au soir

20. Lettre de La Rochefoucauld à Mme de Sablé. Date inconnue.

Je pensais avoir l'honneur de vous voir aujourd'hui, et vous présenter moi-même mes ouvrages, comme tout auteur doit faire ; mais j'ai mille affaires qui m'en empêchent ; je vous envoie donc ce que vous m'avez ordonné de vous faire voir, et je vous supplie très humblement que personne ne le voie que vous. Je n'ose vous demander à dîner devant que d'aller à Liancourt, car je sais bien qu'il ne vous faut pas engager de si loin ; mais j'espère pourtant que vous me manderez, vendredi au matin, que je puis aller dîner chez vous ; j'y mènerai M. Esprit, si vous voulez. Enfin j'apporterai de mon côté toutes les facilités pour vous y faire consentir.

21. Lettre de La Rochefoucauld à Mme de Sablé. Date inconnue.

Voilà encore une maxime que je vous envoie pour joindre aux autres. Je vous supplie de me mander votre sentiment des dernières que je vous ai envoyées. Vous ne les pouvez pas désapprouver toutes, car il y en a beaucoup de vous. Je ne partirai que lundi ; j'essaierai d'aller prendre congé de vous.

Ce jeudi au soir.

22. Lettre de La Rochefoucauld à Mme Sablé. Date inconnue.

Vous ne pouvez faire une plus belle charité que de permettre que le porteur de ce billet puisse entrer dans les mystères de la marmelade et de vos véritables confitures, et je vous supplie très humblement de faire en sa faveur tout ce que vous pourrez. Je passerai après dîner chez vous pour avoir l'honneur de vous voir, si vous me le voulez permettre. Il me semble que nous avons bien de choses à dire. Songez, s'il vous plaît, à me donner vos maximes, car je m'en vais dans quatre jours.

Ce mardi matin.

23. Lettre de La Rochefoucauld à Mme Sablé. Date inconnue.

Je suis au désespoir de m'en retourner à Liancourt sans avoir l'honneur de vous voir et de vous rendre compte de nos prospérités ; car enfin vous savez bien, Madame, que, quelque agréables qu'elles me puissent être d'elles-mêmes, elles me le sont encore davantage par le plaisir que j'ai de vous en entretenir. Je ferai tout ce que je pourrai pour aller prendre congé de vous, à Auteuil, avant que de commencer mon grand voyage. Cependant, s'il y a quelque sentence nouvelle, je vous supplie très humblement de me l'envoyer M. Esprit a admiré celle de la jalousie

Ce mercredi au soir

24. Lettre de La Rochefoucauld à Mme de Sablé. Date inconnue.

J'envoie savoir de vos nouvelles, et si vous vous êtes souvenue de ce que vous m'aviez promis. Je vous ai cherché un écrivain qui fera mieux que l'autre. Je vous renvoie l'écrit de M Esprit que j'emportai dernièrement avec ce que vous m'avez donné, et je vous envoie aussi ce qui est ajouté aux sentences que vous n'avez point vues. Comme c'est tout ce que j'ai, je vous supplie très humblement qu'il ne se perde pas, et de mander quand je pourrai avoir l'honneur de vous voir pour prendre congé de vous.

25. Lettre de Mme de Sablé à La Rochefoucauld. Date inconnue

Si vous eussiez demandé à venir ici une heure plus tôt, je vous eusse dit non. Il y a quelques jours que j'avais tellement perdu l'appétit que je croyais que c'en était fait de mon foie et de mon estomac ; mais, Dieu merci, j'ai mangé deux vives aujourd'hui ; c'est pourquoi, encore que j'aie renoncé à voir tous les gens faits comme vous, je ne saurais résister à la tentation, et vous serez le très bien venu. Pour les maximes, ne m'en parlez plus, elles sont supprimées. M. de Sens a mis les vôtres au-dessus de cent piques, et ainsi de me parler d'avoir les miennes, c'est me parler de mon déshonneur.

26. Lettre de Mme de Sablé à La Rochefoucauld. Date inconnue.

Cette sentence n'est que pour faire une sentence, car je suis assurée qu'elle n'a pas son effet en ce sujet ici ; mais vous jugerez aisément que la maladie que vous m'avez donnée des sentences ne peut manquer de jouer son jeu en toute rencontre. Encore que je comprenne fort bien que vous avez beaucoup d'affaires, je ne laisse pas à être surprise que vous puissiez aller à Liancourt sans me voir, et en quelque façon ce pourrait être une marque de la vérité de la sentence, puisque vous n'avez pas autant de plaisir de me parler de vos joies que vous en aviez de me parler de vos désirs et de vos inquiétudes. Néanmoins je vous pardonne sincèrement, jugeant bien les terribles embarras que vous avez. Vous pouvez penser par beaucoup de raisons la part que je prends à votre satisfaction, quand il n'y aurait que l'amour-propre de voir que j'ai si bien deviné ce qui est si ponctuellement arrivé

II. Jugements recueillis par Mme de Sablé

27. Lettre de Mme de Maure à Mme de Sablé. 3 mars 1661.

Il me semble, m'amour, que M. de La Rochefoucauld n'y est pas assez loué pour le lui envoyer, et du moins il y faudrait remettre quelque chose que j'ai oublié avant que de dire « Mais je trouve qu'il fait à l'homme une âme trop laide ». Renvoyez-le moi, s'il vous plaît, m'amour, pour voir si je pourrai le rendre aussi propre pour lui qu'il peut l'être pour M Esprit Depuis que ceci fut écrit, M. le M[arquis] d'Antin étant ici avec M. le Comte de Maure, je leur montrai ce que vous et M. Esprit avez écrit ; et en disant que j'avais bien de la peine à croire que vous vous fussiez méprise, parce que cela ne vous arrivait jamais, ils furent tous deux d'une même opinion, et je dis au philosophe d'écrire la sienne :

« Défense de Mme la M[arquise] de Sablé par M. le Marquis d'Antin, jadis M. l'abbé d'Antin. – Il y a un plus grand mécompte dans le mécompte prétendu parce qu'il est assuré que la possibilité suffit pour le fondement de la beauté, et principalement Mme la M[arquise] ayant restreint ce qui pouvait même convenir aux beautés en général à la beauté des productions de l'esprit, puisque les tragédies, et les romans, qui sont de ce nombre et d'une manière assez illustre et assez à la mode en tous les temps, n'ont pour l'ordinaire et peuvent même selon Aristote n'avoir que la possibilité et la vraisemblance pour fondement de leur beauté. »

28. Lettre de Mme de Maure à Mme de Sablé. Même époque.

Votre sentence, m'amour, est admirable et de ce tour court que j'aime aux sentences, et pour celle de M. Esprit, encore qu'il me semble qu'il y a de la témérité de croire qu'il puisse faillir, je ne saurais concevoir que, quand les passions font tant que de parler équitablement et raisonnablement, elles puissent offenser, si ce n'est Dieu qui voit les cœurs et qui voit par conséquent le principe de toutes les actions.

Je ne trouve pas non plus qu'il soit vrai que la charité ait le privilège de dire tout ce qui lui plaît ; et j'eus une grande joie de ce que vous y ayez fait mettre le quasi que j'y ai trouvé ; il faudrait, ce me semble, pour rendre cela véritable, que l'on vît le cœur aussi bien sur ce point-là que sur l'autre, car alors sans doute, comme on verrait que c'est la charité toute seule qui parle, toutes les personnes raisonnables recevraient bien les choses mêmes qui seraient les plus contraires à leurs sentiments ; mais parce que le cœur ne se voit pas, nous voyons tous les jours que quand la répréhension est rude, elle blesse, encore qu'elle parte de la charité, et quand même elle est douce, elle ne laisse pas quelquefois de blesser, parce qu'il faut être merveilleusement raisonnable pour n'être pas blessée de tout ce qui donne de la confusion.

Je vous engage, ma chère m'amour, par la fidélité que nous avons l'une pour l'autre, de ne faire voir ceci qu'à Mlle de Chalais, car pour M. Esprit il n'y faut pas seulement songer. Je vous demande cela, m'amour, au pied de la lettre, c'est-à-dire qu'il ne sache jamais que je vous aie montré d'y trouver rien à redire. Je lui dis seulement quelque chose qui signifiait qu'il y fallait le quasi que vous y avez mis ; mais vous, m'amour, vous m'apprendrez, s'il vous plaît, si je ne me suis point trompée dans le reste[...]

29. Lettre de Mlle de Vertus à Mme de Sablé. Printemps 1663.

[...] Que me dites-vous de ces maximes qu'on a montrées à M. le comte de Saint-Paul ? Je ne sais ce que c'est, mais il me semble qu'il ne faudrait point trop le laisser entretenir par ce M. de Neuré ; car c'est une personne qui apparemment n'est pas contente de Mme de Longueville, et qui a bien envie, à ce qu'on m'a dit, de rentrer dans cette maison. Si vous disiez à M. le comte de Saint-Paul qu'il ne faut pas qu'il s'amuse à les lire ? Il a une grande déférence pour vous, et ainsi cela lui deviendrait suspect [...]

30. Lettre de Mme de Schonberg à Mme de Sablé. 1663.

Je crus hier, tout le jour, vous pouvoir renvoyer vos maximes ; mais il me fut impossible d'en trouver le temps. Je voulais vous écrire et m'étendre sur leur sujet. Je ne puis pas vous en dire mon sentiment en détail, tout ce qu'il m'en paraît, en général, c'est qu'il y a en cet ouvrage beaucoup d'esprit, peu de bonté, et forces vérités que j'aurais ignorées toute ma vie si l'on ne m'en avait fait apercevoir. Je ne suis pas encore parvenue à cette habileté d'esprit où l'on ne connaît dans le monde ni honneur ni bonté ni probité ; je croyais qu'il y en pouvait avoir. Cependant, après la lecture de cet écrit, l'on demeure persuadé qu'il n'y a ni vice ni vertu à rien, et que l'on fait nécessairement toutes les actions de la vie. S'il est ainsi que nous ne nous puissions empêcher de faire tout ce que nous désirons, nous sommes excusables, et vous jugez de là combien ces maximes sont dangereuses. Je trouve encore que cela n'est pas bien écrit en français, c'est-à-dire que ce sont des phrases et des manières de parler qui sont plutôt d'un homme de la cour que d'un auteur. Cela ne me déplaît pas, et ce que je vous en puis dire de plus vrai est que je les entends toutes comme si je les avais faites, quoique bien des gens y trouvent de l'obscurité en certains endroits. Il y en a qui me charment, comme : « L'esprit est toujours la dupe du cœur ». Je ne sais si vous l'entendez comme moi ; mais je l'entends, ce me semble, bien joliment, et voici comment : c'est que l'esprit croit toujours, par son habileté et par ses raisonnements, faire faire au cœur ce qu'il veut, mais il se trompe, il en est la dupe, c'est toujours le cœur qui fait agir l'esprit ; l'on suit tous ses mouvements, malgré que l'on en ait, et l'on les suit même sans croire les suivre. Cela se connaît mieux en galanterie qu'aux autres actions, et je me souviens de certains vers sur ce sujet qui ne seront pas mal à propos :

La raison sans cesse raisonne
Et jamais n'a guéri personne,
Et le dépit le plus souvent
Rend plus amoureux que devant

Il y en a encore une qui me paraît bien véritable, et à quoi le monde ne pense pas, parce qu'on ne voit autre chose que des gens qui blâment le goût des autres, c'est celle qui dit que « la félicité est dans le goût, et non pas dans les choses ; c'est pour avoir ce qu'on aime qu'on est heureux, et non pas ce que les autres trouvent aimable ». Mais ce qui m'a été tout nouveau et que j'admire est que « la paresse, toute languissante qu'elle est, détruit toutes les passions ». Il est vrai – et l'on a bien fouillé dans l'âme pour y trouver un sentiment si caché, mais si véritable – que je crois que nulle de ces maximes ne l'est davantage, et je suis ravie de savoir que c'est à la paresse à qui l'on a l'obligation de la destruction de toutes les passions. Je pense qu'à présent on doit l'estimer comme la seule vertu qu'il y a dans le monde, puisque c'est elle qui déracine tous les vices ; comme j'ai toujours eu beaucoup de respect pour elle, je suis fort aise qu'elle ait un si grand mérite.

Que dites-vous aussi, Madame, de ce que « chacun se fait un extérieur et une mine qu'il met en la place de ce qu'on veut paraître, au lieu de ce que l'on est » ? Il y a longtemps que je l'ai pensé, et que j'ai dit que tout le monde était en mascarade et mieux déguisé que l'on ne l'est à celle du Louvre, car l'on n'y reconnaît personne. Enfin que tout soit à se disposer honnête, et non pas l'être, cela est pourtant bien étrange.

Je ne sais si cela réussira imprimé comme en manuscrit ; mais si j'étais du conseil de l'auteur, je ne mettrais point au jours ces mystères qui ôteront à tout jamais la confiance qu'on pourrait prendre en lui il en sait tant là-dessus, et il paraît si fin, qu'il ne peut plus mettre en usage cette souveraine habileté qui est de ne paraître point en avoir. Je vous dis à bâton rompu tout ce qui me reste dans l'esprit de cette lecture ; je ne pense qu'à vous obéir ponctuellement, et en le faisant je crois ne pouvoir faillir, quelque sottise que je puisse dire. Je n'ai point pris de copie, je vous en donne ma parole, ni n'en ai parlé à personne

31. Lettre, d'auteur inconnu, à Mme de Schonberg, transmise par elle à Mme de Sablé. 1663.

À considérer superficiellement l'écrit que vous m'avez envoyé, il semble tout à fait malin, et il ressemble fort à la production d'un esprit fier, orgueilleux, satirique, dédaigneux, ennemi déclaré du bien, sous quelque visage qu'il paraisse, partisan très passionné du mal, auquel il attribue tout, qui querelle et qui choque toutes les vertus, et qui doit enfin passer pour le destructeur de la morale et pour l'empoisonneur de toutes les bonnes actions, qu'il veut absolument qui passent pour autant de vices déguisés. Mais quand on le lit avec un peu de cet esprit pénétrant qui va bientôt jusqu'au fond des choses pour y trouver le fin, le délicat et le solide, on est contraint d'avouer ce que je vous déclare, qu'il n'y a rien de plus fort, de plus véritable, de plus philosophe, ni même de plus chrétien, parce que dans la vérité c'est une morale très délicate qui exprime d'une manière peu connue aux anciens philosophes et aux nouveaux pédants la nature des passions qui se travestissent dans nous si souvent en vertus. C'est la découverte du faible de la sagesse humaine et de la raison, et de ce qu'on appelle force d'esprit ; c'est une satire très forte et très ingénieuse de la corruption de la nature par le péché originel, de l'amour-propre et de l'orgueil, et de la malignité de l'esprit humain qui corrompt tout quand il agit de soi-même sans l'esprit de Dieu. C'est un agréable description de ce qui se fait par les plus honnêtes gens quand ils n'ont point d'autre conduite que celle de la lumière naturelle et de la raison sans la grâce. C'est une école de l'humilité chrétienne, où nous pouvons apprendre les défauts de ce que l'on appelle si mal à propos nos vertus ; c'est un parfaitement beau commentaire du texte de saint Augustin qui dit que toutes les vertus des infidèles sont des vices, c'est un anti-Sénèque, qui abat l'orgueil du faux sage que ce superbe philosophe élève à l'égal de Jupiter ; c'est un soleil qui fait fondre la neige qui couvre la laideur de ces rochers infructueux de la seule vertu morale ; c'est un fonds très fertile d'une infinité de belles vérités qu'on a le plaisir de découvrir en fouissant un peu par la méditation. Enfin, pour dire nettement mon sentiment, quoiqu'il y ait partout des paradoxes, ces paradoxes sont pourtant très véritables, pourvu qu'on demeure toujours dans les termes de la vertu morale et de la raison naturelle, sans la grâce. Il n'y en a point que je ne soutienne, et il en a même plusieurs qui s'accordent parfaitement avec les sentences de l'Ecclésiastique, qui contient la morale du Saint-Esprit. Enfin, je n'y trouve rien à reprendre que ce qu'il dit qu'on ne loue jamais que pour être loué, car je vous jure que je ne prétends nulles louanges de celles que je suis obligé de lui donner, et dans l'humeur où je suis je lui en donnerais bien d'autres Mais il y a là-bas un fort honnête homme qui m'attend dans son carrosse pour me mener faire l'essai de notre chocolate. Vous y avez quelque intérêt, et moi aussi, parce que vous êtes de moitié avec Mme la princesse de Guymené pour m'en faire ma provision.

32. Lettre de Mme de Guymené à Mme de Sablé. 1663.

Je vous allais écrire quand j'ai reçu votre lettre pour vous supplier de m'envoyer votre carrosse aussitôt que vous aurez dîné. Je n'ai encore vu que les premières maximes, à cause que j'avais hier mal à la tête ; mais ce que j'en ai vu me paraît plus fondé sur l'humeur de l'auteur que sur la vérité, car il ne croit point de libéralité sans intérêt, ni de pitié ; c'est qu'il juge tout le monde par lui-même. Pour le plus grand nombre, il a raison ; mais assurément il y a des gens qui ne désirent autre chose que de faire du bien.

Je crois vous avoir déjà mandé que je n'ai jamais souhaité d'Altesse de vous. Je n'ai garde d'en vouloir en sérieux, et en dérision elle me choquerait. J'aurai l'honneur de vous voir après dîner si vous m'envoyez votre carrosse.

33. Lettre de Mme de Liancourt à Mme de Sablé. 1663.

Je n'avais qu'une partie d'un petit cahier des maximes que vous savez, quand j'eus l'honneur de vous voir, et il débutait si cruellement contre les vertus qu'il me scandalisa, aussi bien que beaucoup d'autres ; mais depuis j'ai tout lu, et je fais amende honorable à votre jugement, car je vois bien qu'il y a dans cet écrit de fort jolies choses, et même, je crois, de bonnes, pourvu qu'on ôte l'équivoque qui fait confondre les vraies vertus avec les fausses. Un de mes amis a changé quelques mots en plusieurs articles, qui raccommodent, je crois, ce qu'il y avait de mal ; je vous les irai lire un de ces jours, si vous avez loisir de me donner audience.

34. Lettre, d'auteur inconnu, à Mme de Sablé. 1663.

Je vous ai beaucoup d'obligation d'avoir fait un jugement de moi si avantageux que de croire que j'étais capable de dire mon sentiment de l'écrit que vous m'avez envoyé. Je vous proteste, Madame, avec toute la sincérité de mon cœur, quoique l'auteur de l'écrit n'en croie point de véritable que j'en suis incapable et que je n'entends rien en ces choses si subtiles et si délicates ; mais puisque vous commandez, il faut obéir. Je vous dirai donc, Madame, après avoir bien considéré cet écrit que ce n'est qu'une collection de plusieurs livres d'où l'on a choisi les sentences, les pointes et les choses qui avaient plus de rapport au dessein de celui qui a prétendu en faire un ouvrage considérable. J'ai l'esprit si rempli des idées de maçonneries que je m'imagine que tout ce que je vois en a la ressemblance et que cet ouvrage s'y peut comparer. Je sais bien que vous direz que je ne suis qu'un maçon ou un charpentier en cette matière, mais vous m'avouerez aussi qu'il est composé de différents matériaux, on y remarque de belles pierres, j'en demeure d'accord ; mais on ne saurait disconvenir qu'il ne s'y trouve aussi du moellon et beaucoup de plâtras, qui sont si mal joints ensemble qu'il est impossible qu'ils puissent faire corps ni liaison, et par conséquent que l'ouvrage puisse subsister. Après la raillerie il est bon d'entrer un peu dans le sérieux, et de vous dire que les auteurs des livres desquels on a colligé ces sentences, ces pointes et ces périodes les avaient mieux placées ; car si l'on voyait ce qui était devant et après, assurément on en serait plus édifié ou moins scandalisé. Il y a beaucoup de simples dont le suc est poison, qui ne sont point dangereux lorsqu'on n'en a rien extrait et que la plante est en son entier. Ce n'est pas que cet écrit ne soit bon en de bonnes mains, comme les vôtres, qui savent tirer le bien du mal même ; mais aussi on peut dire qu'entre les mains de personnes libertines ou qui auraient de la pente aux opinions nouvelles, que cet écrit les pourrait confirmer dans leur erreur, et leur faire croire qu'il n'y a point du tout de vertu, et que c'est folie de prétendre de devenir vertueux, et jeter ainsi le monde dans l'indifférence et dans l'oisiveté, qui est la mère de tous les vices. J'en parlai hier à un homme de mes amis, qui me dit qu'il avait vu cet écrit, et qu'à son avis il découvrait les parties honteuses de la vie civile et de la société humaine, sur lesquelles il fallait tirer le rideau ; ce que je fais, de peur que cela fasse mal aux yeux délicats, comme les vôtres, qui ne sauraient rien souffrir d'impur et de déshonnête.

35. Lettre d'auteur inconnu, à Mme de Sablé. 1663.

Je vous suis infiniment obligé, Madame, de m'avoir donné la pièce que je vous renvoie, et encore que je n'aie eu que le loisir de la parcourir dans le peu de temps que vous m'avez prescrit pour la lire, je n'ai pas laissé d'en retirer beaucoup de plaisir et de profit, et une estime si particulière pour l'auteur et pour son ouvrage qu'en vérité je ne suis pas capable de vous la bien exprimer.

L'on voit bien que ce faiseur de maximes n'est pas un homme nourri dans la province, ni dans l'Université ; c'est un homme de qualité qui connaît parfaitement la cour et le monde, qui en a goûté autrefois toutes les douceurs, qui en a aussi senti souvent les amertumes, et qui s'est donné le loisir d'en étudier et d'en pénétrer tous les détours et toutes les finesses. Mais outre cela, comme la nature lui a donné cette étendue d'esprit, cette profondeur et ce discernement, joint à la droiture, à la délicatesse et à ce beau tour dont il parle en quelques endroits de cet écrit, il ne faut pas s'étonner s'il a prononcé si judicieusement sur des matières qu'il avait si parfaitement connues.

Pour ce qui est de l'ouvrage, c'est à mon sens la plus belle et la plus utile philosophie qui se fit jamais ; c'est l'abrégé de tout ce qu'il y a de sage et de bon dans toutes les anciennes et nouvelles sectes des philosophes, et quiconque saura bien cet écrit n'a plus besoin de lire Sénèque, ni Épictète, ni Montaigne, ni Charron, ni tout ce qu'on a ramassé depuis peu de la morale des sceptiques et des épicuriens. On apprend véritablement à se connaître dans ces livres, mais c'est pour en devenir plus superbe et plus amateur de soi-même ; celui-ci nous fait connaître, mais c'est pour nous mépriser et pour nous humilier ; c'est pour nous donner de la défiance et nous mettre sur nos gardes contre nous-mêmes et contre toutes les choses qui nous touchent et nous environnent ; c'est pour nous donner du dégoût de toutes les choses du monde et nous en détacher, nous tourner du côté de Dieu, qui seul est bon, juste, immuable et digne d'être aimé, honoré, et servi. On pourrait dire que le chrétien commence où votre philosophe finit, et l'on ne pourrait faire une instruction plus propre à un catéchumène, pour convertir à Dieu son esprit et sa volonté ; et cela me fait souvenir d'une excellente comparaison, que j'ai autrefois lue dans une épître de Sénèque : C'est une chose bien étrange, dit-il, de considérer un enfant, pendant les neuf mois qu'il demeure dans le ventre de sa mère, avant que de venir au monde ; il a des yeux, et ne voit point ; il a des oreilles, et il n'entend point ; il ne sait ce qu'il doit devenir ; il n'a aucune connaissance de la vie en laquelle il doit entrer. Que si cet enfant pouvait raisonner, n'est-il pas vrai qu'il jugerait bien que toutes ces facultés et tous ces organes ne lui sont pas donnés en vain par la nature ? que puisqu'il a une bouche il ne doit pas prendre la nourriture comme une plante ? que puisqu'il a des pieds, des mains et des bras, il n'est pas dans l'existence des choses pour être toujours en la forme d'une boule, parmi des ordures, dans une prison étroite et ténébreuse ? et, de ces réflexions, il viendrait assurément à la connaissance de la vie qu'il doit mener sur la terre. Il en est de même, dit Sénèque, de l'état des hommes qui sont en cette vie présente, à l'égard de la future : ils ressemblent, pour la plupart, à ces enfants faibles et impuissants dont nous venons de parler ; ils vivent sans réflexion ; ils se laissent conduire à la coutume ; ils s'abandonnent à leurs passions ; mais s'ils prenaient garde qu'ils ont une âme vaste et noble qui s'élève au-dessus de la matière, qu'ils ont des puissance qui ne peuvent être remplies ni rassasiées par la possession d'aucune créature, qu'ils ont des désirs qui ne peuvent être limités ni par les lieux, ni par les temps, et qu'enfin ils ne ressentent ici que des misères au lieu de la félicité à laquelle ils aspirent naturellement, ils concluraient sans doute qu'il y doit avoir un autre monde que celui-ci, et que Dieu ne les a mis sur la terre que pour y mériter le ciel.

Mais je n'ai jamais mieux vu la force de ces raisonnements qu'après la lecture de l'écrit de votre ami, et il me semble que j'étais non seulement changé, mais encore transfiguré, pour me servir du terme de ce philosophe romain. Je n'aurais rien à souhaiter en cet écrit sinon qu'après avoir si bien découvert l'inutilité et la fausseté des vertus humaines et philosophiques, i reconnût qu'il n'y en a point de véritables que les chrétiennes et les surnaturelles. Non pas que je veuille dire qu'il n'y a point de fausses vertus parmi les chrétiens, ou que ceux qui en ont de véritables les aient parfaites et sans mélange de vanité ou d'intérêt ; je ne sais que trop par expérience la malignité et les ruses de la nature corrompue ; je sais que son venin se répand partout, et qu'encore qu'elle ne règne et ne domine pas dans les âmes solidement dévotes, elle ne laisse pas d'y vivre, d'y demeurer, et se remuer et se débattre souvent, pour se remettre au-dessus de la raison et de la grâce. Mais il faut demeurer d'accord qu'un homme vivant selon les règles de l'Évangile peut être dit véritablement vertueux, parce qu'il ne vit pas selon les maximes de cette nature dépravée et qu'il n'est point esclave de sa cupidité, mais qu'il vit selon les lois de l'esprit et de la raison, et que s'il commet quelquefois des fautes, en faisant même le bien, comme il ne se peut faire autrement, il en tire des motifs et des occasions continuelles de mépris de soi-même, d'humilité, et de soumission à la justice et à la providence de Dieu ; et c'est ce qui fait voir la nécessité de la pénitence chrétienne, qui a été une vertu inconnue à la philosophie

Mais peut-être que votre ami, Madame, a des raisons de ne point passer les bornes de la sagesse humaine, et comme il a l'esprit fort délicat, il pourra même croire qu'il y a de l'orgueil ou de l'intérêt secret en mon avis, et quelque protestation que je lui puisse faire du contraire, il n'est pas obligé de me croire. Il vaut donc mieux, Madame, que vous ne lui en parliez point du tout, s'il vous plaît, et que vous lui disiez seulement que, quand il n'y aurait que son écrit au monde avec Évangile, je voudrais être chrétien. L'un m'apprendrait à connaître mes misères, et l'autre à implorer mon libérateur ; ce sont les deux premiers degrés de la vie spirituelle et quand on les franchit comme il faut, on n'en demeure pas là ordinairement ; les bonnes œuvres suivent et l'on fait profit de tout, des péchés même et des fautes qu'on a commises, qu'on commet, et des ignorances, erreurs et faiblesses naturelles et involontaires, auxquelles sont sujet tous les hommes de ce monde et même ceux qui sont les plus établis dans les vertus essentielles.

Que si cette pièce ne s'imprime pas, je vous prie très humblement, Madame, de m'en faire avoir une copie.

36. Lettre, d'auteur inconnu, à Mme de Sablé, 1663.

J'appellerais volontiers l'auteur de ces maximes un orateur éloquent et un philosophe plus critique que savant ; aussi n'a-t-il autre principe de ses sentiments que la fécondité de son imagination. Il affecte dans ses divisions et dans ses définitions, subtilement mais sans fondement inventées, de passer pour un Sénèque, ne prenant pas garde néanmoins que celui-ci, dans sa morale, tout païen qu'il était, ne s'est jamais jeté dans cette extrémité que de confondre toutes les vertus des sages de son temps, ni de les faire passer pour des vices ; il a cru qu'il y en avait de tempérants et de dissolus, de bons et de mauvais, d'humbles et de superbes, et il n'a jamais dit qu'on pût, sous une véritable humilité, cacher une superbe insolente : elles sont trop antipathiques pour pouvoir habiter la même demeure. Je lui donnerais néanmoins cette louange que de savoir puissamment invectiver, et d'avoir parfaitement bien rencontré où il s'est agi de mériter le titre de satirique. C'est à contrecœur que je loue de la sorte son ouvrage tout à fait spirituel, et peut-être pourra-t-on dire que je tombe dans le même défaut dont je l'accuse ; mais certes, considérant que par ces maximes il n'y a aucune vertu chrétienne, si solide qu'elle soit, qui ne puisse être censurée, content du désavantage d'en être dépourvu, j'aime mieux ne passer pas pour complaisant en approuvant sa doctrine, que d'être dans un perpétuel danger de déclamer contre les belles qualités, ni médire des plus vertueux.

37. Lettre de Mme de La Fayette à Mme de Sablé. 1663.

Ce jeudi au soir.

Voilà un billet que je vous supplie de vouloir lire, il vous instruira de ce que l'on demande de vous. Je n'ai rien à y ajouter, sinon que l'homme qu'il l'écrit [sic] est un des hommes du monde que j'aime autant, et qu'ainsi c'est une des plus grandes obligations que je vous puisse avoir, que de lui accorder ce qu'il souhaite pour son ami. Je viens d'arriver de Fresnes, où j'ai été deux jours en solitude avec Madame du Plessis ; en ces deux jours-là nous avons parlé de vous deux ou trois mille fois ; il est inutile de vous dire comment nous en avons parlé, vous le devinez aisément. Nous y avons lu les maximes de M. de La Rochefoucauld. Ha, Madame ! quelle corruption il faut avoir dans l'esprit et dans le cœur pour être capable d'imaginer tout cela ! J'en suis si épouvantée que je vous assure que, si les plaisanteries étaient des choses sérieuses, de telles maximes gâteraient plus ses affaires que tous les potages qu'il mangea l'autre jour chez vous.

38. Lettre de Mme de La Fayette à Mme de Sablé. 1663.

Vous me donneriez le plus grand chagrin du monde, si vous ne me montriez pas vos maximes. Mme du Plessis m'a donné une curiosité étrange de les voir, et c'est justement parce qu'elles sont honnêtes et raisonnables que j'en ai envie, et qu'elles me persuaderont que toutes les personnes de bon sens ne sont pas si persuadées de la corruption générale que l'est M. de La Rochefoucauld. Je vous rends mille et mille grâces de ce que vous avez fait pour ce gentilhomme. Je vous en irai encore remercier moi-même, et je me servirai toujours avec plaisir des prétextes que je trouverai pour avoir l'honneur de vous voir ; et si vous trouviez autant de plaisir avec moi que j'en trouve avec vous, je troublerais souvent votre solitude.

III. Lettres concernant la publication de la Ière édition des maximes

39. Lettre de La Rochefoucauld au Père Thomas Esprit. 6 février 1664.

6 février.

Vous me permettrez de vous dire que l'on fait un peu plus de bruit de ces maximes qu'on ne devrait et qu'elles ne méritent. Je ne sais si on y a ajouté ou changé quelque chose comme on a accoutumé de faire. Mais si elles sont comme je les ai vues, je crois qu'on les pourrait soutenir sans grand péril, au moins si on peut être bien fondé à soutenir un ramas de diverses pensées à qui on n'a point encore donné d'ordre, ni de commencement ni de fin. Il peut y avoir même quelques expressions trop générales que l'on aurait adoucies si on avait cru que ce qui devait demeurer secret entre un de vos parents et un de vos amis eût été rendu public. Mais comme le dessein de l'un et de l'autre a été de prouver que la vertu des anciens philosophes païens, dont ils ont fait tant de bruit, a été établie sur de faux fondements, et que l'homme, tout persuadé qu'il est de son mérite, n'a en soi que des apparences trompeuses de vertu dont il éblouit les autres et dont souvent il se trompe lui-même lorsque la foi ne s'en mêle point, il me semble, dis-je, que l'on n'a pu trop exagérer les misères et les contrariétés du cœur humain pour humilier l'orgueil ridicule dont il est rempli, et lui faire voir le besoin qu'il a en toutes choses d'être soutenu et redressé par le christianisme. Il me semble que les maximes dont est question tendent assez à cela et qu'elles ne sont pas criminelles, puisque leur but est d'attaquer l'orgueil, qui, à ce que j'ai oui dire, n'est pas nécessaire à salut. Je demeure donc d'accord que c'est un malheur qu'elles aient paru sans être achevées et sans l'ordre qu'elles devaient avoir. Mais on aurait trop d'affaires sur les bras à la fois, de se plaindre de ceux qui ont tort là-dessus. Nous discuterons à la première vue s'il est vrai ou non que les vices entrent souvent dans la composition de quelques vertus, comme les poisons entrent dans la composition des plus grands remèdes de la médecine. Quand je dis nous, j'entends parler de l'homme qui croit ne devoir qu'à lui seul ce qu'il a de bon, comme faisaient les grands hommes de l'antiquité, et comme cela je crois qu'il y avait de l'orgueil, de l'injustice et mille autres ingrédients dans la magnanimité et la libéralité d'Alexandre et de beaucoup d'autres ; que dans la vertu de Caton il y avait de la rudesse, et beaucoup d'envie et de haine contre César ; que dans la clémence d'Auguste pour Cinna il y eut un désir d'éprouver un remède nouveau, une lassitude de répandre inutilement tant de sang, et une crainte des événements à quoi on a plutôt fait de donner le nom de vertu que de faire l'anatomie de tous les replis du cœur. Je ne prétends pas de vous en dire davantage, ni faire ici un manifeste. Vous en direz ce que vous jugerez à propos à Mme de Liancourt et à Mme du Plessis. Si vous voulez aussi que M Bernard fasse voir ce que je vous mande à M. de la Chapelle, qui demeure chez M. le Premier Président, vous m'épargnerez la peine de le récrire pour lui envoyer. Je vous donne le bonsoir et suis entièrement à vous. Je n'écrirai pas Mme de Liancourt pour ne la tourmenter pas de cette affaire.

40. Lettre de La Rochefoucauld au Père René Rapin. 12 juillet 1664.

Ce n'est pas assez pour moi de tout ce que nous dîmes hier, il me vient à tous moments des scrupules et on ne saurait jamais avoir trop de délicatesse pour un ami du prix de Mr. de la Chapelle. C'est pourquoi, mon Très Révérend Père, je vous supplie très humblement de vous mettre précisément en ma place et de vouloir être mon directeur pour tout ce que je dois à notre ami avec autant d'exactitude que vous en avez pour les consciences. N'ayez, s'il vous plaît, aucun égard à l'intérêt des maximes et ne songez qu'à ne me laisser manquer à rien vers l'homme du monde à qui je veux le moins manquer. Je vous demande pardon de la liberté que je prends, mais Mr. de la Chapelle en est cause en toutes manières et il m'a tellement assuré que j'ai quelque part en l'honneur de vos bonnes grâces que j'espère que vous m'accorderez celle que je viens de vous demander et de me croire à vous avec toute l'estime et le respect imaginables.

La Rochefoucauld

À Paris, le 12 de juillet.

Je ne veux pas même écrire à M. de La Chapelle afin que ce soit vous seul qui me répondiez de ses sentiments.

Encore une fois, mon Très Révérend Père, comptez, s'il vous plaît, les maximes pour rien, et croyez que j'aime mille fois mieux qu'elles ne parussent jamais que de faire la moindre peine à ceux qui en ont pris la protection.

41. Lettre de La Rochefoucauld à Mme de Sablé. 1664.

Je vous envoie cette manière de préface pour les maximes ; mais comme je la dois rendre dans deux heures, je vous supplie très humblement, Madame, de me la renvoyer par le même laquais qui vous porte ce billet. Je vous demande aussi de me dire ce que vous en trouvez.

Ce samedi.

42. Lettre de Mme de Sablé à La Rochefoucauld. 18 février 1665.

Je vous envoie ce que j'ai pu tirer de ma tête pour mettre dans le Journal. J'y ai mis cet endroit qui vous est si sensible, afin que cela vous fasse surmonter la mauvaise honte qui vous fit donner au public la préface sans y rien retrancher, et je n'ai pas craint de le mettre, parce que je suis assurée que vous ne le ferez pas imprimer quand même le reste vous plairait. Je vous assure aussi que je vous serai plus obligée si vous en usez comme d'une chose qui serait à vous, en le corrigeant ou en le jetant au feu, que si vous lui faisiez un honneur qu'il ne mérite pas. Nous autres grands auteurs sommes trop riches pour craindre de perdre de nos productions. Mandez-moi ce qu'il vous semble de ce *dictum.*

Le 18e février 1665.

« C'est un traité des mouvements du cœur de l'homme, qu'on peut dire lui avoir été comme inconnus jusques à cette heure. Un seigneur, aussi grand en esprit qu'en naissance, en est l'auteur ; mais ni sa grandeur ni son esprit n'ont pu empêcher qu'on n'en ait fait des jugements bien différents.

Les uns croient que c'est outrager les hommes que d'en faire une si terrible peinture, et que l'auteur n'en a pu prendre l'original qu'en lui-même ; ils disent qu'il est dangereux de mettre de telles pensées au jour, et qu'ayant si bien montré qu'on ne fait jamais de bonnes actions que par de mauvais principes, on ne se mettra plus en peine de chercher la vertu, puisqu'il est impossible de l'avoir, si ce n'est en idée.

Les autres au contraire trouvent ce traité fort utile parce qu'il découvre les fausses idées que les hommes ont d'eux-mêmes, et leur fait voir que sans la religion ils sont incapables de faire aucun bien ; qu'il est bon de se connaître tel qu'on est, quand même il n'y aurait que cet avantage de n'être point trompé dans la connaissance qu'on peut avoir de soi-même.

Quoi qu'il en soit, il y a tant d'esprit dans cet ouvrage, et une si grande pénétration pour connaître le véritable état de l'homme, à ne regarder que sa nature, que toutes les personnes de bon sens y trouveront une infinité de choses qu'ils auraient peut-être ignorées toute leur vie si cet auteur ne les avait tirées du chaos du cœur de l'homme pour les mettre dans un jour où quasi tout le monde peut les voir et les comprendre sans peine. »

IV. Lettres concernant la rédaction des maximes (3e, 4e et 5e éditions)

43. Maximes adressées par La Rochefoucauld à Mme de Sablé, 1667.

« Les passions ne sont que les divers goûts de l'amour-propre. »

« La fortune nous corrige plus souvent que la raison. »

« L'extrême ennui sert à nous désennuyer. »

« On loue et on blâme la plupart des choses parce que c'est la mode de les louer ou de les blâmer. »

« Ce n'est d'ordinaire que dans de petits intérêts où nous consentons de ne point croire aux apparences. »

« Quelque bien qu'on nous dise de nous, on ne nous apprend rien de nouveau. »

44. Maximes adressées par La Rochefoucauld à Mme de Rohan, abbesse de Malnoue. Période 1671-1674.

19 L'accent du pays, où l'on est né demeure dans l'esprit et dans le cœur, comme dans le langage. (Max. 342.)

Pour être grand'homme, il faut savoir profiter de toute sa fortune. (Max. 343, var.)

20 La plupart des hommes ont, comme les plantes, des propriétés cachées, que le hasard fait découvrir. (Max. 344.)

30 Les occasions nous font connaître aux autres, et encore plus à nous-mêmes. (Max. 345.)

Il ne peut y avoir de règle dans l'esprit, ni dans le cœur, des femmes, si le tempérament n'en est d'accord. (Max. 346.)

31 Nous ne trouvons guère de gens de bon sens que ceux qui sont de notre avis. (Max. 347.)

Quand on aime, on doute souvent de ce qu'on croit le plus. (Max. 348.)

Le plus grand miracle de l'amour, c'est de guérir de la coquetterie. (Max. 349.)

Ce qui nous donne tant d'aigreur contre ceux qui nous font des finesses, c'est qu'ils croient être plus habiles que nous. (Max. 350.)

On a bien de la peine à rompre quand on ne s'aime plus. (Max. 351.)

37 On s'ennuie presque toujours avec les gens avec qui il n'est pas permis de s'ennuyer. (Max. 352.)

Un honnête homme peut être amoureux comme un fou, mais non pas comme un sot. (Max. 353.)

35 Il y a de certains défauts qui, bien mis en œuvre, brillent plus que la vertu même. (Max. 354.)

On perd quelquefois des personnes qu'on regrette plus qu'on n'en est affligé, et d'autres dont on est affligé quelque temps et qu'on ne regrette guère. (Max. 355, var.)

32 On ne loue, d'ordinaire, de bon cœur que ceux qui nous admirent. (Max. 356, var.)

34 Les petits esprits sont trop blessés des petites choses ; les grands esprits les voient toutes, et n'en sont pas blessés. (Max. 357.)

L'humilité est la véritable preuve des vertus chrétiennes ; sans elle nous conservons tous nos défauts, et ils sont généralement couverts par l'orgueil, qui les cache aux autres, et souvent à nous-mêmes. (Max. 358, var.)

26 Les infidélités devraient éteindre l'amour, et il ne faudrait point être jaloux de ce qui donne sujet de l'être. Il n'y a que les personnes qui évitent de donner de la jalousie qui soient dignes qu'on en ait pour elles. (Max. 359, var.)

On se décrie beaucoup plus auprès de nous par les moindres infidélités qu'on nous fait que par les plus grandes qu'on fait aux autres. (Max. 360.)

27 La jalousie naît toujours avec l'amour, mais elle ne meurt pas toujours avec lui. (Max. 361.)

22 La plupart des femmes ne pleurent pas tant la mort de leurs amants pour les avoir aimés que pour paraître plus dignes d'être aimées. (Max. 362.)

38 Les violences qu'on nous fait nous font souvent moins de peine que celles que nous nous faisons à nous-mêmes. (Max. 363.)

29 On sait assez qu'il ne faut guère parler de sa femme ; mais on ne sait pas assez qu'on devrait encore moins parler de soi. (Max. 364.)

Il y a de bonnes qualités qui dégénèrent en défauts quand elles sont naturelles, et d'autres qui ne sont jamais parfaites quand elles sont acquises. La raison doit nous rendre ménagers de notre bien, et difficiles à tromper, et il faut que la nature nous fasse naître vaillants, et sincères. (Max. 365, var.)

Quelque défiance que nous ayons de la sincérité de ceux qui nous parlent, nous croyons toujours qu'ils nous disent plus vrai qu'aux autres. (Max. 366.)

39 Il n'est jamais plus difficile de bien parler que lorsqu'on ne parle que de peur de se taire.

23 Il y a peu d'honnêtes femmes qui ne soient lasses de leur métier. (Max. 367.)

21 La plupart des honnêtes femmes sont des trésors cachés, qui ne sont en sûreté que parce qu'on ne les cherche pas. (Max. 368.)

Les violences qu'on se fait pour s'empêcher d'aimer sont souvent plus cruelles que les rigueurs de ce qu'on aime. (Max. 369.)

Il n'y a guère de poltrons qui connaissent toujours toute leur peur. (Max. 370.)

28 C'est presque toujours la faute de celui qui aime, de ne pas connaître quand on cesse de l'aimer. (Max. 371.)

On craint toujours de voir ce qu'on aime quand on vient de faire des coquetteries ailleurs. (MS 73, n 372 de la 4e éd.)

Il y a de certaines larmes qui nous trompent souvent nous-mêmes, après avoir trompé les autres. (Max. 373.)

24 Si on croit aimer sa maîtresse pour l'amour d'elle, on est bien trompé. (Max. 374.)

40 On doit se consoler de ses fautes, quand on a la force de les avouer. (MS 74, n 375 de la 4e éd.)

L'envie est détruite par la véritable amitié, et la coquetterie par le véritable amour. (Max. 376.)

41 Le plus grand défaut de la pénétration n'est pas de n'aller point jusqu'au bout, c'est de le passer. (Max. 377.)

42 On donne des conseils, mais on n'inspire point de conduite (Max. 378.)

43 Quand notre mérite baisse, notre goût baisse aussi. (Max. 379.)

44 La fortune fait paraître nos vertus et nos vices comme la lumière fait paraître les objets. (Max. 380.)

25 La violence qu'on se fait pour demeurer fidèle à ce qu'on aime ne vaut guère mieux qu'une infidélité. (Max. 381.)

45 Nos actions sont comme les bouts-rimés, que chacun fait rapporter à ce qu'il lui plaît. (Max. 382.)

L'envie de parler de nous, et de faire voir nos défauts du côté que nous les voulons bien montrer, fait une grande partie de notre sincérité. (Max. 383, var.)

On ne devrait s'étonner que de pouvoir encore s'étonner. (Max. 384.)

On est presque également difficile à contenter quand on a beaucoup d'amour, et quand on n'en a plus guère. (Max. 385.)

45. Réponse de Mme de Rohan à l'envoi précédent.

Je vous renvoie vos maximes, Monsieur, en vous rendant mille et mille grâces très humbles. Je ne les louerai point comme elles méritent d'être louées, parce que je les trouve trop au-dessus de mes louanges. Elles ont un sens si juste et si délicat, quoiqu'il soit quelquefois un peu détourné, qu'il ne faudrait pas moins de délicatesse pour vous dire ce qu'on en pense qu'il vous en a fallu pour les faire. Vous avez une lumière si vive pour pénétrer le cœur de tous les hommes qu'il semble qu'il n'appartienne qu'à vous de donner un jugement équitable sur le mérite ou le démérite de tous ses mouvements, avec cette différence pourtant qu'il me semble, Monsieur, que vous avez encore mieux pénétré celui des hommes que celui des femmes ; car je ne puis, malgré la déférence que j'ai pour vos lumières, m'empêcher de m'opposer un peu à ce que vous dites, que leur tempérament fait toute leur vertu, puisqu'il faudrait conclure de là que leur raison leur serait entièrement inutile. Et quand même il serait vrai qu'elles eussent quelquefois les passions plus vives que les hommes, l'expérience fait assez voir qu'elles savent les surmonter contre leur tempérament, de sorte que, quand nous consentirons que vous mettiez de l'égalité entre les deux sexes, nous ne vous ferons pas d'injustice pour nous faire grâce. Il est même bien plus ordinaire aux femmes de s'opposer à leur tempérament qu'aux hommes, lorsqu'elles l'ont mauvais, parce que la bienséance et la honte les y forceraient quand même leur vertu et leur raison ne les y obligeraient pas. Voici les trois de vos maximes que j'aime le mieux et qui m'ont le plus charmée :

1. Il ne faudrait point être jaloux quand on nous donne sujet de l'être il n'y a que les personnes qui évitent de donner de la jalousie qui soient dignes qu'on en ait pour elles.

2. La fortune fait paraître nos vertus et nos vices comme la lumière fait paraître les objets.

3. La violence qu'on se fait pour demeurer fidèle à ce qu'on aime ne vaut guère mieux qu'une infidélité.

Je vous avoue, Monsieur, que, quoique vos maximes soient très belles, ces trois-là me paraissent incomparables et qu'on ne sait à qui donner le prix, ou au sens ou à l'expression. Mais comme vous m'avez engagée à vous parler franchement, trouvez bon que je vous dise que je n'entends pas bien votre première maxime où vous dites : « L'accent du pays où on est né demeure dans l'esprit, et dans le cœur, comme dans le langage. » Je crois que cela est fort bien et fort juste ; mais je ne connais point ces accents qui demeurent dans l'esprit et dans le cœur. Je crois que c'est ma faute de ne les entendre ni de ne les pas sentir, et cette maxime me fait connaître ce que vous dites dans la quatrième, que les occasions nous font connaître aux autres et à nous-mêmes.

Cette autre maxime où vous dites que l'on perd quelquefois des personnes qu'on regrette plus qu'on n'en est affligé, et d'autres dont on est affligé quelque temps et qu'on ne regrette guère, n'est pas à mon usage ; car la mesure de ma douleur serait toujours la mesure de mon regret, et j'ai grand peine à comprendre que je puisse séparer ces deux choses, parce que ce qui aurait mérité mon attachement mériterait également et mon regret et mes larmes et ma douleur.

La maxime sur l'humilité me paraît encore parfaitement belle, mais j'ai été bien surprise de trouver là l'humilité. Je vous avoue que je l'y attendais si peu qu'encore qu'elle soit si fort de ma connaissance depuis longtemps, j'ai eu toutes les peines du monde à la reconnaître au milieu de tout ce qui la précède et qui la suit. C'est assurément pour faire pratiquer cette vertu aux personnes de notre sexe que vous faites des maximes où leur amour-propre est si peu flatté. J'en serais bien humiliée en mon particulier, si je ne me disais à moi-même ce que je vous ai déjà dit dans ce billet, que vous jugez encore mieux du cœur des hommes que de celui des dames, et que peut-être vous ne savez pas vous-même le véritable motif qui vous les fait moins estimer. Si vous en aviez toujours rencontré dont le tempérament eût été soumis à la vertu, et les sens moins forts que la raison, vous penseriez mieux que vous ne faites d'un certain nombre qui se distingue toujours de la multitude, et il me semble que Mme de La Fayette et moi méritons bien que vous ayez un peu meilleure opinion du sexe en général. Vous ne ferez que nous rendre ce que nous faisons en votre faveur, puisque malgré les défauts d'un million d'hommes nous rendons justice à votre mérite particulier, et que vous seul nous faites croire tout ce qu'on peut dire de plus avantageux pour votre sexe. Etc.

46. Réponse de La Rochefoucauld à la lettre précédente

Quelque déférence que j'aie à tout ce qui vient de vous, je vous assure, Madame, que je ne crois pas que les maximes méritent l'honneur que vous leur faites. Je me défie beaucoup de celles que vous n'entendez pas, et c'est signe que je ne les ai pas entendues moi-même. J'aurai l'honneur de vous en dire ce que j'en ai pensé, dans un jour ou deux, et de vous assurer que personne du monde, sans exception, ne vous estime et ne vous respecte tant que moi. Etc.

47. Lettre de La Rochefoucauld à Mme de Sablé 2 août 1675.

Je vous envoie, Madame, les maximes que vous voulez avoir. Je n'en ai pas assez bonne opinion pour croire que vous les demandiez par une autre raison que par cette politesse qu'on ne trouve plus que chez vous. Je sais bien que le bon sens et le bon esprit convient à tous les âges, mais les goûts n'y conviennent pas toujours et ce qui sied bien en un temps ne sied pas bien en un autre. C'est ce qui me fait croire que peu de gens savent être vieux. Je vous supplie très humblement de me mander ce qu'il faut changer à ce que je vous envoie. Mme de Fontevrault m'a promis de m'avertir quand elle irait chez vous. Je me suis tellement paré devant elle de l'honneur que vous me faites de m'aimer qu'elle en a bonne opinion de moi. Ne détruisez pas votre ouvrage, et laissez-lui croire là-dessus tout ce qui flatte le plus ma vanité.

Ce 2e d'août.

1. La confiance fournit plus à la conversation que l'esprit. (Max. 421.)

2. L'amour nous fait faire des fautes comme les autres passions, mais il nous en fait faire de plus ridicules. (Max. 422. var.)

3. Peu de gens savent être vieux. (Max. 423.)

4. La pénétration a un air de prophétie qui flatte plus notre vanité que toutes les autres qualités de l'esprit. (Max. 425, var.)

5. La plupart des amis dégoûtent de l'amitié, et la plupart des dévots dégoûtent de la dévotion. (Max. 427.)

6. Il y a plus de vieux fous que de jeunes. (Max. 444, var.)

7. Il est plus aisé de connaître tous les hommes en général que de connaître un homme en particulier. (Max. 436, var.)

8. On ne doit pas juger du mérite d'un homme par ses grandes qualités, mais par l'usage qu'il en sait faire. (Max. 437.)

9. Ce qui fait que la plupart des femmes sont peu touchées de l'amitié, c'est qu'elle est fade quand on a senti de l'amour. (Max. 440.)

10. Les femmes qui aiment pardonnent plus aisément les grandes indiscrétions que les petites infidélités. (Max. 429.)

11. Ce qui nous empêche d'être naturels, c'est l'envie de le paraître. (Max. 431. var)

12. C'est en quelque sorte se donner part aux belles actions que de les louer de bon cœur. (Max. 432.)

13. La plus véritable marque d'être né avec de grandes qualités, c'est d'être né sans envie. (Max. 433.)

14. La faiblesse est plus opposée à la vertu que le vice. (Max. 445.)

15. Ce qui fait que la honte et la jalousie sont les plus grands de tous les maux, c'est que la vanité ne nous aide pas à les supporter. (Max. 446. var.)

48. Réponse de Mme de Sablé à la lettre précédente

C'est votre complaisance, plutôt que la mienne, qui vous oblige à me faire part de vos maximes, parce que je n'en suis pas digne. Je vous dirai pourtant, Monsieur, comme si je ne disais rien, qu'il me semble que dans

la Ière maxime, il faudrait expliquer quelle sorte de confiance, parce que celle qui n'est fondée que sur la bonne opinion que l'on a de soi-même est différente de la sûreté que l'on prend avec les personnes à qui l'on parle ;

la 4e est merveilleuse, et il n'y a rien de mieux pénétré ;

sur la 8e, il n'y a point de vraies grandes qualités si on ne les met en usage ;

sur la 10e, il n'y a rien de mieux trouvé ;

la IIe est bien vraie, car le naturel ne se trouve point où il y a de l'affectation ;

la 12e, il n'y a rien de si beau ni de si vrai ;

la 13e est très belle ;

la 14e est bien vraie, car le vice se peut corriger par l'étude de la vertu et la faiblesse est du tempérament, qui ne se peut quasi jamais changer ;

sur la cinquième, quand les amitiés ne sont point fondées sur la vertu, il y a tant de choses qui les détruisent que l'on a quasi toujours des sujets de s'en lasser.

V. Lettre relatant un entretien de la Rochefoucauld avec le chevalier de Méré

*49. Lettre du chevalier de Méré à Madame la duchesse de***. Date inconnue.*

Vous voulez que je vous écrive, Madame ; et vous me l'avez commandé de si bonne grâce et si galamment que je n'ai pu vous le refuser. Mais ce qui m'a engagé à vous le promettre me devrait empêcher de vous le tenir. Car je vois par là que vous êtes si délicate en agrément qu'il faut qu'une chose, pour être à votre goût, soit excellente et d'un prix bien rare. Aussi, Madame, je ne vous écris pas tant par l'espérance de vous plaire que par la crainte de vous désobéir. Et peut-être qu'il serait encore de plus mauvais air de vous manquer de parole que de ne vous rien dire d'agréable. Quoi qu'il en soit, vous me donnez le moyen de me sauver de l'un et de l'autre, en m'ordonnant de vous rapporter la conversation que j'eus avant-hier avec M. de La Rochefoucauld ; car il parla presque toujours, et vous savez comme il s'en acquitte. Nous étions dans un coin de chambre tête à tête à nous entretenir sincèrement de tout ce qui nous venait dans l'esprit. Nous lisions de temps en temps quelques rondeaux, où l'adresse et la délicatesse s'étaient épuisées. « Mon Dieu ! me dit-il, que le monde juge mal de ces sortes de beautés ! Et ne m'avouerez-vous pas que nous sommes dans un temps où l'on ne se doit pas trop mêler d'écrire ? » Je lui répondis que j'en demeurais d'accord, et que je ne voyais point d'autre raison de cette injustice, si ce n'est que la plupart de ces juges n'ont ni goût ni esprit. « Ce n'est pas tant cela, ce me semble, reprit-il, que je ne sais quoi d'envieux et de malin qui fait mal prendre ce qu'on écrit de meilleur. – Ne vous l'imaginez pas, je vous prie, lui répartis-je, et soyez assuré qu'il est impossible de connaître le prix d'une chose excellente sans l'aimer, ni sans être favorable à celui qui l'a faite. Et comment peut-on mieux témoigner qu'on est stupide et sans goût que d'être insensible aux charmes de l'esprit ? – J'ai remarqué, reprit-il, les défauts de l'esprit et du cœur de la plupart du monde, et ceux qui ne me connaissent que par là pensent que j'ai tous ces défauts, comme si j'avais fait mon portrait. C'est une chose étrange que mes actions et mon procédé ne les en désabusent pas. – Vous me faites souvenir, lui dis-je, de cet admirable génie qui laissa tant de beaux ouvrages, tant de chefs-d'œuvre d'esprit et d'invention, comme une vive lumière dont les uns furent éclairés et la plupart éblouis. Mais parce qu'il était persuadé qu'on n'est heureux que par le plaisir, ni malheureux que par la douleur, ce qui me semble, à le bien examiner, plus clair que le jour, on l'a regardé comme l'auteur de la plus infâme et de la plus honteuse débauche, si bien que la pureté de ses mœurs ne le put exempter de cette horrible calomnie. – Je serais assez de son avis, me dit-il, et je crois qu'on pourrait faire une maxime que la vertu mal entendue n'est guère moins incommode que le vice bien ménagé. – Ha Monsieur ! m'écriai-je, il s'en faut bien garder, ces termes sont si scandaleux qu'ils feraient condamner la chose du monde la plus honnête et la plus sainte. – Aussi n'usé-je de ces mots, me dit-il, que pour m'accommoder au langage de certaines gens qui donnent souvent le nom de vice à la vertu, et celui de vertu au vice ; et parce que tout le monde veut être heureux, et que c'est le but où tendent toutes les actions de la vie, j'admire que ce qu'ils appellent vice soit ordinairement doux et commode, et que la vertu mal entendue soit âpre et pesante. Je ne m'étonne pas que ce grand homme ait eu tant d'ennemis ; la véritable vertu se confie en elle-même ; elle se montre sans artifice et d'un air simple et naturel, comme celle de Socrate. Mais les faux honnêtes gens aussi bien que les faux dévots ne cherchent que l'apparence, et je crois que dans la morale Sénèque était un hypocrite et qu'Épicure était un saint. Je ne vois rien de si beau que la noblesse du cœur et la hauteur de l'esprit ; c'est de là que procède la parfaite honnêteté, que je mets au-dessus de tout, et qui me semble à préférer pour l'heur de la vie à la possession d'un royaume. Ainsi j'aime la vraie vertu comme je hais le vrai vice. Mais selon mon sens, pour être effectivement vertueux, au moins pour l'être de bonne grâce, il faut savoir pratiquer les bienséances, juger sainement de tout et donner l'avantage aux excellentes choses par-dessus celles qui ne sont que médiocres. La règle à mon gré la plus certaine pour ne pas douter si une chose est en perfection, c'est d'observer si elle sied bien à toutes sortes d'égards ; et rien ne me paraît de si mauvaise grâce que d'être un sot ou une sotte, et de se laisser empiéter aux préventions. Nous devons quelque chose aux coutumes des lieux où nous vivons pour ne pas choquer la révérence publique quoique ces coutumes soient mauvaises ; mais nous ne leur devons que de l'apparence il faut les en payer, et se bien garder de les approuver dans son cœur de peur d'offenser la raison universelle qui les condamne. Et puis, comme une vérité ne va jamais seule, il arrive aussi qu'une erreur en attire beaucoup d'autres. Sur ce principe qu'on doit souhaiter d'être heureux, les honneurs, la beauté, la valeur, l'esprit, les richesses et la vertu même, tout cela n'est à désirer que pour se rendre la vie agréable. Il est à remarquer qu'on ne voit rien de pur ni de sincère, qu'il y a du bien et du mal en toutes les choses de la vie, qu'il faut les prendre et les dispenser à notre usage, que le bonheur de l'un serait souvent le malheur de l'autre, et que la vertu fuit l'excès comme le défaut. Peut-être qu'Aristide l'Athénien et Socrate n'étaient que trop vertueux, et qu'Alcibiade et Phédon ne l'étaient pas assez ; mais je ne sais si pour vivre content, et comme un honnête homme du monde, il ne vaudrait pas mieux être Alcibiade et Phédon qu'Aristide ou Socrate. Quantité de choses sont nécessaires pour être heureux, mais une seule suffit pour être à plaindre ; et ce sont les plaisirs de l'esprit et du corps qui rendent la vie douce et plaisante, comme les douleurs de l'un et de l'autre la font trouver dure et fâcheuse. Le plus heureux homme du monde n'a jamais tous ces plaisirs à souhait. Les plus grands de l'esprit, autant que j'en puis juger, c'est la véritable gloire et les belles connaissances ; et je prends garde que ces gens-là ne les ont que bien peu, qui s'attachent beaucoup aux plaisirs du corps. Je trouve aussi que ces plaisirs sensuels sont grossiers, sujets au dégoût et pas trop à rechercher, à moins que ceux de l'esprit ne s'y mêlent. Le plus sensible est celui de l'amour, mais il passe bien vite si l'esprit n'est de la partie. Et comme les plaisirs de l'esprit surpassent de bien loin ceux du corps, il me semble aussi que les extrêmes douleurs corporelles sont beaucoup plus insupportables que celles de l'esprit. Je vois de plus que ce qui sert d'un côté nuit d'un autre ; que le plaisir fait souvent naître la douleur comme la douleur cause le plaisir, et que notre félicité dépend assez de la fortune et plus encore de notre conduite. » Je l'écoutais doucement quand on vint nous interrompre, et j'étais presque d'accord de tout ce qu'il disait. Si vous me voulez croire, Madame, vous goûterez les raisons d'un si parfaitement honnête homme, et vous ne serez pas dupe de la fausse honnêteté.

Milton Keynes UK
Ingram Content Group UK Ltd.
UKHW031815061023
430068UK00009B/422